D0992984

# LE PETIT PERRET

## gourmand

DU MÊME AUTEUR
CHEZ LE MÊME ÉDITEUR

Les Grandes Pointures de l'Histoire, *Plon, 1993.*
Chansons de toute une vie, *Plon, 1993.*
Jurons, gros mots et autres noms d'oiseaux, *Plon, 1994.*

Conception et illustrations Very Visuel

ISBN 2-259-18135-X

# LE PETIT
# PERRET
## *gourmand*

PLON
76, rue Bonaparte
PARIS

Je dédie ce livre :

A la mémoire de Papa
si attendrissant gourmand.

A Maman,
qui m'a appris à l'être

A ma femme Rebecca,
« gourmette » et gourmande
selon les saisons. Dont les
méthodes culinaires parfois
« anarchiques » me laissent
souvent stupéfait et
agréablement étonné devant
le résultat !

A tous ceux et celles qui
aiment le plaisir de faire la
cuisine.

Mangez des choses simples,
des mets qui ont du goût.
Buvez des vins francs, ce sont
les meilleurs, mais aussi les
plus rares.

Laissez l'insipide aux
médiocres.

Maupassant, le jouisseur,
l'artiste, le poète ne disait-il
pas : « Il n'y a que les
imbéciles qui ne soient pas
gourmands. »

Pierre PERRET

# INTRODUCTION...
## pour dîner qu'on sert
## en régal majeur

Sachez-le tout de suite : si vous êtes nul (ou nulle !) pour cuisiner, vous pourrez tout de même réussir ces plats, car les plus simples sont ici les plus nombreux, et j'ai essayé d'en expliquer la façon le plus clairement possible, en détail, par le menu si j'ose dire, sans jeu de mots.

Ce bouquin n'a, au demeurant, nullement l'intention de donner des leçons de cuisine. C'est un petit bréviaire de ma gourmandise que je vous propose. La sauce sera-t-elle à votre goût ?

Ce sont mes recettes, mes petites inventions, celles des mémés qui nous régalaient d'un rien dans les « bordes » où, adolescent, je suivais Papa qui chassait la caille et le garenne plus abondants alors que de nos jours ; celles de Maman qui mitonne mieux que personne un salmis de pigeonneaux ou un court-bouillon d'écrevisses, celles aussi que j'ai créées, testées, modifiées et améliorées. Celles que j'ai découvertes au cours de mes fréquents voyages. D'autres enfin de copains, de parents, d'amis, mais très peu de vraiment sophistiquées.

Pour ma part, tremper le pain dans la sauce, ma gourmandise est née là. Maman a su de bonne heure enchanter mes papilles et développer ces fameux « goûts de l'enfance » dont on a la nostalgie pour le restant de ses jours.
« Goûte ! » me disait-elle lorsqu'elle avait achevé de préparer son plat et bien avant qu'on ne passe à table. Et j'imbibais copieusement le croûton de la sauce du salmis de pigeon, de la brandade de morue, du lapin aux câpres et aux oignons ou du cassoulet qui faisaient mes délices. Oui, Maman est la cuisinière « d'instinct » par excellence. Elle a appris toute seule. Par nécessité, par goût et, partageant en cela le péché mignon du paternel : par gourmandise.
Le temps béni où l'on faisait des moissons de produits « sauvages » aux alentours de mon Castelsarrasin natal est, hélas ! (presque ?) révolu.

Au retour de nos escapades dans la campagne, Maman préparait sa poêle pour des fritures de goujons (introuvables aujourd'hui), les grenouilles en persillade, les escargots préparés en une sauce divine que je n'ai jamais retrouvée, les omelettes aux champignons de rosée (encore possibles), aux asperges sauvages (moins sûr!), aux fleurs d'acacia. Ses courts-bouillons finement ponctués d'épices et d'aromates étaient un tel régal qu'il était presque superflu d'y ajouter les écrevisses. S'amalgamaient à toutes ces merveilles de bons petits vins blancs secs et francs, un peu soufrés parfois, et de légers rouges de Lavilledieu-de-Fronton ou de chez quelques petits paysans qui n'avaient pas encore la malice de « chaptaliser » (sucrer) leurs petits crus pour en rehausser le degré.

Bien que géographiquement tout proche, le bordeaux m'était inconnu. Hormis les blonds sauternes (remplacés parfois par des montbazillac moins chers!), frais compagnons indispensables de la saucisse fraîche grillée avec les huîtres d'Arcachon. Un délice! Mon épouse, des années plus tard, qui semblait choquée (avant d'y goûter) de cet étrange mariage à trois, fut totalement convaincue par cette douce trilogie que les « goulus » du Sud-Ouest connaissent bien.
Le noble et chatoyant bourgogne m'était, lui aussi d'ailleurs, totalement étranger.
Voilà donc quels furent mes premiers balbutiements en matière culinaire. Mes premières sensations gustatives.

Je ne pouvais dans ces conditions que devenir aussi un gourmand, ou gourmet celui qui recherche constamment la nouveauté et le raffinement, celui qui essaye par jeu et par goût des combinaisons entre viandes, poissons, légumes, épices qui puissent étonner et réjouir son palais.

On n'échappe pas à son destin!
Je n'ai abordé les rivages gastronomiques que bien des années après, lorsque mon portefeuille me le permit, bien entendu.
Encore que! J'ai découvert, par exemple, avant cela, et grâce à mon ami Jacky Vuillermoz, bon nombre de petits restaurants lyonnais aux prix très raisonnables.
« Chez Léa », « Chez Bourillot », « Chez Rose », ou « La Mère Charles » à Mionnay, continué par le glorieux fils, mon ami Alain Chapel, tous ces

lieux n'avaient aucun secret pour moi bien avant qu'ils ne fussent peu ou prou bardés d'étoiles prestigieuses.

Je devins plus tard client et ami de la famille Darroze (Francis) à Villeneuve-de-Marsan et aussi de Claude à Langon, de Bernard Loiseau à Saulieu en passant par Lameloise à Chagny, Bocuse à Collonges, Troisgros à Roanne, Blanc à Vonas, Flourens à Bordeaux, Freddy Girardet à Crissier, Jacques Manière, Dany et Maurice Cartier chez Dodin Bouffant, Joël Robuchon, Jean Delaveyne et tous les autres qui me pardonneront de ne point les évoquer ici. J'ai appris chez eux ce qu'étaient le raffinement du palais, l'enchantement d'une belle et bonne table, car, ne nous y trompons pas, la table doit être accueillante. Elle doit représenter une notion de fête dans l'esprit de ceux qui sont conviés à s'asseoir autour, tous les grands chefs dignes de ce nom ont d'abord compris cela.

Un mot cependant sur la querelle cuisine ancienne, traditionnelle et la cuisine dite « nouvelle ». Quelle est la meilleure ? Eh bien, je suis bien forcé de vous dire qu'il n'existe pour moi qu'une seule et unique cuisine. C'est la bonne.

Selon mon goût, un plat lourd est condamné d'avance, qu'il appartienne ou non à l'ancienne ou à la nouvelle école !

Le plat qu'on mitonne, on doit le « sentir ». C'est un concerto de violon. La moindre fausse note n'y a pas sa place. Pour cela il y a le « coup de main », l'instinct, qui forcément viendront un jour.

Vous aurez peut-être alors, chères futures « cordons-bleus », le même frémissement sensuel que ressentait la bonne Léa (qui fit bien longtemps les beaux jours du restaurant de « La Voûte » à Lyon) lorsqu'elle sentait « venir son plat ».

Elle m'expliqua sérieusement qu'en cette troublante circonstance, cramponnée à la queue de son poêlon, ses orteils soudain se redressaient douloureusement dans sa chaussure. Elle fit donc supprimer tout bonnement tous les bouts de ses souliers par son cordonnier, bien étonné sans doute de cette insolite requête !

Un dernier petit conseil utile dont personne chez vous ne se plaindra : variez les menus, variez les vins, cela excite l'appétit et la curiosité de ceux que vous conviez à s'asseoir à votre table.

*Rien n'est plus touchant que l'illusion où sont tant de personnes que chez elles on ne mange pas mal.*
*Elles y ont le goût fait.*

J. Bainville.

Nous aimons, mon épouse et ma pomme, recevoir des copains à la maison. Des amis. Avec lesquels on se sent « bien ». Avec qui on a des affinités. Ceux avec qui on parle « la même langue ». Il en sort en général — outre les fous rires qui éclatent (et pas nécessairement parce qu'on a trop picolé) — une sensation diffuse d'avoir ensoleillé sa journée. Une façon comme une autre d'y avoir ajouté du safran ou de la truffe. Du piment en quelque sorte, pour être en accord avec mon sujet.

Parallèlement au bonheur transparent d'une subtile dégustation de la part des convives, les anecdotes moqueuses me paraissent de bon aloi, voire indispensables à l'équilibre d'une soirée à table. J'ai trop connu de dîners « chiants » pour envisager une seconde d'avoir convié des invités qui le soient eux aussi à ma table.
Donc en un mot : les dîners « d'affaires » sont complètement bannis à la maison.
Qu'on se le dise !

On se « rassemble » par contre entre potes autant que peut se faire, il nous semble pour le moins « vital » de ménager ces petits entractes dans la vie que nous menons.
Pour mettre toutes les chances de son côté lorsque l'on organise un petit dîner de copains, il est préférable :
De n'inviter qu'un nombre restreint de convives, une façon comme une autre de les respecter. Pour définir le chiffre idéal, les gastronomes avertis s'inspirent des grâces et des muses.
Trois au minimum, neuf au maximum. Tout comme les filles de Jupiter !
Pour en assurer pleinement sa réussite, son ton, son atmosphère de chaleur communicative, il est souhaitable :
Que les invités ne s'arrachent pas la gueule !
Qu'il existe plutôt certaines affinités entre eux.
Qu'ils soient capables d'évoquer durant le dîner d'autres histoires que celles qui se trament à leur bureau ou toutes les maladies qui frappent leur famille.

Qu'ils n'allument pas une pipe entre chaque plat.
Qu'ils ne versent pas froidement de l'Evian dans leur verre de Margaux.
Qu'enfin ils soient amateurs de bonne chère.
Rien n'est plus déprimant que les « chipoteurs » pour celui ou celle qui a sué le burnous tout un après-midi pour vous régaler.

En conclusion, pour réussir une croque, il faut avoir les calots partout. Faire gaffe non seulement au choix de vos convives, mais aussi à la qualité de ce que vous allez leur faire briffer, à la fraîcheur des produits, à la cuisson des plats, au choix du jaja, des fromages, des fruits, du pain, du café, des alcools, des cigares.
En un mot, faut pas avoir peur de se « bouger le pot », comme disait Mémé.
Je constate finalement (car je « ponds » ces lignes après avoir terminé l'écriture des recettes) que dans ce livre il y en aura pour tous les goûts et... pour toutes les bourses.
Ici un plat se fait en dix minutes, là en deux plombes, plus loin... en trois jours !
La longueur d'une recette (sur le papier) n'est pas proportionnelle au temps que l'on mettra à la réaliser.
Je précise ce point, car le luxe de détails que je me suis permis d'apporter à l'élaboration d'un plat en facilitera plutôt l'exécution.

A propos, pour trancher ce dilemme crucial, êtes-vous gourmet ou gourmand ?
« Eh bien, moi, c'est les deux, mon capitaine ! » Voilà ce que je réponds lorsqu'on me pose cette question intime.
Comme disait Vincent, l'un de mes neveux : « Tu sais, Tonton, ça m'embête pas du tout qu'y en ait " trop " quand c'est bon ! »

# Lorsque vous faites le marché

Ménagères, chères ménagères, je vous en supplie, battez-vous pour la qualité de ce que vous achetez, soyez exigeantes.
Quitte à passer pour des « emmerdeuses » !

Prenez du colin s'il vous semble magnifique au lieu de la raie molle à l'œil triste que vous aviez décidé de cuisiner.
Choisissez minutieusement tout ce que vous offrirez à vos convives.
Les « primeurs » au marché, vendues avant l'heure, coûtent trop cher, viennent de l'étranger et souvent ne valent pas tripette !
Mangez les légumes et les fruits en leur saison, les œufs et les poissons très frais.
Soyez intransigeantes sur la qualité des viandes, des volailles et des charcuteries. Ces dernières, du reste (tout comme le pain), sont de plus en plus immangeables.
Faites-les donc vous-mêmes ! C'est facile. Je vous en indique les manières dans ce bouquin.
Soyez attentives à la qualité de TOUT ce que vous poserez sur votre table jusqu'au café avec lequel s'achève un bon dîner, choisissez-en bien les grains, les mélanges, soyez attentives à leur arôme, à l'eau et à l'appareil dans lequel vous le passerez.
Choisissez bien vos fromages, par bonheur on en déniche encore d'assez bons sur les marchés.
La province est plutôt gâtée en cette matière.
A Paris, il y a des centaines de boutiques bien achalandées, et il y a Cantin, rue de Lourmel, l'un des meilleurs fromagers de la capitale, sinon le meilleur !
Et Renée Richard à Lyon qui affine les meilleurs saint-marcellin de la planète (entre autres fromages !)

# Ligotez bien ce chapitre, il est plein de trucs utiles

Goûtez et rectifiez au besoin la consistance de vos sauces ainsi que leur assaisonnement, c'est un réflexe systématique qu'il faut avoir au terme de la préparation d'un plat.

Si la sauce est trop fluide, trop « claire », laissez mijoter le plat à feu doux cinq, dix ou quinze minutes de plus afin d'obtenir la consistance voulue.

Si au contraire elle est trop épaisse, allongez-la avec un peu de bouillon.

Si le plat est trop salé, rajoutez également du bouillon (non salé bien sûr !) ou de l'eau jusqu'à ce que l'assaisonnement vous paraisse conforme à votre goût.

Saupoudrez légèrement de farine ou de fécule de pomme de terre si vous voulez épaissir une sauce, mais le moins possible, car la réduction naturelle est bien meilleure !

De toute façon un plat raté, à moins qu'il ne soit brûlé, bien sûr, peut toujours retrouver un aspect et un goût convenables.

Je ne donne ici ces petits conseils que pour les débutants à qui ils seront sans doute utiles un jour.

N'oubliez pas :

Ôtez le beurre, les œufs, les viandes, etc., du réfrigérateur une heure avant de les utiliser.

Ne poivrez les plats qu'au moment de les servir. Mélangez les poivres blanc, gris et noir dans le moulin, vous n'en obtiendrez que plus de saveur, surtout s'il est fraîchement moulu.

Ne hachez vos fines herbes, persil, basilic, etc., qu'au dernier moment avec un hachoir à main ou une « berceuse » (hachoir en forme de croissant utilisé jadis par nos mémés), cela va vous permettre de les hacher plus grossièrement et de conserver l'authenticité du goût.

Il est préférable du reste de ne mixer (au mixer électrique) que les aliments déjà cuits. Les « dommages » seront moindres.

Ne cassez les œufs que l'un après l'autre dans un bol avant de les utiliser. Si l'un d'entre eux a une odeur pas très catholique, jetez-le car il pourrait gâter tous les autres.

Méfiez-vous du laurier, une demi-feuille suffit souvent à parfumer tout un plat.

Ôtez le germe des gousses d'ail lorsqu'il n'est plus jeune, c'est plus digeste.

Piquez la saucisse fraîche avec une fourchette avant de la faire cuire. Elle éliminera ainsi son eau à la cuisson sans éclater.

Lorsque vous hachez du piment, ôtez auparavant les graines et le pédoncule.

## LE SEL
N'utilisez que du bon sel de mer. Le gros sel gris de Guérande vous change la vie en cuisine.
Vous pouvez en moudre et le conserver dans un pot en grès, avec des grosses pastilles, absorbant l'humidité.

## LES HUILES
Mélangez les huiles, vous constaterez à la lecture des recettes que je mélange presque toujours des huiles différentes, parfois même avec du beurre ou de la graisse d'oie. Cette dernière tout comme parfois l'huile d'olive n'est ajoutée qu'au terme d'une cuisson pour en augmenter la saveur du plat. Les matières grasses telles que le beurre ou la graisse animale comme celle d'oie sont nocives à la cuisson et leur abus engendre parfois un superbe taux de cholestérol qui vous fout la santé et le moral à zéro.
L'huile « anticholestérol » par excellence est celle de tournesol qui est (la pub ne ment pas !) de loin la plus légère.
Pour la plupart des cuissons, j'utilise l'huile d'arachide qui a une bonne tenue au feu et à laquelle on peut mêler, pour un tiers ou une moitié, l'huile d'olive ou le beurre sans inconvénient pour l'organisme.
Pour les salades, je me sers de l'huile d'olive, de l'huile de tournesol, mêlée à l'huile d'olive fruitée ou mêlée à l'huile de noix (car seule elle est trop puissante) ou à l'huile d'argane (merveilleuse huile marocaine très fruitée).

## LES ÉPICES

L'utilisation des épices dans la cuisine est tout un art. Je souligne ceci car bon nombre de cuisiniers (ou cuisinières) amateurs ne s'en servent pas, car ils ne « savent » pas. C'est pourtant un apport considérable pour le goût d'un plat.
Employées avec discernement, les épices ont une grande part dans sa réussite.

## LE PAIN

Et puis il y a le pain...
Le pain de nos campagnes et le « fameux » pain parisien. Fameux... c'est vite dit.
Moi, je n'ai jamais su becqueter sans pain.
Si le pain n'est pas digne du repas, ce sera la tasse.
Le pain tel que je l'ai connu et aimé étant mouflet n'existe (hélas!) presque plus.
Ce souvenir (comme ce pain) est si « frais » dans ma mémoire!
Je sens encore cette douce odeur de moisson et de fraîche farine lorsqu'on entrait dans la boulangerie de Roger Benech à Castelsarrasin. Les clients attendant patiemment leur gros pain de deux kilos avaient tout à coup une palpitation accélérée des narines. La bouche légèrement entrouverte se refermait soudain pour réprimer un afflux de salive jaillissant de sous la langue. Au moment précis où la boulangère (son épouse) tranchait d'un geste net le « surpoids » manquant à l'artisanale miche dorée, les « chers clients » déglutissaient douloureusement avec un ensemble parfait.
Souvent, on ne payait pas, on « mettait sur le compte ».
Était-ce plus « décent » de le « faire dehors »? On ne s'enhardissait à prélever goulûment entre le pouce et l'index le « quignon » du pain frais qu'une fois sorti du magasin...

J'aime ce pain gonflé, lumineux et croustillant sans lequel la sauce la plus délicieuse ne serait que ce qu'elle est!
Imaginez le sauciflard le plus savoureux, le calendo le mieux affiné (bien rare lui aussi!) sans pain...! impensable en ce qui me concerne!

Dans la petite « ronde » de mes « conquêtes de jeunesse », j'ai connu une fraîche nénette de dix-huit printemps qui « sentait le pain »! Je ne suis pas certain d'avoir gardé un souvenir aussi vivace de celles qui humectaient délicatement de patchouli le lobe de leurs oreilles...

La première et douce musique qui enchanta mes « étiquettes » fut sans aucun doute celle de la croûte d'une baguette qui craque sous les dents. La simple tartine de pain frais beurrée a des senteurs de grenier à blé, de noisette fraîche, de foins coupés et de bras nus de femmes.

La seule évocation d'une tartine de confiture de prunes fait naître la nostalgie de la bonne mie de pain fraîche et du parfum de vanille oublié. La frange dorée qui croustille sous la dent disparaît dans la bouche, laissant de petits golfes de mie sur la plage confiturée et de grosses moustaches brunes vite effacées par une langue agile d'enfant gourmand.
Et le pain avec la bille de chocolat de nos quatre heures !...
Et le tendre croûton de pain aillé que Mémé « passait à l'huile »...
« Tiens, pitchou,... sale-le un peu, il sera meilleur...! »

Pendant la guerre, la première chose qui manqua cruellement à tout le monde fut d'abord... le pain.
On mangeait un pain noir pétri de je ne sais quels ingrédients malsains et poussiéreux baptisés « farine ». Nul n'échappait à ce « piège à boutons » ! J'avais « attrapé » un spectaculaire impétigo que maman s'ingéniait à soigner tous les matins avant mon départ à l'école.
Mon frère Jean-Claude, « Jeannot », mal soigné par un monsieur qui était autant « docteur » que moi vicaire, était devenu littéralement rachitique.
Roger Benech, grand copain de Papa, pétrissait donc tout spécialement pour mon frelot mal en point des *« petits pains blancs »* afin de lui rebecter les arêtes ! Mon futé frangin, qui prenait ce rarissime privilège pour une mesure de rétorsion, n'en voulait pas !
Il « exigeait » du *« pain noir* comme Pierrot ! »
Nous n'avons bien entendu jamais signalé à l'ami Roger ce crime de lèse-petit pain.
Il fut convenu à l'unanimité que ce serait désormais Pierrot qui se « sacrifierait » pour manger les délicieux petits pains blancs que Roger, en cachette, pétrissait dans son fournil pour Jeannot qui n'en voulait pas !

Faites deux cents mètres de plus dans votre rue, mais achetez et mangez du BON PAIN.

Laissez les mauvais boulangers aux piètres avaleurs de n'importe quoi !

Laissez le pain industriel à ceux qui l'aiment, il est sûrement bon pour les hamburgers... N'en privons pas les amateurs...

Si vous êtes pétri d'une autre farine que ces fondus de viande hachée au ketchup, vous dénicherez de vous-même le bon artisan qui aime encore le pain qu'il fait.

Les « Poilane », les « Fournil de Pierre » et tous les autres vrais boulangers qui font consciencieusement leur pain pendant que leurs clients dorment encore.

Un vrai boulanger, ça se respecte, tout comme le pain.

# Les vins

C'est comme le chinois, ça s'apprend. Faut savoir faire la fine bouche. Le palais ça s'éduque. Il faut déguster souvent et des vins très divers, pour commencer à les reconnaître. Apprendre à les humer, à en distinguer les arômes vanille, fruits rouges, pruneaux, fleurs, etc. En rêver, en parler avec des sanglots dans la voix. Bien sûr, ça n'est pas du millefeuille ! Mais vous avez toute la vie devant vous et c'est une vraie jouissance.

J'ai entrepris de « faire » ma cave il y a déjà plus de vingt piges. J'ai tâtonné bien sûr au départ. Elle était pour le moins très hétéroclite.

Ce que j'ai très vite pigé (futé comme je suis !), c'est que le vin est très important au cours d'un dîner, qu'il ne faut pas le boire n'importe comment. Il est préférable de gamberger avant, comment on pourra accorder tel mets avec tel vin.
Il vaut mieux, par exemple, servir les blancs avant les rouges,
les vins frais avant les vins chambrés,
les jeunes avant les vieux.
Le champagne sera toujours bienvenu en apéritif avant de passer à table.
C'est à ce moment-là (pour moi !) qu'il est le meilleur, lorsqu'on a le palais neuf, disponible pour la suite...

Si vous envisagez de déboucher Bourgogne et Bordeaux pendant le repas, terminez bien sûr par le Bourgogne qui sera généralement plus corsé que le Bordeaux. Le vin avec lequel vous aurez mitonné votre sauce sera tout à fait adéquat pour accompagner le plat.

Il n'est pas toujours agréable de boire du vin sur des salades, des plats accommodés à la vinaigrette (sauf rares exceptions), artichauts crus, etc., ou même en fin de repas sur des pâtisseries trop sucrées, des glaces, sorbets ou salades de fruits au kirsch par exemple.

Je trouve par contre (ça n'engage que moi !) que le vin rouge s'accorde étonnamment bien avec les desserts au chocolat.

Je vous propose à la fin de chaque recette le vin qui m'aura paru être le plus opportun pour escorter le plat.

Bien sûr, ça peut paraître un peu arbitraire, mais tant et tant de copains et de (futurs) lecteurs m'ont demandé si j'allais conseiller aussi « les vins qui vont avec, parce qu'on ne sait pas toujours quoi boire avec tel ou tel plat ». Je me suis donc résolu à donner au terme de chaque recette les noms des bons « picrates » qui fleurissent ma cave. Ceux que je connais bien.
Je tiens à préciser que ce choix n'est évidemment que le reflet de mon goût personnel et que je n'ai absolument aucun intérêt à recommander tel cru plutôt que tel autre.

De quelle façon choisir son vin, parfois bien à l'avance ? Où le garder ? Comment le servir ? A quelle température ? Dans de beaux verres appropriés. Comment le décanter auparavant... Je vais vous expliquer tout ça.

DÉCANTATION
Qu'est-ce que décanter un vin ?
C'est transvaser délicatement (et en une seule fois sans interrompre le geste) le contenu d'une vieille bouteille dans une carafe de verre ou de cristal, en ayant soin d'arrêter l'opération avant que le dépôt du vin n'y entre à son tour. Le vin décanté est de surcroît plus agréable à l'œil. On doit d'abord « mettre debout » la vieille bouteille quelques jours, voire une semaine, avant de l'ouvrir afin que le maximum de dépôt non « collé » à son flanc aille au fond.

Il faut, après avoir ouvert celle-ci, debout et sans secousse, s'être assuré en humant le bouchon que le vin n'est pas bouchonné, la décanter très doucement en tenant la carafe d'une main et la bouteille de l'autre, formant un parfait accent circonflexe.
Je précise que ceci est inutile pour le vin blanc. Nécessaire pour les vieux Bourgogne rouges de dix à trente ans d'âge. Il est hasardeux au-delà de cette limite de le décanter car il risque de s'amollir, de se « casser » et de vite perdre le peu de qualités qui lui reste. N'oubliez pas de décanter dans une carafe les vins rouges vieux d'au moins dix ans, principalement les Bordeaux, afin de ne pas mélanger au vin le tanin qu'il contient en servant chaque convive.

Il n'est pas indispensable de déboucher le vin blanc longtemps avant de le servir. Un quart d'heure avant suffit pour un Bourgogne rouge car il risque de s'éventer. Par contre, si vous ouvrez une bouteille de vieux Bordeaux rouge, ne craignez pas de le faire une bonne heure avant de passer à table (l'oxydation du vin lorsque la bouteille est ouverte lui étant, bien entendu, bénéfique), mais décantez-le juste avant de servir au tout dernier moment. Tout vin décanté en carafe une demi-heure ou une heure avant le repas perd une grande partie de son nez et de son bouquet.

## TEMPÉRATURE

Par pitié, ne laissez pas vos bouteilles trois plombes avant le repas dans une salle à manger aux alentours de 20°, sous prétexte que l'on doit déguster un vin à la température de la pièce, c'est-à-dire chambré ! Chambrer un vin signifiait, jadis, le mettre dans une chambre au sortir de la cave. Mais n'oublions pas que la chambre de nos grands-mères avoisinait les 10°. A mon avis, l'idéal consiste à « monter » les vins de la cave une petite heure avant le dîner, c'est bien suffisant.

Servez un vin rouge à la température de 13 ou 14°, et il sera dégusté comme il se doit à 16 ou 17° car il faut bien tenir compte de la chaleur de vos verres et de celle de la pièce. Si j'apprécie le Bordeaux à 16 ou 17° de température, je préfère savourer le Bourgogne aux alentours de 14 ou 15°.
J'aime le vin blanc frais. 12° environ. Et le Champagne, au risque de décevoir les œnologues, ne m'enchante que très frais (non glacé) entre 4 et 6°.

S'il vous arrive qu'une bouteille de vin rouge soit trop chaude, plongez-la trois ou quatre minutes dans un seau rempli d'eau et de quelques glaçons. Si, au contraire, la bouteille montée trop tard de la cave ou apportée par un ami au dernier moment est trop froide, ne la passez surtout pas sous le robico d'eau chaude. Ouvrez-la et, après avoir servi vos convives, recommandez-leur de chauffer le verre tulipe (à bordeaux) ou ballon (à bourgogne) entre leurs mains. Faire doucement tourner le vin dans un grand verre et en humer le bouquet est le premier plaisir d'un dégustateur après l'avoir miré à la lumière, ensuite on peut en causer.

Au cours de dîners exceptionnels, ne craignez pas de changer quatre ou cinq fois de vin si votre bourse vous le permet. Il est plutôt bénéfique pour chaque plat nouveau d'être accompagné d'un vin différent dont l'âge ira croissant, poil aux dents ! Autre détail qui a son importance, notez, si votre mémoire est mauvaise, les plats et vins que vous offrez à vos hôtes afin de ne pas leur servir un dîner identique la fois suivante. En général, ça les fait pas marrer. Si vous avez peur de vous tromper dans le choix des vins, demandez à un ami qui s'y connaît. Ou à des spécialistes. Nicolas, par exemple, chez qui je n'ai aucune action. Les « Repères de Bacchus » sont aussi de bonnes maisons.

Sachez aussi qu'un bon champagne brut est en désespoir de cause la planche de salut. Ce vin fait merveille tout au long d'un repas jusqu'au fromage qui s'accommodera mieux d'un rouge un peu vieux.
Le Moët et Chandon millésimé est parfait. Il est bien évident que tous les commentaires, tous les « conseils » que je me permets de prodiguer à propos du vin que l'on va déguster à table ne concernent essentiellement « que » les dîners entre copains. Ceux pour lesquels on a mitonné un menu un peu plus raffiné que d'habitude.

Ah ! j'y pense..., si cela ne vous saccage pas trop le moral, buvez un verre d'eau entre chaque cru nouveau que vous dégusterez. Vous n'apprécierez que davantage les saveurs du suivant.

Un dernier mot à propos des vins : il m'a paru charitable de vous tuyauter sur certaines « bonnes » adresses de crus intéressants peu connus et qui ne vous mettront pas sur la paille ! Pour ceux d'entre vous que ça intéresse...

# « Atmosphère, atmosphère... »

A la fin du dîner après un « caoua » de grand lignage, proposez un châtoyant « Hennessy » à vos potes amateurs de bon vieux cognac. Ce dernier est délicieux. Maître Gilles, le « sommelier en chef » de la maison, y a veillé personnellement. Un grand bas-armagnac de chez Francis Darroze (dont les chais tout neufs abritent les plus vieilles « Folles Blanches ») sera également sublime pour escorter un havane. Les vieux Armagnacs de Francis fleurent bon la reine-claude, l'abricot, le vieux cuir ou le raisin muscat. Dix épices différentes vous envahissent le fer à souder. Les saveurs de coings mûrs et de pruneaux le disputent à la vanille ou à l'écorce d'orange. Tout cela fait aussi partie de la réussite d'une croque pas comme les autres !

# Le havane

Le havane ! tous vos convives n'en seront sans doute pas amateurs. Bien sûr, ce n'est pas une raison pour les négliger. Les « Aficionados » de « Puros ». Les « amoureux » de « Punch », « Raphaël Gonzalès », « Upman » ou autres « Winston Churchill » en distinguent les arômes tout autant qu'un œnologue s'envoie au plaftard en débusquant la réglisse, le santal ou la violette dans les effluves d'un grand cru. C'est un plaisir tout aussi « sensuel » que de « humer » une truffe fraîche ou d'humecter délicatement sa menteuse avec un Château-Latour 1961.

On commence à trouver quelques havanes « potables » dans nos « Civettes » en France. Mais aurons-nous un jour le fabuleux choix que vous offrent un Davidoff à Genève ou Gérard père et fils ? (à Genève également au Noga-Hilton). Ces derniers parlent de « tripes » et de « capes » cubaines, vous expliquent avec une bouillante passion la façon inopportune dont Stratus et Cumulus se sont ligués pour bouziller la récolte à l'ouest de Santiago de Cuba ! Cette catastrophe nationale est bien entendu à l'origine du fait que, durant une année entière, vous pourrez faire tintin pour avoir des Monte-Cristo A ! Essayez donc ce module de « Coïba ». Il est léger, très aromatique et pas « fatigant » ! S'il vous a à la bonne, Maître Gérard vous fera peut-être visiter sa cave à cigares. Ça ne se raconte pas. C'est un poème de Cendrars. Finalement, je m'aperçois que je n'aime en tout que les amoureux, les passionnés. Qu'est-ce que ça serait chouette si on n'était entouré que de mecs aux œufs comme ça, qui vous donnent toujours le meilleur de ce qu'ils sont ! Ne rêvons pas trop...

# Ustensiles de cuisine et matériel nécessaire à l'élaboration des recettes

SAUTEUSES :
Deux de capacités différentes.

CASSEROLES :
Il vous en faut de trois ou quatre dimensions, de préférence à fond épais en inox, ayez aussi les couvercles.

COCOTTES :
Au moins deux de tailles différentes, en fonte noire ou fonte émaillée, dont une avec son couvercle incurvé pouvant contenir de l'eau pour les longues cuissons mijotées.

FAITOUTS OU MARMITES :
Deux dont un grand et un moyen pour cuire les soupes, bouillons, etc.

CUISEUR VAPEUR :
Un composé de trois éléments troués, superposés.

DIABLE :
Une cocotte en terre à deux faces égales, dont la partie supérieure se pose sur celle de dessous.

POÊLES :
Trois ou quatre de différentes dimensions. En fer et anti-adhésives. (Les poêles en fer ne se lavent pas, on les nettoie avec du gros sel puis avec du papier absorbant, il faut les huiler légèrement avant de les ranger.)

PLATS À GRATIN :
Il vous en faut au moins trois, petit, moyen et grand, en fonte émaillée, en cuivre étamé ou en porcelaine à feu.

PLATS À ŒUFS :
Six ou douze en fonte émaillée ou porcelaine à feu.

RAMEQUINS :
Une douzaine grands et petits en verre ou porcelaine à feu pour les soufflés et crèmes.

UN MOULIN À LÉGUMES

UNE RÂPE À FROMAGE

UN CHINOIS (passoire de forme conique)

UN HACHOIR À VIANDE (normal, à manche)

UNE MACHINE À HACHER LA VIANDE :
Avec les couteaux à grille fins, moyens et gros qui s'y adaptent, plus les entonnoirs adaptables pour faire la saucisse et le boudin.

UNE PLAQUE À PÂTISSERIE

UN ROULEAU

UNE PLANCHE EN BOIS :
Pour découper viandes et volailles.

UNE PLANCHE EN PLASTIQUE :
Pour travailler les farines des pâtisseries.

UN PINCEAU :
Pour déglacer.

UN PINCEAU :
À dorer pour pâtisserie.

DEUX FOUETS DE CUISINE :
L'un pour les pâtisseries, l'autre pour les sauces.

PETIT MATÉRIEL :
Une louche, une spatule en bois, deux cuillères en bois, une écumoire, une passoire à pieds, un chinois à manche, des couverts à salade en bois, une fourchette à deux dents, une plaque à tarte, un verre gradué pour mesurer, une petite balance, une aiguille à brider, une pelote de ficelle fine. Un rouleau de papier absorbant. Un rouleau de papier d'alu.

UN MIXER ÉLECTRIQUE

COUTEAUX :
Un couteau à pain, un couteau à viande, deux couteaux pour éplucher fruits ou légumes (économes), un couteau à scie, six couteaux d'office ou de ménage.

UN MORTIER, UN PILON

UN OU DEUX CHAUFFE-PLATS ne seront pas superflus !

# Réserve d'épicerie (à garder dans sa cuisine à portée de la main ou au réfrigérateur)

Des épices : le plus possible.

Du sucre en morceaux, fin, cristallisé, blanc et roux, du gros sel, du fin, de la moutarde (deux ou trois sortes), des huiles, des vinaigres.

Un paquet de fécule de pomme de terre, du riz, de la farine, de la levure, des pâtes, du concentré de sauce tomate, des anchois à l'huile, du chocolat à cuire, du café en grains, des câpres en petits pots (à conserver au frigo).

Du beurre, de la crème fraîche, du champagne, du vermouth, de l'armagnac, du porto, du madère, etc.

# Lexique

Afin de n'avoir pas à expliquer dans chaque recette la signification de certains vocables issus du jargon de cuisinier (dont j'use au minimum), je vais une fois pour toutes éclairer vos lanternes.

BLANCHIR : C'est plonger dans l'eau bouillante (cela va de trente secondes à quatre ou cinq minutes suivant le cas) certains légumes pour en supprimer l'âcreté ou pour les peler plus aisément tels la tomate ou le ris de veau qui, de plus, va se raffermir.

BRUNOISE : Petits légumes découpés en petits dés.

CISELER : Découper en quadrillés l'ail ou l'oignon par exemple.

CLARIFIER : Débarrasser un bouillon ou un beurre fondu de ses impuretés en les écumant ou les filtrant à travers une écumoire, tamis ou chinois.

DÉGLACER : A l'aide d'une spatule en bois ou d'un pinceau, faire dissoudre en le mouillant d'un peu de liquide (eau, vin, alcool, fond, etc.) le jus caramélisé au fond de l'ustensile de cuisson.

ÉMINCER : Couper en tranches minces.

ESCALOPER : Couper en tranches plus ou moins épaisses certains légumes, viandes, volailles ou poissons.

JULIENNE : Légumes découpés en bâtonnets plus ou moins grands.

LIER : Épaissir une sauce à partir de beurre ou de farine, de jaune d'œuf, vin, vinaigre, etc.

LUTER : Fermer hermétiquement un récipient, pot, terrine, etc., avec une pâte fine faite d'un peu d'eau et de farine qui recouvre l'entrée du pot et sur laquelle on pose le couvercle.

NAPPER : Couvrir un mets au moment de le servir de sa sauce d'accompagnement.

RECTIFIER : 1) Une sauce, c'est la laisser réduire ou au contraire « l'allonger » jusqu'à la consistance voulue.
2) Un assaisonnement, c'est ajouter sel ou poivre ou « allonger » la sauce pour en atténuer le sel.

RÉDUIRE : Faire bouillir sans couvrir un jus déglacé allongé d'eau, de vin de bouillon ou de sauce afin d'en améliorer la teneur et le goût.

SAISIR : C'est jeter un ingrédient dans une poêle, sauteuse ou faitout contenant une matière grasse afin d'emprisonner ses sucs et ses matières nutritives à l'intérieur, cependant qu'il dore ou caramélise extérieurement.

# Comment vous trouvez la SAUCE ?

## Les fonds (qui manquent le plus !)

Il me paraît essentiel, avant toute chose, lorsqu'on veut cuisiner, de faire ou d'avoir déjà préparé un bon fond. Celui-ci étant la base indispensable de toute bonne sauce.

Un fond de volaille ou de viande n'est autre que le bouillon concentré qui servira à enrichir et lier les sauces, ce qui en multipliera bien entendu les saveurs. De plus, il lui donnera de la consistance sans la lier avec de la farine.

On peut lier avec deux jaunes d'œufs à la rigueur, ce qui sera encore plus digeste.

Je fais personnellement des fonds de veau, de volaille ou de gibier chaque année, que je stérilise en bocaux une heure et demie, et que je conserve au frais dans une pièce obscure. (Ils sont la base indispensable de toutes mes sauces les plus « réussies » !)

Voici comment je procède.

Après avoir rôti une volaille, une viande ou un gibier au four et ôté le morceau du plat, je mêle un verre d'eau au jus que je délaye sur le feu à l'aide d'une spatule en bois. Cela s'appelle « déglacer » en jargon de chef. Puis j'ajoute six, huit ou dix cuillerées à soupe de « fond », selon l'importance de la sauce que je souhaite obtenir.

Vous pouvez alors additionner ou non, suivant la nature de votre plat, vin blanc ou rouge, coulis de tomate, crème fleurette, etc.

Voici la préparation d'un fond dont je me sers fréquemment pour confectionner mes sauces tout au long d'une année.

## MON FOND HABITUEL :

Je mets dans une marmite, haute de préférence, environ un kilo de viande de bœuf et autant de veau ficelé (paleron, trumeau par exemple), quelques os fendus en deux (très peu, cela fait trop de gélatine), éventuellement une vieille poule ou même des caracasses restant d'un repas. Je recouvre d'eau sans saler et laisse reposer une bonne heure afin que le sang des viandes se mêle au futur bouillon. Ensuite je remplis d'eau aux 3/4 et fais cuire le tout une bonne heure jusqu'à ébullition sans fermer complètement le couvercle, ce qui permet au dépôt de se fixer sur les parois de la marmite. J'ajoute : 4 carottes, une dizaine de gousses d'ail non épluchées, 4 gros oignons dont 1 piqué de 3 clous de girofle, un bouquet d'1 feuille de laurier, d'1 branche de thym frais et persil simple, et un autre de 4 poireaux et 4 tiges de céleri. Je laisse cuire le tout 5 heures à feu tout à fait moyen à petite ébullition, couvercle posé en biais.

Je sors alors la viande et la volaille, que je mets dans un plat, et je passe au chinois à l'aide d'une louche la totalité du bouillon (excepté les légumes restants) au-dessus d'une autre grande marmite. Je laisse refroidir, et en place une partie au frigo si ce fond m'est utile les jours suivants, sinon je mets le fond à stériliser dans des bocaux, comme je l'ai déjà dit.

Avant d'utiliser un fond frais du réfrigérateur ou même d'un bocal, il faut enlever la « galette » de graisse qui le recouvre si l'on veut éviter la cuisine grasse.

Il est indispensable de « dégraisser » toutes les sauces avant de servir un plat.

# Bouillon ou fond de volaille

*Pour faire 1 litre de bouillon :*
**1 carcasse de vieille poule**
**avec tous les abats (pattes, etc.)**
**5 carottes**
**3 oignons (dont 1 piqué de clou de girofle)**
**3 gousses d'ail**
**5 poireaux**
**2 branches de céleri**
**1 bouquet garni**
**1 cuillerée à soupe de gros sel**
**2 litres d'eau froide**

Nettoyez et coupez en deux la carcasse de poule.

Épluchez et nettoyez bien les légumes.

Dans une haute marmite, mettez l'eau, le sel et la carcasse sur un feu vif.

Couvrez. Amenez à ébullition. Écumez.

Ajoutez les légumes et le bouquet garni.

Laissez cuire à feu moyen au moins deux heures et demie. Écumez de temps en temps. A la fin, passez le bouillon au chinois.

*Vous pourrez garder une semaine au frigo ce que vous n'avez pas utilisé tout de suite*

# Fond ou bouillon de bœuf

La même chose en remplaçant la poule par 3 livres de bœuf.
La réalisation en est simple.

Je place le morceau de bœuf au fond de la marmite que je
remplis de 5 à 6 litres d'eau.

Je couvre à moitié et laisse cuire à feu moyen une petite
heure.

J'écume. Diminue le feu. J'assaisonne et introduis alors les
légumes dans la marmite. Je laisse cuire tout doux pendant
3 heures en écumant de temps en temps.

Ces bouillons me servent à « allonger », « mouiller » les
sauces ou les jus des plats que je ferai mijoter plus tard. Il
m'arrive aussi de les utiliser pour y faire cuire des pâtes
fraîches, elles n'en sont que plus délectables !

J'ai omis de dire que l'on peut très bien accommoder la
viande froide de ce fond de la façon suivante. Coupée en
dés, en vinaigrette à l'huile d'olive, par exemple, avec
quelques endives, quelques cornichons bien fermes coupés
en rondelles, 5 ou 6 anchois à l'huile coupés en 4, du
coriandre frais et les miettes de 2 jaunes d'œufs durs. Un peu
de sel et de poivre au moulin. C'est délicieux.

Vous pouvez également en faire un hachis onctueux servi
avec des pommes purée. La « galette » de graisse récupérée
à la surface des fonds donnera un goût succulent à vos
futurs gratins.

# Fond brun de veau

*Pour faire 2 litres de fond :*
**2 kg d'os de veau dont 1 jarret**
**les mêmes légumes que pour le fond de volaille**
**un bouquet garni**
**500 g de tomates fraîches**
**1 cuillerée à soupe de gros sel**
**1/2 verre d'huile d'arachide**

Nettoyez et épluchez les légumes que vous coupez grossièrement.

Dans un plat à four, mettez le jarret de veau coupé en 2, les os de veau coupés en morceaux pas trop gros, badigeonnez-les au pinceau avec l'huile.

Faites-les dorer dans le four pendant une 1/2 heure.

Ajoutez tous les légumes et le bouquet garni. Rebadigeonnez d'huile le jarret et les os.

Mélangez bien le tout et laissez cuire au four moyen pendant une 1/2 heure encore.

Mettez le contenu du plat dans une haute marmite. Ajoutez 5 litres d'eau et le sel.

Portez à ébullition. Baissez le feu et laissez réduire 5 à 6 heures en écumant de temps en temps.

Lorsqu'il restera 2 litres environ de liquide dans la marmite, éteignez le feu, et passez le fond au chinois.

# Fumet ou fond
# pour sauce de poisson

*Pour 1 litre 1/2, il faut :*
800 g d'arêtes de sole ou de colin
ou de turbot avec les têtes
que vous faites garder par votre poissonnier
2 oignons
4 poireaux
1 cuillerée à soupe d'huile
1 noix de beurre
1 bouquet garni
1 cuillerée à dessert de poivre en grain blanc ou rose
1 clou de girofle
1 cuillerée à soupe de gros sel
2 litres d'eau

Dans une grande cocotte, faites revenir dans l'huile et le beurre les poireaux et oignons hachés menu pendant 5 à 6 minutes à feu moyen. Tournez de temps en temps à la cuillère en bois.

Ajoutez le bouquet garni, les arêtes, les têtes et le poivre en grain. Mélangez le tout et laissez suer 5 minutes.

Ajoutez l'eau froide, le sel, le clou de girofle, portez à ébullition, écumez de temps en temps et laissez cuire 1 heure à feu moyen.

Passez le fumet au chinois avant de vous en servir comme base de sauce.

# Fond riche
# pour plats hauts en couleur

1 quasi de veau
1 vieille poule
des carcasses de volaille si vous en avez
2 kg de gîte de bœuf en tranches
3 oignons émincés
1 bouquet de persil et thym
3 carottes
2 branches de céleri
gros sel (une pincée)
3 cuillerées à soupe d'huile d'arachide
50 g de beurre environ

Faites revenir les morceaux de poule, bœuf et veau dans une grande sauteuse avec beurre et huile mélangés. Salez.

Répandez par-dessus les oignons.

Laissez prendre couleur. Tournez les morceaux à l'aide d'une fourchette à deux dents. Mouillez d'1 litre d'eau.

Couvrez à moitié et laisser frissonner 1/2 heure à feu doux. Ajoutez les légumes. Laissez cuire doucement encore 1/4 d'heure. Versez 2 litres d'eau et laissez mijoter le tout à feu réduit 2 heures 1/2 environ.

Passez tout ce jus concentré au chinois avant de vous en servir pour confectionner une sauce. Laissez refroidir avant de mettre au frigo ce que vous n'utilisez pas. Dégraissez ce jus froid uniquement au moment de vous en servir.

*Gibier :*
Je fais de la même manière des fumets de gibier en « sacrifiant » quelques bas morceaux de lièvre, de faisan, de palombe, de chevreuil ou de marcassin.

# Fumet ou jus
# pour accompagner le gibier

Pour les volatiles (palombe, colvert, faisan, bécasse, perdrix, etc.).

1 noix de beurre et 2 cuillerées d'huile d'arachide
2 gros oignons coupés en rondelles
3 carottes coupées en rondelles
3 poireaux coupés en morceaux
2 branches de céleri hachées
3 gousses d'ail hachées
1 clou de girofle
1 bouquet garni
quelques grains de genièvre
tous les os et carcasse broyés du gibier choisi
un peu de sel de mer

Faites revenir tous les ingrédients dans la cocotte pendant 10 minutes en mélangeant bien.

Recouvrez de 2 litres d'eau et laissez réduire à feu moyen jusqu'à ce qu'il ne reste que le tiers.

Passez le jus au chinois et réservez-le pour accompagner ou mouiller le gibier que vous aurez fait rôtir (et que vous déglacerez avec ce jus) ou pour un faisan à braiser.

Nous avons à présent la base des sauces les plus diverses qui sont elles-mêmes les bases de la cuisine. J'aime surtout le goût des sauces légères, subtiles, plus proches des jus que de l'épaisse sauce souvent trop alourdie de farine, de fécule ou de maïzena (encore qu'il ne faille pas bannir totalement la farine ; bien utilisée, elle est très précieuse en cuisine).

Leur onctuosité, leur « tenue » dépendent beaucoup du coup de main de celui ou celle qui maîtrise la casserole et le feu. La façon de rectifier une sauce quelques minutes avant de la servir ressemble à cet équilibriste perché à dix mètres du sol qui se maintient là-haut en battant l'air de ses bras pour ne pas tomber.

On peut avoir fait longuement mijoter une sauce avec amour en constatant cruellement à l'instant de la servir qu'elle est trop fluide ou trop réduite. Le feu, le bouillon et surtout le « tour de main » entrent en jeu ; et il m'est pénible de vous avouer ici que je ne peux vous garantir la parfaite réussite d'une sauce ou d'un plat que vous n'aurez pas « senti » vous-même. Seule une certaine pratique vous guidera vers un vrai savoir-faire. Ouf !

# Basilic à l'huile à conserver

A la saison, hachez menu au couteau ou à la « berceuse »
(instrument tranchant en forme de croissant)
300 g de basilic frais que vous mélangez
dans un bocal à 300 g d'huile d'arachide
ou mieux d'huile de pépins de raisin.
Fermez bien le bocal et mettez-le au réfrigérateur.

Une cuillerée à soupe de basilic équivaut à une vingtaine de
feuilles de basilic frais.

Le basilic garde un bien meilleur parfum coupé au couteau.

# Marinade

Pouvant convenir pour viandes rouges, gibiers, bourguignon, daube, etc. Il est recommandé de ne pas faire de marinade dans un récipient de métal. Un grand plat creux en porcelaine, une bassine émaillée, une grande terrine, un gros poêlon en terre sont préférables.

*Je la prépare comme suit :*
1 litre de bon vin rouge : Chinon, Côtes-du-Rhône ou Bourgogne
1 litre de vin blanc sec, Gaillac par exemple
1 grand verre de vinaigre de vin rouge
1/2 verre de madère
1/2 verre de porto
6 gousses d'ail partagées en deux
2 oignons partagés en deux dont une moitié
piquée de 4 clous de girofle
1 beau bouquet garni
1 belle cuillerée à dessert de poivre blanc moulu
2 brins d'estragon
10 feuilles de basilic
5 feuilles de sauge

Laissez tremper les viandes dans la marinade toute une nuit, et servez-vous de cette marinade pour les arroser pendant la cuisson le lendemain.

# Vinaigrette

Il est toujours très difficile de trouver au restaurant ou chez des amis une bonne vinaigrette.
La vinaigrette doit être faite comme disait ma grand-mère avec de l'huile, du vinaigre, du sel et du poivre. Point.
On peut bien sûr ajouter, pour en varier les saveurs, les condiments ou aromates que l'on aime ou qui conviennent le mieux aux différentes sortes de salades.

Il faut d'abord verser le vinaigre dans un bol ou un saladier.
Ajoutez une pincée de sel que vous faites dissoudre à la cuillère en bois.
Poivrez au moulin. Versez l'huile et mélangez.
Les proportions sont à peu près d'1 cuillerée de vinaigre pour 3 1/2 cuillerées d'huile. Si vous voulez parfumer la vinaigrette avec un vinaigre de framboise, de xérès, d'estragon, etc., mettez la moitié du vinaigre « parfumé » additionné à l'autre moitié de bon vinaigre de vin « normal », afin que les saveurs ne soient pas trop prononcées.

De toute façon, pour ne pas louper votre vinaigrette, il faut la rendre bien homogène, la goûter et en rectifier l'assaisonnement avant d'y mêler la salade. Pour une salade plus importante, utilisez les proportions : 2 cuillerées de vinaigre pour 5 cuillerées d'huile.

Un tuyau de chef : selon les proportions indiquées ici, préparez-en à l'avance dans une bouteille que vous bouchez bien (goutez et rectifiez-la au besoin).

C'est bien plus facile de mélanger de cette façon l'huile et le vinaigre en agitant.

# Sauce Ravigote
## (ou sauce appelée anciennement Gribiche)

Cette délicieuse sauce que mon épouse prépare de main de maître pour agrémenter le saumon ou le brochet froid peut accompagner des quantités d'autres poissons cuits comme le merlan ou la lotte.

En principe, on ne met pas de moutarde ni d'œufs durs, car ce n'est plus une gribiche mais une sauce dite « rémoulade ».
Mon épouse, elle, en met. Nous appellerons donc ça une Gribiche-Rémoulade !

*Pour 6 à 8 convives on met dans un saladier :*
**2 cuillerées à soupe de vinaigre d'estragon**
**2 cuillerées à soupe de vinaigre de xérès**
**(ou de vinaigre de vin rouge)**
**le sel (dissous dans le vinaigre)**
**1 cuillerée à soupe de moutarde forte**
**12 cuillerées à soupe d'huile d'olive**
**du poivre (10 tours de moulin)**
*Hacher finement :*
**1 bouquet de persil simple**
**4 brins d'estragon**
**1 bouquet de cerfeuil**
**1 bouquet de pimprenelle**
**1 bouquet de ciboulette**

Mélangez le tout, ajoutez 1 cuillerée à soupe de câpres égouttées.
La « Gribiche-Rémoulade » est faite !
Idéale pour accompagner un poisson (brochet, saumon, sandre, etc.) cuit au court-bouillon.

# Sauce Rebecca

Voici une autre sauce un peu différente que Rebecca, ma femme,
accommode souvent pour accompagner les poissons froids au
court-bouillon, les terrines de poissons ou les saumons que je pêche en
Irlande !

*Pour 6 personnes :*
6 œufs durs (séparez les jaunes des blancs)
4 cornichons au vinaigre (égouttés)
1 grosse cuillerée à soupe de câpres (égouttées)
1 gros bouquet de persil simple
1 gros bouquet de ciboulette
4 échalotes grises
5 cuillerées d'huile d'olive ou de tournesol
2 cuillerées de vinaigre
sel, poivre au moulin

*Préparation :*
Dans un saladier, faites dissoudre le sel dans le vinaigre,
ajoutez le poivre et l'huile.
Passez les jaunes d'œufs au tamis. Mélangez le tout.

Hachez finement les cornichons, les câpres, les fines herbes,
les blancs d'œufs, les échalotes. Mêlez bien le tout à la
cuillère en bois. Vous devez obtenir une sauce consistante.

Pour ceux qui trouvent l'huile d'olive trop fruitée, ils
peuvent mélanger avec de l'huile de tournesol ou n'utiliser
que cette dernière.

# Coulis de tomate

Mille plats s'accommodent de la saveur d'une bonne sauce tomate. J'ai découvert à Paris le mariage du beurre avec la tomate, voire même de la farine, et cela à mon avis est une aberration. La tomate en sauce n'est délicieuse qu'avec de l'huile et, qui mieux est, de l'huile d'olive (ça n'engage que moi, les mecs!). Voici celle que je fais toujours lorsque je veux régaler mes convives.

*Pour 6 convives :*
**8 grosses tomates bien mûres**
**2 gousses d'ail partagées en quatre**
**1 oignon émincé**
**1 bouquet garni**
**2 cuillerées à soupe d'huile d'olive**
**sel, poivre**

Lavez les tomates.

Coupez-les en morceaux dans une casserole.

Ajoutez-y l'ail, l'oignon, le bouquet garni, l'huile d'olive, le sel et le poivre. Couvrez la casserole à moitié et laissez bouillir à petit feu 1 heure environ, jusqu'à ce que l'eau des tomates soit évaporée et qu'il ne reste plus qu'une épaisse purée.

Otez le bouquet garni de la casserole, passez la tomate au mixer et au tamis fin pour en éliminer les pépins et les peaux.

Cette sauce accompagnera viandes, œufs, poissons, riz et bien entendu les pâtes dont je suis un inconditionnel.

Si vous voulez obtenir un coulis au basilic, hachez une dizaine de feuilles fraîches au dernier moment dans la casserole en les incorporant bien à la tomate.

# Le bouquet garni

*C'est tout simplement :*

**4 branches de persil**
**2 à 3 brins de thym**
**1 petite feuille de laurier**
**2 branches de céleri cassées en deux**

Faites un bouquet avec le tout et liez-le avec une fine ficelle.

# Notes

# Par ici les bonnes
# SOUPES

*Il n'est personne en France qui n'ait un jour vibré à l'audition d'une recette de cuisine.*

Tancrède de Visan.

*Je vis de bonne soupe et non de beau langage*

Molière.

Il est un mets que l'on ne prépare plus, ce sont les soupes.
J'ai passé un bon tiers de ma vie à becqueter de la soupe.
Le mode et le rythme de vie que je mène aujourd'hui ne me permettent pas d'en savourer souvent, hélas !

Pourtant une soupe de pois cassés l'hiver, un tourin à l'ail, une soupe de fèves, une soupe au pistou, c'est pas cassant à faire !
Je vais vous donner les recettes de ces plats que je viens d'évoquer, maman m'en a régalé des centaines de fois, ça vous filera peut-être les crocs !

# La soupe au pistou

C'est, contrairement à la plupart des autres soupes, une soupe d'été, ou d'automne. Elle recèle en son bouillon quantité de légumes du soleil. De même que le « pistou » n'est pas la plante de basilic comme d'aucuns le croient mais seulement le nom du mélange : ail pilé, huile d'olive, oignons, basilic, parmesan râpé, etc.

Il y a dix sortes de soupes au pistou différentes et chaque ménagère est convaincue que sa façon est la meilleure. Et elle a bien raison !

Voici comment, modestement, je prépare la mienne.
Je précise que c'est en général un plat unique car il est suffisamment riche pour se substituer à un repas complet. Du fromage et un dessert, ça vous fera la rue Michel !

*Ingrédients pour 6 ou 8 convives :*
250 g de haricots rouges en grains
250 g de haricots blancs frais
en grains (tarbais ou lingot)
1 gros oignon piqué d'un clou de girofle
2 blancs de poireaux
1 bouquet garni
3 carottes moyennes
1 tranche de 100 à 150 g de potiron
2 navets moyens
1 branche de blanc de céleri
6 gousses d'ail
250 g de haricots « mange-tout »
3 courgettes
3 tomates
250 g de haricots verts
2 pommes de terre
150 g de macaronis
15 à 20 feuilles de basilic frais à grandes feuilles
10 cl d'huile d'olive
fromage râpé : 80 g de parmesan,
80 g de gruyère, 80 g de hollande
(si vous voulez adopter la façon marseillaise)
ou 250 g de comté
3 litres d'eau
clou de girofle
sel, poivre

*Un vin rouge de Provence, un Coteau d'Aix ou un rouge des Coteaux du Luberon conviendront parfaitement aux senteurs et aux saveurs de ce plat*

*Préparation :*
Pelez l'oignon. Coupez-le en 4, piquez-le d'un clou de girofle.

Dans une marmite, mettez 2 litres 1/2 d'eau sur feu moyen. Ajoutez les haricots égrenés, le bouquet garni, l'oignon et les « mange-tout ».
Laissez cuire doucement pendant 25 minutes.

Pendant l'ébullition, lavez et épluchez : les carottes, le potiron, les haricots verts, les poireaux.
Lavez les courgettes mais ne les pelez pas. Ôtez les queues.

Quand les haricots sont cuits, coupez et émincez les carottes, les navets, les poireaux, le potiron et le céleri en dés et ajoutez-les aux haricots.

10 minutes plus tard, ajoutez les haricots verts cassés en 2, les pommes de terre coupées en 4, les courgettes en rondelles de 2 centimètres, les tomates (après les avoir pelées, épépinées et concassées). Salez, poivrez de dix tours de moulin.

Laissez cuire à feu moyen jusqu'à ébullition, puis ajoutez les macaronis dans la marmite pendant 1/4 d'heure.

Pendant la cuisson, broyez bien tout le pistou dans un mortier.
Ôtez le germe et pilez l'ail avec le sel. Réduisez-le vraiment en « pommade », ajoutez les feuilles de basilic et pilez jusqu'à une deuxième pommade bien homogène et lisse.

Ajoutez alors « les » fromages râpés et incorporez-les bien en tournant avec la fourchette en y versant progressivement l'huile d'olive.

Ôtez le bouquet garni et les oignons de la marmite.
Versez « le pistou » dans la marmite et, avec un fouet, intégrez-le bien au reste en remuant 2 à 3 minutes.

Il faut faire ce plat chez soi, car les « grandes maisons » ne le proposent guère dans leurs beaux menus savants et les « petites » n'ont, elles, guère le temps !

# Le tourin à l'ail

C'était, quand j'avais sept ou huit ans, une spécialité de Mémé Anna qui me disait lorsque j'allais dormir chez elle (un vrai cadeau pour moi !) : « Je te ferai un tourin à l'ail et une millassine ! » (mon dessert préféré). Vous trouverez la fameuse millassine au chapitre des desserts. Voici la recette qu'elle m'a laissée de son merveilleux tourin.

*Pour 6 ou 8 convives :*
**15 belles gousses d'ail**
**6 tranches de pain de campagne rassis,**
**grillées, frottées d'ail**
**2 litres d'eau**
**3 œufs**
**un peu de thym et de serpolet émiettés**
**du persil simple haché menu**
**1 cuillerée à soupe d'huile d'olive**
**2 cuillerées à soupe de vinaigre de vin**
**1 cuillerée à dessert de graisse d'oie (ou de saindoux)**
**sel, poivre au moulin**

*Préparation :*
Écrasez les gousses d'ail avec une spatule en bois sans les éplucher, faites-les dorer doucement dans la graisse d'oie et une larme d'huile d'olive. Au bout de 4 à 5 minutes, mettez-les dans un faitout, ajoutez l'eau tout de suite par-dessus l'ail doré, ainsi que le thym, le serpolet et le persil.

Laissez bouillir une 1/2 heure à petit bouillon.

Pendant ce temps, cassez les œufs, mettez les jaunes dans la soupière, les blancs à part dans un saladier.

Ajoutez le restant d'huile d'olive aux jaunes d'œufs et faites une purée en les battant comme pour une mayonnaise. Battez les blancs (au fouet ou à la fourchette) à part dans le saladier.

Quand le bouillon est cuit, versez-le dans la soupière à travers une passoire ou le chinois.

Ajoutez les blancs d'œufs et le vinaigre. Mélangez bien. Goûtez et, au besoin, rectifiez l'assaisonnement.

Dans chaque assiette creuse de vos convives, mettez une tranche de pain grillé (ou une moitié, gardant la deuxième pour se resservir du bouillon) et arrosez copieusement de bouillon brûlant.

*On peut boire après un bon **vin rouge de Lavilledieu.***

*On peut aussi, comme je le fais ou comme mon ami Yves Audebès a plaisir à le faire, finir par le chabrot.*

*Le chabrot consiste à ajouter à la dernière cuillerée de bouillon la valeur d'un 1/2 verre de vin rouge (ou un verre !) et à boire le mélange à même l'assiette creuse.*
*Papa, lui, réservait un morceau de patate de son potage pour le déguster, à la fin, dans son chabrot : « C'est le meilleur ! » disait-il.*

*J'avoue ne faire chabrot, aujourd'hui, qu'avec mon copain Yves, chez lui ou chez moi, car ce genre de pratique paraît pour le moins bizarre, voire barbare, à ceux qui sont prêts à tourner de l'œil à la seule idée « d'essayer pour voir... » !*

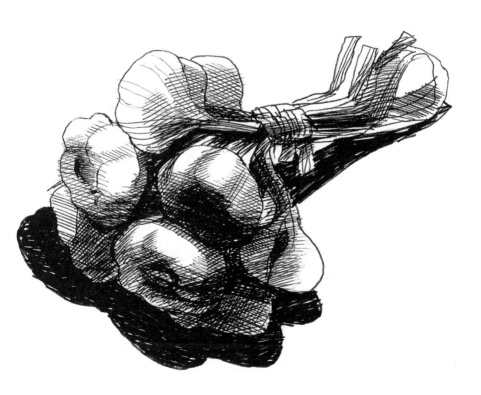

# La soupe de pois cassés aux petits croûtons

*Pour 6 à 8 convives :*
300 g de pois cassés
1 tranche fine de jambon de Bayonne hachée menu
50 g de lard maigre coupé en deux
1 oignon moyen clouté fendu en 4
3 gousses d'ail écrasées au presse-ail
1 bouquet garni
1 bouquet de persil simple
1 cuillerée à soupe d'huile d'olive
4 larges tranches de croûte de pain frottées d'ail
sel, poivre

*Préparation :*
La veille, mettez les pois cassés à tremper dans un récipient en les recouvrant d'eau.

Le lendemain, vérifiez s'ils sont attendris suffisamment en y enfonçant l'ongle du pouce. Égouttez.

Mettez-les dans une grande marmite.
Ajoutez tous les ingrédients, sauf l'huile d'olive et les tranches de croûte de pain, recouvrez d'au moins 3 litres de bouillon (de légumes avec os de veau ou de poule) ou d'eau avec un petit cube du commerce si vous n'avez pas, comme moi, des bouillons ou des fonds d'avance.

Laissez cuire au moins 2 heures sur le feu moyen avec couvercle mi-fermé.

Pendant la cuisson, découpez les tranches de croûte de pain en carrés de 2 centimètres (et faites-les dorer à la poêle dans l'huile d'olive). Réservez-les dans un plat sur du papier absorbant.

Après la cuisson des pois, ôtez le lard maigre, le clou de girofle et le bouquet garni.

Ôtez la ficelle qui lie le persil simple, mais laissez le persil avec les pois ainsi que les oignons et le jambon (qui doit être presque fondu).

Passez tout au chinois (ou dans un grand tamis), gardez le bouillon à part et passez tout le reste au mixer pour le réduire en purée. Rajoutez au bouillon. Réchauffez le tout.

Servez chaud, chaque convive mettra des croûtons sur sa soupe à sa convenance.

# Soupe de potiron au vermicelle

Elle est très facile à faire et on peut la servir dans son enveloppe naturelle. Ce qui est un plaisir de l'œil, la rend appétissante et, généralement, est un sujet d'étonnement pour vos convives.

*Pour 6 à 8 convives :*
1 potiron de 3 à 4 kilos environ
2 blancs de poireaux
3 carottes
3 pommes de terre
1 bouquet garni
1 pincée de noix de muscade râpée
2 jaunes d'œufs
6 cuillerées à soupe de crème fraîche
200 g de vermicelle
sel, poivre

*Préparation :*
Choisissez une citrouille bien ronde et mûre. A l'aide d'un couteau, incisez circulairement tout le « chapeau » (la partie supérieure) qui vous servira ultérieurement de couvercle. Pour la présentation, laissez la queue.

A l'aide d'un couteau, évidez-la délicatement sans trop vous approcher de la peau ni trouer le fond !
Découpez la chair en gros morceaux.
Nettoyez, pelez, lavez et découpez en morceaux les poireaux, les carottes et les pommes de terre.

Mettez sur le feu une marmite sans couvercle contenant 2 l 1/2 d'eau salée (ou de bouillon de volaille, ce qui est préférable) avec le bouquet garni, la chair du potiron, les pommes de terre, les poireaux, les carottes, le poivre et la pincée de muscade.
Laissez frémir le tout pendant 1 heure à partir de l'ébullition.

Ensuite ôtez tous les légumes avec une écumoire et passez-les au mixer pour obtenir une fine purée.

Ajoutez les deux jaunes d'œufs et la crème fraîche, mélangez bien au mixer et remettez le tout dans la marmite.

Durant la cuisson des légumes, faites cuire le vermicelle pendant 10 minutes dans 1 litre d'eau bouillante salée (ou de bouillon), égouttez-le et rajoutez-le dans la première marmite avec la crème de légumes. Poivrez de 10 tours de moulin.

Mélangez bien le tout sur un feu doux pendant 3 minutes et videz le contenu dans le potiron qui servira de soupière.

Mettez un large plat creux sur la table avant d'y poser le potiron.
C'est une soupe aussi délicieuse que facile à préparer.

*Un **Gigondas rouge** se marie très bien avec cette demoiselle citrouille.*

*Dans ma petite liste de soupes préférées j'allais oublier la soupe au potiron*

# La soupe de fèves

C'est certainement cette soupe de fèves qui m'a laissé un souvenir des saveurs les plus « rustiques » de mon enfance.

Les soupes de fèves étaient agrémentées d'os de cochon gardés au saloir ainsi que de couennes et de lard souvent légèrement rances, ce qui n'était pas pour me déplaire, bien au contraire ! car c'est un goût indéfinissable qu'il m'arrive de regretter parfois encore. Il faut attendre pour la déguster la saison des premières fèves fraîches, elles sont bien meilleures, évidemment. Mais il faut bien reconnaître que de nos jours on trouve (presque) tous les légumes (presque) toute l'année.

*Pour 6 convives :*
**250 g de fèves (écossées) les plus tendres**
**100 g de couenne de porc, fraîche**
**1 carotte coupée en rondelles**
**2 oignons dont 1 piqué d'1 clou de girofle**
**1 branche de blanc de céleri coupée en 4**
**1 bouquet garni**
**5 gousses d'ail hachées**
**1 pied de porc fendu en deux**
**100 g de lard maigre**
**1 cuillerée à café de graisse d'oie**
**1 cuillerée à soupe d'huile d'arachide**
**sel, poivre**

*Préparation :*
Écossez les fèves et ôtez la peau des plus grosses.
Découpez la couenne en minces bandes puis en petits carrés.
Émincez l'oignon (non clouté de girofle).
Découpez le lard maigre en lardons très très menus.

Dans une sauteuse, mettez l'huile et la graisse d'oie à chauffer et faites revenir les lardons avec les carottes, le céleri et l'oignon émincé.

Faites blondir le tout 5 à 6 minutes, ajoutez l'ail haché, 2 minutes encore.

Ôtez la sauteuse du feu au bout de 8 minutes. Videz le contenu dans un faitout dans lequel vous ajoutez 2 l 1/2 d'eau, les couennes, le bouquet garni, les fèves, les 2 moitiés de pied de porc et l'oignon clouté. Salez, poivrez. Mettez le couvercle. A ébullition, baissez le feu et entrouvrez le couvercle, laissez cuire le tout au moins 2 bonnes heures. Il faut que le liquide ait diminué de presque la moitié.

Ôtez le pied de porc après la cuisson (ainsi que le bouquet garni et l'oignon piqué). Réservez-le pour le déguster plus tard froid en vinaigrette avec des échalotes hachées.

Vous pouvez passer au mixer les fèves et tout le reste, et le remettre dans le bouillon.

Si vous voulez une soupe fine, passez-la au chinois, moi je déguste le tout tel quel, à l'aide d'une cuillère à soupe, et il faudrait l'annonce d'une catastrophe mondiale (et encore !) pour me détourner de cette opération.

*On peut savourer un bon **Cahors rouge.***

# ŒUFS et vous

Eh oui ! L'œuf c'est le recours.

Rentrant chez soi à l'improviste ou recevant des poteaux qu'on n'attendait pas, que de fois avons-nous été heureux d'avoir des œufs sous la main. Encore faut-il savoir varier les plaisirs, comme disait Néfertiti !

Voilà donc pour cela plein de recettes vite faites !
Un petit conseil pratique. Cuisinez tous vos œufs brouillés ou en omelette dans une poêle anti-adhésive. Il y en a d'excellentes aujourd'hui dans le commerce. Vous vous compliquerez moins la vie.

Je ne me permettrai pas de vous échauffer la calbasse avec un choix de vins subtils qui pourraient tenir compagnie à vos plats d'œufs.
Ce choix sera le vôtre en fonction de vos goûts. Les très grands crus me paraissent superflus, un « grand montrachet » ou un « Château Haut-Brion » seraient sans doute « gâchés » avec une omelette aux petits oignons, si savoureuse soit-elle.

Choisissez des vins légers (blancs ou rouges), vous serez sûrs de ne pas vous planter.

# Sachez vous faire cuire un œuf

Combien de temps ?
D'aucuns pensent que c'est facile, nombreux sont ceux qui ne le savent pas.
Ce petit tableau pourra au moins aider ces derniers.

## CUISSON DES ŒUFS À LA COQUE
Il est indispensable d'abord qu'ils soient bien frais.
Il existe trois ou quatre manières de les cuire. Je vais ici vous en donner deux qui me semblent être les meilleures.
La première (la plus classique) consiste à les plonger trois minutes dans l'eau bouillante s'ils sont petits, et trois et demie s'ils sont gros.
La deuxième méthode, mettez les œufs dans une casserole d'eau froide que vous posez sur le feu vif. Lorsque l'eau bout à gros bouillons, les œufs sont cuits, à la coque !

## CUISSON DES ŒUFS POCHÉS OU MOLLETS
Dans une casserole d'eau bouillante, mettez du sel et deux cuillerées à soupe de bon vinaigre de vin rouge.
Placez votre casserole sur le bord du feu vif afin qu'elle ne bouille fort que d'un seul côté. Cassez les œufs le plus près possible au-dessus de la surface en ébullition.
Retirez la casserole du feu après avoir cassé tous vos œufs dans l'eau bouillante et couvrez-la.
Trois minutes après, retirez les œufs avec une écumoire et plongez-les dans un récipient d'eau froide. Vos œufs sont pochés.
Pour obtenir des œufs « mollets » il faudra les plonger avec leur coquille dans l'eau bouillante cinq minutes et demie, les rafraîchir et les écaler.

## CUISSON DES ŒUFS DURS
Faites-les cuire dix minutes dans l'eau bouillante.
Retirez-les avec une écumoire et plongez-les dans un récipient d'eau froide.
Si vous ne les utilisez pas tout de suite, laissez-les dans l'eau fraîche.

# Œufs durs au gratin

**œufs durs**
**2 bols de sauce Béchamel**
**parmesan râpé**

Faites bouillir des œufs. Laissez-les toujours refroidir avant de les couper en 2, l'opération se fera mieux.

Émincez les blancs d'une part ; par ailleurs, écrasez les jaunes.

Disposez dans un plat à four vos blancs émincés que vous recouvrez de deux bons bols de sauce Béchamel.

Tournez un peu de farine dans une casserole beurrée 3 ou 4 minutes sans laisser roussir et mouillez avec du lait, sans arrêter de tourner, jusqu'à obtenir une certaine consistance.

Répandez ensuite les jaunes d'œufs émiettés et du parmesan râpé sur tout le plat que vous mettrez à gratiner dix grosses minutes.

C'est bien bon !

# Œufs farcis

œufs
mayonnaise
2 anchois
fines herbes hachées
coulis de tomate épais
paprika

*L'été, c'est un hors d'œuvre très appétissant !*

Faites cuire les œufs dans l'eau bouillante 10 bonnes minutes.

Plongez-les dans l'eau froide, épluchez-les, coupez-les en 2 dans le sens de la longueur.

Ôtez les moitiés de jaunes et pilonnez-les avec de la mayonnaise, 2 anchois et des fines herbes hachées fin.

Emplissez les moitiés de blancs de ce farci, puis nappez avec 1 fine couche de coulis de tomate épais.

Saupoudrez de paprika.
Salez très légèrement à cause des anchois.

# Œufs à ma façon

cèpes
2 cuillerées à soupe de graisse d'oie
œufs
foie gras
1 truffe
sel, poivre

Ce plat, hélas ! revient cher. Il peut être par conséquent réservé pour les grandes occasions.

La préparation en est simple. Il faut de belles têtes de cèpes entières.
Gardez les queues à part. Une par personne, qu'on disposera dans un plat à four graissé avec les 2 cuillerées de graisse d'oie.

On aura d'abord eu soin, je le précise, de vider l'intérieur de la tête des cèpes d'une bonne moitié de leur chair à l'aide d'1 petite cuillère, de la rajouter aux queues et de hacher le tout.

Battez ensemble, dans un bol, autant de jaunes d'œufs crus qu'il y a de cèpes dans le plat.

Hachez finement une truffe que vous mêlez aux œufs. Salez, poivrez les œufs.
A la cuillère, garnissez chaque cèpe creusé de jaune d'œuf truffé et battu, de chair et des queues de cèpes hachées.
Complétez avec un gros morceau de foie gras (la valeur d'un morceau de sucre).

Enfournez à four chaud, 15 à 20 minutes suffisent.

*Avec un bon **Bordeaux**, c'est un plat dont on reparle souvent !*

A la réflexion, je me demande s'il est très opportun de placer cette recette dans la catégorie "œufs" !

# Œufs pochés sauce tomate

**bouillon de volaille ou de bœuf**
**œufs**
**persil simple haché**
**coulis de tomate**
**ail haché (2 gousses)**
**basilic**

Faites bouillir de l'eau salée ou mieux du bouillon de volaille ou de bœuf.

Cassez des œufs que vous jetez entiers dans le liquide bouillant. Faites en sorte qu'ils ne se touchent pas. Quand ils seront cuits d'un côté (c'est rapide), retournez-les de l'autre. Puis délicatement, à l'aide d'une écumoire (à moins que vous ne les ayez disposés dans une pocheuse à œufs), placez-les dans un plat chaud, garni d'un lit de persil simple haché.

Versez votre coulis de tomate, l'ail (cuit 5 minutes dans le coulis) et le basilic fraîchement haché.

Ça fait de bons œufs !

# Les œufs à l'ail

**10 gousses d'ail**
**3 verres d'eau**
**2 anchois**
**1 cuillerée à café de câpres**
**1 filet de vinaigre de vin**
**1 cuillerée à soupe d'huile d'olive**
**persil simple**
**œufs durs**
**sel, gros poivre**

Cuisez dix gousses d'ail pelées 7 à 8 minutes, pas plus, à la casserole dans 3 verres d'eau.

Écrasez-les au pilon avec 2 anchois, 1 cuillerée à café de câpres. Salez, poivrez, ajoutez un filet de vinaigre de vin et 1 cuillerée à soupe d'huile d'olive. Étalez cette pommade sur les moitiés d'œufs durs froids, posés dans un plat saupoudré de persil simple haché menu.

*Délicieux, avec un **vin blanc du Var,** jeune et légèrement frais.*

# Œufs Bénédictine

Dans la foule des recettes d'œufs dont je suis friand, « les œufs Bénédictine » me réjouissent plus particulièrement le palais.
Tout d'abord parce qu'il y a de la morue, et que j'adore ça. Ma recette, toutefois, n'est pas très classique car je l'ai adaptée « à mon goût ».

Aurez-vous le même que le mien ?

L'idéal est de disposer d'un restant de brandade de morue (qui est aussi délicieux froid que chaud).
Sinon faites une « mini-brandade », en dessalant des filets de morue.

*Pour 6 convives, il faut :*
**6 ramequins (ou 6 petits pots)**
**6 œufs**
**6 noisettes de beurre**
**6 cuillerées à café de crème fraîche**
**1 filet de morue dessalée**
**2 pommes de terre moyennes Bintje**
**1 gousse d'ail**
**25 à 30 g de parmesan râpé**
**1 cuillerée à dessert d'huile d'olive**
**2 cuillerées à soupe de lait cru**
**du persil simple haché**
**sel, poivre**

*C'est un plat bien croquignolet !*

*Préparation :*
Faites chauffer le four.
Dessalez un filet de morue depuis la veille dans l'eau froide si vous n'avez pas de reste de brandade.

Faites bouillir 2 pommes de terre bien lavées avec leur peau jusqu'à ce que la pointe du couteau traverse aisément la chair.

Pelez-les tièdes. Coupez les en quatre.

Effeuillez la morue et passez-la au mixer avec les pommes de terre.

Réduisez en purée, à laquelle vous incorporez le lait et l'huile d'olive à la fourchette, et mélangez bien.

Hachez finement le persil simple.

Frottez l'intérieur de vos ramequins avec la moitié d'une gousse d'ail, beurrez bien les côtés et le fond.

Nappez d'une couche de 4 à 5 centimètres de brandade, puis cassez un œuf par-dessus, dans chaque pot.

Recouvrez chaque œuf d'une cuillerée de crème fraîche. Poivrez au moulin.

Saupoudrez chaque ramequin de persil haché.

Répandez enfin équitablement le parmesan râpé sur chaque ramequin.

Mettez les ramequins dans un bain-marie et placez-les dans le four chaud pendant 15 minutes environ. Il faut retirer les pots avant que l'œuf ne prenne trop de consistance. Cela bien sûr selon votre goût.

Servez dans les ramequins, accompagnés de petites languettes de pain grillé en bâtonnets, légèrement dorées et croustillantes.

# Œufs au vin rouge à ma façon

*Pour 4 convives :*
8 œufs
2 échalotes grises hachées
3 gousses d'ail hachées
1 bouquet garni
1/2 bouteille de bon vin rouge de Bourgogne (Santenay)
50 g de jambon de campagne
1 verre de bouillon de poule (ou d'eau)
1 cuillerée d'huile d'olive
600 g de pomme de terre (Bintje ou Roseval)
sel, poivre

*Préparation :*
Pelez les pommes de terre et mettez-les à cuire à la vapeur dans un couscoussier 25 à 30 minutes environ.

Dans une sauteuse, chauffez l'huile et faites revenir les échalotes hachées pendant 3 minutes.

Ajoutez l'ail que vous laissez blondir 2 minutes avec le jambon découpé en petits morceaux.

Lorsque tout est bien coloré, ajoutez le bouquet garni, la 1/2 bouteille de vin et le verre de bouillon. Laissez bouillir doucement pendant 1/4 d'heure.

Salez. Poivrez.

Passez le tout au chinois. Récupérez la sauce dans une grande casserole que vous posez sur le feu à la place de la sauteuse.

Cassez les œufs délicatement au fur et à mesure un par un dans une tasse pour en vérifier la fraîcheur et ne pas risquer de gâter les autres.

Lorsque la sauce au vin est en ébullition dans la casserole, écartez-la du feu, approchez la tasse contenant l'œuf le plus près possible du liquide et faites-y glisser doucement celui-ci, faites de même pour tous les œufs.

Remettez alors la casserole sur le feu 1 à 2 minutes afin que le blanc prenne consistance, le jaune doit être mollet.

A l'aide d'une écumoire, ôtez les œufs délicatement un par un, et placez-les sur un plat chaud.

Dans la casserole de sauce au vin, mettez alors les pommes de terre vapeur coupées en rondelles.

Laissez chauffer 2 bonnes minutes.

Versez le tout dans un grand plat chaud et posez les œufs par-dessus.

J'ai confectionné ce plat pour la première fois à une grande période de ma vie où à défaut d'argent il fallait un peu d'imagination.

*N'allez tout de même pas croire que le vin rouge utilisé alors était du **Santenay**... hélas !*

*Dégustez le même vin que celui choisi pour faire la sauce.*

# Les omelettes

Des omelettes, c'est à l'infini qu'on peut en faire.
En voici quelques-unes qui sont mes préférées. Lorsqu'on a la chance de pouvoir les faire sur la braise, elles ont un fumet délicieux, mais il faut bien avouer que la cuisson est plus délicate !

Je fais des omelettes parfois à la graisse d'oie ou le plus souvent au beurre. La qualité des œufs est très importante. Il les faut bien sûr très frais, à la température ambiante. Voici mon omelette au naturel, base de beaucoup d'autres.

Je bats très peu les œufs, à mon avis ils lient mieux l'omelette.
J'ajoute aussi une cuillerée à dessert de lait ou d'eau qui la rendra plus onctueuse. Je sale légèrement et je poivre.
Puis je fais fondre à feu vif, pour quatre personnes, cent grammes de beurre ou de graisse d'oie.
En deux minutes, le beurre ne doit plus mousser et prendre un ton noisette.
Je jette les œufs battus, et en trente secondes à peu près, le fond de l'omelette prend.
Je soulève alors rapidement les bords à la spatule en bois, en inclinant la poêle dans tous les sens afin de faire glisser dessous le   liquide qui n'a pas encore pris.
Renouveler l'opération (en tout cela ne doit pas dépasser deux minutes) si l'on veut déguster une omelette dorée dehors et moelleuse à l'intérieur.

## Précisions utiles en ce qui concerne les omelettes ou les œufs brouillés

Les quantités volontairement omises sont laissées à l'initiative de celui qui tient la queue de la poêle. Généralement on compte deux œufs par tête de pipe, on peut aller jusqu'à neuf œufs pour une omelette de quatre personnes, mais c'est un maximum dans une poêle pour obtenir une bonne omelette.

Les ingrédients, pommes de terre, ou asperges, ou champignons, ou oignons, etc., ne devront pas eux non plus dépasser un certain volume car il vous sera impossible de fermer l'omelette. Il faut donc prévoir par exemple : un cèpe moyen haché menu par personne (pour une omelette aux cèpes), ou une pomme de terre moyenne découpée en petits morceaux, ou un oignon haché, etc.

# Omelette aux harengs frais

**harengs frais**
**œufs**

Procurez-vous des harengs frais dont vous ne garderez que les filets que vous ferez griller. Découpez-les en morceaux et mélangez-les dans vos œufs battus avec 1 cuillerée à café d'eau tiède sans les saler. Cuire à la poêle comme pour n'importe quelle autre omelette.

*Buvez un petit **Sauvignon**, il n'est pas cher et a beaucoup de caractère.*

# Omelette aux pommes de terre, croûtons frits et jambon

Voici, parmi les centaines d'omelettes connues, celle qui me fait saliver à la seule idée de la préparer lorsque j'ai grand-faim et envie de me régaler tout de suite.

*Pour 4 convives, il faut :*
**200 g de roseval**
**8 œufs**
**1 noix de beurre**
**1 cuillerée à café de crème fraîche fleurette**
**1 tranche de pain dur frottée à l'ail**
**1 cuillerée à café d'huile d'olive**
**1 cuillerée à café d'huile d'arachide**
**2 fines tranches de jambon de Bayonne**
**de 30 g environ hachées menu**
**1 gousse d'ail**

*Préparation :*
Dans une petite casserole, faites fondre la noix de beurre à feu doux. Filtrez-le au-dessus de la poêle à travers une passoire très fine afin de le clarifier.

Dans cette poêle, faites chauffer les huiles d'olive et d'arachide et saisissez les pommes de terre coupées en petits cubes. 5 minutes plus tard, ajoutez les croûtons aillés coupés en petits cubes de la même grosseur que les pommes de terre, laissez cuire et dorer 15 minutes.

2 minutes avant la fin de cuisson, ajoutez le jambon haché menu.

Réservez dans une assiette creuse bien chaude sur un papier absorbant. Salez légèrement.

Pendant la cuisson des pommes de terre, cassez les œufs l'un après l'autre dans un bol pour vérifier leur fraîcheur. Réunissez-les dans un petit saladier, salez, poivrez. Ajoutez la crème fraîche.

A l'aide d'une fourchette, battez peu et doucement juste pour opérer le mélange des jaunes et des blancs. (Il est important, et ceci pour toutes les sortes d'omelettes, de ne pas briser le corps de l'œuf. Plus il est battu violemment, plus il devient liquide et mousseux. Moins l'œuf est battu, plus il conserve sa saveur et sa légèreté. Ouf ! il fallait le dire.)

Dans la deuxième poêle, faites chauffer le beurre clarifié et, lorsqu'il est bien chaud, versez-y les œufs. Avec une spatule, ramenez les bords vers le centre. Juste avant de fermer le centre, mettez les croûtons frits et les pommes de terre au milieu de l'omelette. Recouvrez avec les bords rabattus par-dessus, et glissez-la dans un plat chaud avant qu'elle ne soit totalement cuite. Elle n'en sera que plus moelleuse.

Cette omelette rustique m'enchante depuis mon enfance.

*On peut la déguster avec un **Cornas rouge et jeune.** Cela contredit tout à fait ceux qui prétendent qu'on ne doit pas boire de vin avec les œufs.*

*Je donne un peu plus loin la recette de l'omelette aux pommes de terre, échalotes et cerfeuil à la saveur toute différente.*

# Omelette aux huîtres

*Pour 4 convives :*
1 douzaine 1/2 d'huîtres
huile
beurre
8 œufs
persil simple haché
sel, poivre

*Préparation :*
Faites d'abord ouvrir 1 douzaine 1/2 d'huîtres en les plaçant
5 minutes sur la grille d'un cuiseur vapeur. Retirez-les de
leur coquille et cuisez-les dans une poêle graissée (huile et
beurre) 2 minutes, en les tournant.

Dans un saladier, battez 8 œufs entiers.
Salez, poivrez, ajoutez le persil, 1 cuillerée à café d'eau tiède
et mélangez le tout avec les huîtres dans la poêle.

Lorsque l'omelette commence à prendre, glissez quelques
lichettes de beurre entre les bords de la poêle, puis servez-la
moelleuse.

Pliez-la en deux en la glissant sur le plat. Je la sers telle
quelle.

*Un **Muscadet** ou mieux un **Graves blanc** iront très bien avec ce
plat.*

# Omelettes aux pointes d'asperges

*L'une des plus sublimes !*

**asperges minces**
**graisse d'oie**
**œufs**
**1 cuillerée à dessert de crème fleurette**
**sel, poivre**

A la saison, essayez de vous procurer des asperges minces avec beaucoup de vert (l'asperge « sauvage » est l'idéale). Faites-les blanchir 3 minutes dans l'eau bouillante citronnée, retirez-les sans les casser.

Coupez-les en morceaux que vous cuirez à la poêle 3 ou 4 minutes dans une noisette de beurre. Ajoutez ces morceaux aux œufs battus avec 1 cuillerée à dessert de crème fleurette.

Versez le tout dans la poêle, dégustez l'omelette dorée et moelleuse.

---

# Omelette aux fonds d'artichauts

Faites blanchir 5 minutes 4 fonds d'artichauts dans l'eau bouillante citronnée. Otez-les, séchez-les au torchon.

Faites revenir à la poêle les fonds de ces artichauts coupés en dés avec quelques petits morceaux de jambon de Bayonne.

Saupoudrez de cerfeuil.

Versez vos œufs battus par-dessus pour faire l'omelette.

En 1/4 d'heure vous aurez fait un plat extra.

# Omelette au saucisson

Mon talentueux frère Jean-Claude, qui est chef aux États-Unis et pour qui la cuisine est un sacerdoce, fait une curieuse omelette au saucisson tendre de chez nous et aux croûtons caressés d'ail, le tout coupé en dés et revenu à la poêle.

C'est vraiment fameux.

*Maman et mon frelot, le "Big Chief"*

# Omelette aux champignons

**mousserons ou champignons de Paris frais**
**1 cuillerée à café de graisse d'oie**
**ou d'huile d'arachide**
**1 gousse d'ail hachée**
**persil simple haché fin**
**œufs**
**sel, poivre**

Bien sûr il y a toute l'année des champignons de Paris frais.
Mais il y a aussi, à la saison, les champignons de rosée et les
mousserons.
Ah ! quel bonheur de les ramasser soi-même.
Une omelette aux mousserons, je ne connais rien de
meilleur.

Faites revenir délicatement vos mousserons, salés et poivrés
(sans leur faire prendre un coup de feu), dans une cuillerée à
café de graisse d'oie ou d'huile d'arachide avec une gousse
d'ail grossièrement hachée, 7 à 8 minutes suffisent. Jetez-y
dessus une pluie de persil et puis vos œufs à peine battus, en
répartissant tout cela à la spatule.

N'oubliez pas de glisser le petit morceau de beurre dessous,
quand elle est presque prise. Servez-la moelleuse dans un
plat, en la pliant en deux.

# Omelette au rognon de veau

*Pour 4 convives :*
1 rognon de veau de 350 à 400 g
8 œufs
1 petit bouquet de persil simple
2 gousses d'ail
2 petites échalotes grises
1 pincée de paprika
1/2 verre d'huile d'arachide
1 belle noix de beurre (50 g environ)
1 cuillerée à soupe de cognac
1 cuillerée à café de crème fleurette
sel

*Préparation :*
Découpez tous les bons morceaux de rognon, après avoir éliminé nerfs et graisse.

Coupez le rognon en morceaux de la grosseur d'un pois chiche.
Épluchez et hachez menu l'ail, les échalotes et le persil simple.

Battez les œufs dans un saladier, salez-les légèrement, ajoutez le paprika, le persil et 1 cuillerée à café de crème fleurette.

Dans une poêle avec l'huile et le beurre chauds, mettez d'abord les échalotes pendant 5 minutes à feu très doux.

Ajoutez ensuite le rognon 1 à 2 minutes après avoir légèrement augmenté le feu.

Flambez au cognac et étouffez la flamme sous un couvercle au bout de 8 à 10 secondes.

Versez alors les œufs battus sur le rognon flambé. Mélangez bien le tout à la spatule en bois. Servez l'omelette légèrement baveuse.

C'est pas triste !

# Notes

# Omelette aux cèpes

Eh oui ! j'ai la chance de cueillir souvent des cèpes à la saison, d'en déguster des frais, de pouvoir en faire des conserves de toutes sortes, d'en faire sécher (qui sont délicieux en ragoût !).

J'en cuisine évidemment de toutes sortes de façons, dont l'omelette aux cèpes frais qui est si exquise.

*Pour 4 convives :*
**2 cèpes moyens bien fermes**
**ou 5 à 6 petits (250 g environ)**
**8 œufs**
**1 noix de beurre**
**1 cuillerée à soupe d'huile d'olive**
**2 gousses d'ail hachées**
**sel, poivre**

*Préparation toute simple :*
Essuyez les cèpes au torchon. Sans les laver. Séparez la tête de la queue.
Émincez-les en lamelles fines que vous coupez en morceaux de 2 centimètres de côté environ.

Dans une poêle, mettez moitié beurre moitié huile, chauffez (sans les laisser fumer), jetez les cèpes. Pendant 3 à 4 minutes, laissez leur humidité s'évaporer puis ajoutez l'ail et faites-les bien dorer en les tournant à la spatule. Salez très légèrement.

Pendant la cuisson des cèpes, cassez les œufs dans le saladier. Battez-les doucement 10 secondes à la fourchette en ajoutant 1 cuillerée à café d'eau tiède.

Salez et poivrez-les de quatre tours de moulin.
Égouttez les cèpes à l'aide d'une écumoire et mettez-les dans le saladier qui contient les œufs battus. Jetez la graisse de la poêle.

Ajoutez le beurre ; quand il est fondu, incorporez les cèpes et les œufs battus mélangés. Laissez cuire 3 à 4 minutes au maximum, si vous l'aimez baveuse.

Repliez une moitié sur l'autre, et faites-la glisser sur un plat très chaud avant de la servir.

# Omelette
# aux petits oignons nouveaux

*Un délice printanier*

*Pour 4 convives :*
**8 œufs**
**1 bouquet de persil simple**
**2 noix de beurre**
**1 pincée de sucre en poudre**
**1 gousse d'ail épluchée**
**1 cuillerée à café de crème fraîche fleurette**
**1 pincée de paprika**
**16 petits oignons blancs**
**sel**

*Préparation :*
Épluchez les petits oignons blancs. Gardez-les entiers.

Faites-les revenir à la poêle dans un peu de beurre à feu doux, remuez-les sans cesse à la cuillère en bois jusqu'à ce qu'ils soient bien dorés.

Assaisonnez de sel, de paprika et d'une pincée de sucre en poudre.

Frottez le fond d'une terrine ronde avec une moitié de la gousse d'ail épluchée.

Battez les œufs dans cette terrine, assaisonnez-les légèrement et incorporez la crème fraîche et les oignons avec le persil haché menu. Mélangez.

Dans la poêle vide, faites chauffer la deuxième noix de beurre clarifiée. Versez l'omelette dans la poêle, et avec la spatule repliez les bords sur le dessus.

Servez dans un plat très chaud.

*Un **Graves rouge** léger convient très bien : **Domaine Terrefort.***

# Omelette aux pommes de terre, jambon et échalotes

C'est une omelette très appréciée à la maison, par mes enfants qui me la réclament fréquemment.
Je remplace parfois les échalotes par deux gousses d'ail ciselées et du cerfeuil haché fin.

*Pour 4 convives :*
**8 œufs**
**1 belle tranche de jambon de campagne (80 g environ,**
**gras et maigre bien répartis)**
**200 g de pommes de terre Rosa ou BF 15**
**(bouillies ou cuites à la vapeur)**
**4 échalotes grises hachées menu**
**1 grosse noix de beurre (30 à 40 g)**
**1 cuillerée à soupe de lait ou d'eau**
**1 bouquet de cerfeuil haché**
**sel, poivre**

*Préparation :*
Pelez et découpez les pommes de terre bouillies en cubes d'1 centimètre.

Découpez le jambon en petits rectangles de 2 centimètres de gras et maigre.
Faites chauffer une poêle avec la moitié du beurre pour y rissoler le jambon à feu moyen pendant 1 minute en tournant à la spatule en bois.

Ôtez-le de la poêle et réservez-le dans un bol.

Dans la même poêle chaude, faites blondir doucement les échalotes hachées pendant 5 minutes en rajoutant un peu de beurre si nécessaire.

Ôtez les échalotes de la poêle et réservez-les avec le jambon. Jetez la graisse de la poêle.

Rajoutez le reste du beurre dans la poêle et faites rissoler les pommes de terre coupées, à feu moyen, jusqu'à ce qu'elles soient bien dorées. Tournez-les à la spatule sans les écraser.

Ajoutez échalotes et jambon, puis mélangez.

Dans un saladier, cassez les œufs, salez et poivrez-les de quatre tours de moulin. Battez-les à la fourchette mais sans frénésie. Il suffit de les mélanger pendant 10 à 15 secondes, ajoutez la cuillerée de lait ou d'eau et le cerfeuil haché.

Versez les œufs battus sur les pommes de terre, et le mélange échalotes jambon. Laissez cuire 2 à 3 minutes à feu moyen. Stoppez le feu plus tôt si, comme moi, vous la préférez baveuse. Faites glisser sur un plat chaud et servez-la accompagnée d'une salade de pissenlits tendres aux croûtons légèrement aillés.

C'est une petite merveille !

*Ce plat et moi-même supportons vaillamment un **Graves rouge** léger. Un **Château-Gaillat** par exemple.*

# Omelette aux queues d'écrevisses

C'est une omelette de nabab! Sa finesse est extrême, mais les bonnes écrevisses « pattes rouges » sont de plus en plus rares...

Si toutefois vous vous en procurez... (on peut faire la même avec des langoustines mais c'est « le jour et la nuit »!).

*Pour 4 convives, il faut :*
**16 écrevisses**
**8 œufs**
**1 cuillerée à soupe de crème fraîche fleurette**
**1 oignon piqué de 3 clous de girofle**
**1 bouquet garni**
**1 carotte**
**1 pincée de cayenne en poudre**
**1 cuillerée à café d'huile d'olive**
**1 noix de beurre**
**1 gousse d'ail épluchée, fendue en 4**
**1 branche de céleri**
**1 tomate coupée en 4**
**sel, poivre**

*Préparation du court-bouillon :*
Mettez sur le feu une marmite avec 1 litre d'eau, le céleri, l'oignon coupé en 4, l'ail, la pincée de cayenne, 1 cuillerée à soupe de gros sel, 1 cuillerée à café d'huile d'olive, la carotte coupée en rondelles, la tomate et le bouquet garni.

Couvrez et mettez à feu vif jusqu'à ébullition.
Laissez bouillir 15 minutes avant d'y plonger 15 minutes encore les écrevisses bien lavées. Retirez-les à l'aide d'une écumoire, et laissez-les refroidir avant de décortiquer les queues (pour ne pas vous brûler!).

Battez doucement les œufs dans une terrine.
Assaisonnez-les. Incorporez la crème fraîche.

Lorsque les queues sont décortiquées, coupez-les en 2.
Clarifiez la noix de beurre dans une petite casserole. Mettez ce beurre fondu dans une poêle. Chauffez-la et versez les œufs.

Lorsque l'omelette commence à prendre, incorporez les demi-queues d'écrevisses, repliez les bords de l'omelette sur le dessus, à l'aide de la spatule afin de la fermer.

Glissez-la sur un plat très chaud avant de servir.

*Moi j'aime bien le **Meursault** avec les écrevisses.*

# Œufs brouillés au naturel

*Pour 6 convives :*
**150 g de beurre frais**
**150 g de crème fraîche**
**12 œufs frais**
**sel, poivre**

Cassez les œufs dans un plat sans les battre.

Mettez la moitié du beurre dans une petite casserole (aussi haute que large), ainsi que vos œufs et faites cuire doucement, soit à feu très doux, soit au bain-marie, en tournant sans arrêt avec une fourchette en bois (ce dernier procédé est bien meilleur).

Dès que le mélange commence à prendre, ajoutez la crème et le reste du beurre sans cesser de tourner. Au bout de quelques minutes, achevez la cuisson hors du feu. Le fond chaud de la casserole finira la cuisson moelleuse.

Salez et poivrez à votre goût. Servez chaud.

# Œufs brouillés à la tomate

Idem. En rajoutant un coulis de tomate à partir de tomates fraîches, pelées, épépinées et passées au chinois ou au tamis.

Je le parfume aussi au basilic haché grossièrement au dernier moment.

# Œufs brouillés aux morilles

C'est succulent mais les morilles sont rares. Essayons de ne pas louper ce plat.

**Pour 4 convives :**
**8 œufs**
**4 ou 5 morilles fraîches (selon grosseur)**
**1 cuillerée à soupe de crème fraîche fleurette**
**2 noix de beurre**
**1 cuillerée à soupe de madère**
**sel, poivre**

*Préparation :*
Fendez les morilles en 4. Lavez-les bien. Séchez-les au torchon.

Dans une sauteuse (il ne faut pas de poêle), faites revenir doucement une des 2 noix de beurre.

Saisissez les morilles dans le beurre très chaud, puis baissez le feu au bout de 2 minutes, et ajoutez la moitié de la crème fraîche.

Tournez à la cuillère en bois. Salez. Poivrez. Ajoutez le madère.
Mélangez et laissez cuire 15 minutes à feu très doux.

Dans une terrine, remuez doucement les œufs avec un fouet ou une fourchette.
Assaisonnez-les légèrement. Incorporez le reste de la cuillerée de crème fraîche.

Dans une deuxième sauteuse, sur la noix de beurre bien chaude, versez les œufs brouillés. Tournez doucement à la cuillère en bois. Incorporez les morilles avec leur sauce sans cesser de tourner. Stoppez le feu bien avant la consistance moelleuse définitive.

Continuez de tourner doucement 1 minute hors du feu, car le fond chaud de la casserole terminera la cuisson. N'arrêtez pas le feu trop tard.

*Un **vin jaune du Jura** est idéal avec ce plat des dieux.*

# Œufs brouillés au boudin

Même recette que la précédente, plus la quantité nécessaire d'un boudin que vous aurez fait griller au préalable et dont vous aurez enlevé la peau.

Ne le mettez dans la casserole que vers la fin avec la crème et le beurre, en tournant bien.

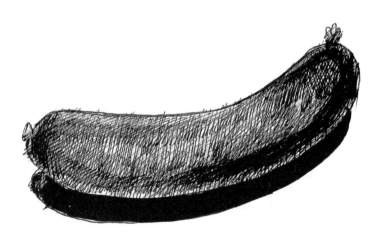

# Œufs brouillés au jus

N'importe quel restant de jus de viande ou de volaille mêlé à vos œufs brouillés ne fera qu'améliorer ce plat.

Souvenez-vous de la savoureuse histoire de Brillat-Savarin qui, arrivant tard le soir dans une auberge, se vit proposer en tout et pour tout des œufs.

Un magnifique gigot tournait à la broche pour des Anglais qui attendaient, assis à la table d'à côté. Brillat-Savarin, que le génie de la gourmandise ne cessa d'asticoter toute sa vie durant, posa son plat d'œufs sous la broche, en piquant sournoisement de sa fourchette le gigot, qu'il n'abandonna aux Anglais que lorsqu'il fut complètement sec !

Les œufs au jus naquirent ce jour-là.

# La piperade

Je l'adore. Froide ou chaude.
J'espère que celle-ci conviendra à mes amis, Martine et José Bidegain
(Basques de souche et fiers de l'être !). Car c'est une entreprise délicate
que de vouloir régaler un ami avec un plat de son pays.

*Pour 6 convives :*
**300 g de piments verts doux**
**2 tranches fines de jambon de Bayonne (gras et maigre)**
**3 cuillerées à soupe d'huile d'olive**
**3 oignons finement hachés**
**800 g de tomates**
**3 gousses d'ail**
**6 à 8 œufs**
**1 pointe de paprika**
**sel, poivre**

*Voici comment
je la préfère : il faut
des piments doux et
non des poivrons*

*Préparation :*
Mettez les piments à griller 30 minutes sur la plaque du four
réglé doux, laissez-les refroidir car ils se pèlent ensuite
facilement.

Pelez et écrasez l'ail dans un presse-ail.

Pelez les tomates. Ôtez le plus gros des pépins. Concassez la
chair.

Coupez le jambon en dés d'1 centimètre.

Dans un poêlon en fonte ou mieux en terre (que vous
chauffez sur une plaque d'amiante), faites revenir pendant
15 à 20 minutes le jambon et les oignons dans un peu d'huile
en les tournant de temps en temps à la cuillère en bois. La
cuisson doit s'effectuer à l'étouffée, c'est-à-dire couvercle
fermé.

Pendant ce temps, pelez les piments pour les rendre plus
digestes, ôtez les graines et la queue, coupez-les en lanières
et faites-les revenir doucement à la poêle dans le restant
d'huile d'olive, 10 minutes environ.

Dans le poêlon qui contient oignons et jambon, ajoutez alors
le piment en lanières, la tomate et l'ail, couvrez à nouveau et
laissez cuire 1/4 d'heure à petit feu. Surveillez la cuisson.

Versez ensuite le tout dans une grande poêle légèrement huilée, cassez et battez les œufs dans une terrine et incorporez-les à la purée de légumes. Attendez qu'ils soient pris. Stoppez le feu bien avant que les œufs soient trop cuits.

La piperade est bien meilleure onctueuse.

*Dégustez un **Jurançon** ou un **Madiran** selon vos goûts. Je préfère le rubis du **Madiran** avec cette piperade si appétissante.*

# Œufs confits au vinaigre

Dans une grande casserole, mettez à bouillir un 1/2 ou 1 litre de bon vinaigre de vin rouge (en fonction du nombre d'œufs que· vous voulez confire), dans lequel vous faites infuser 10 à 15 minutes 2 petits piments forts de cayenne pilés au mortier ainsi qu'une vingtaine de grains de poivre entiers, 1 à 2 cuillerées à soupe de gros sel de Guérande, 2 branches d'estragon frais et une douzaine de petits oignons blancs entiers.

Faites durcir une dizaine d'œufs après les avoir écalés, mettez-les dans un grand pot en grès ou un grand bocal en verre, versez dessus le vinaigre bouillant passé au chinois.

Couvrez le pot ou refermez le bocal, et trois jours plus tard les œufs seront confits.

Ces œufs sont très appétissants pour accompagner des terrines de légumes froids, du pot-au-feu ou du gigot froid.

Ne souhaitant pas faire de concurrence à une « consœur » plus qualifiée que moi, voici le seul « médicament » de ce livre.
J'en donne ici la recette car on ne la fait plus guère de nos jours. C'est pourtant une arme puissante contre le rhume, reconstituante dit-on, et en tout cas fort agréable.

# Le lait de poule

Cassez 3 jaunes d'œufs dans un récipient.
Mélangez-les avec 1 cuillerée à soupe de sucre de canne en poudre, 1 de fleur d'oranger et 2 de bon vieux rhum Lamauny ambré.

Incorporez 1 verre de lait très chaud en mélangeant doucement avec un fouet de cuisine. Versez très peu de lait à la fois afin qu'il ne cuise pas les œufs.

A déguster chaud.

# POISSONS...
## rafraîchissants

Le poisson, c'est sans doute la dernière nourriture naturelle qu'il nous reste dans la mer, et cela malgré tous les joyeux farceurs qui lui font cadeau tous les jours de tonnes de mazout dégazé par les pétroliers ou, plus généreusement encore, par les *Amococadiz* au gouvernail tenu par des pochetrons !

J'entends parfois (tout comme pour les abats !) autour de moi : « J'aime pas le poisson. » Bien entendu, c'est le droit de tout un chacun d'aimer ou pas viandes, poissons, œufs ou légumes ! Encore faut-il apprendre. Car cela s'apprend parfois.

Cela me fait penser à mon copain Renaud (oui le chanteur !) que j'avais invité à se joindre à nous après le dernier récital que je fis à l'Olympia. En compagnie de José Artur, Lino Ventura et toutes nos épouses préférées, nous dînions à la table combien accueillante de Joël Robuchon. Ce dernier, qui se surpassa (comme d'habitude), nous fit entre autres un sublime plat de coquilles Saint-Jacques au... caviar !

« C'est dingue ça ! » lâcha l'ami Renaud après avoir dégusté goulûment son plat sous l'œil amusé de Dominique, son épouse.
« J'aimais pas les Saint-Jacques, j'aimais pas le caviar ! mais " ça " c'est génial ! »
Et un grand éclat de rire général éclaboussa Joël, rouge de plaisir !

Je le répète ici, c'est comme pour les abats, c'est une question d'éducation.

Vous avez pu constater ici qu'on peut même apprendre à aimer... le caviar !

# Le caviar

Le caviar, c'est un luxe.

Mais qu'est-ce que c'est bon ! Certains ne l'aiment pas. Les goûts et les couleurs...

Le caviar provient de la femelle des esturgeons qui sont nés dans la mer Caspienne (entre autres !).

Ces derniers se divisent en trois catégories :

Le Beluga, l'Oscetra, le Sevruga.

Ils portent tous trois le même nom que le caviar qu'ils produisent.

Le petit Sevruga qui, bien que ne pesant qu'une cinquantaine de kilos, est mon préféré.

J'adore le Sevruga ! le grain est fin, de couleur gris clair et sa saveur, ... je vous dis pas.

Il y a aussi le caviar pressé dont les Soviétiques sont friands depuis toujours. C'est une préparation différente provenant de grains plus mûrs qui sont pressés ensemble. Il faut cinq kilos de frais pour obtenir un kilo de caviar pressé. La saveur est plus forte. Mais c'est pas mon préféré.

Le caviar arriva en France en 1920. Nous le devons aux efforts conjugués des frères Petrossian, Melkom et Mougcheg.

L'un apprenant la médecine, l'autre le droit, ils découvrirent à Paris mille choses qui les enthousiasmèrent. Truffes, foie gras, champagne et probablement petites pépées. Mais point de caviar.

Les Russes n'exportaient (déjà) pas grand-chose ! Encore moins du caviar dont ils ne savaient que faire. L'autorisation d'exporter, ainsi qu'une priorité et le choix sur place des meilleurs produits leur furent accordés. Ces privilèges sont encore valables aujourd'hui.

C'est Catherine et Christian Petrossian qui ont repris le flambeau. Moi ils me scient, les Petrossian. Même ceux qui les connaissent pas pourraient se gourrer qu'ils sont pas dans le besoin ! Et pourtant ils bossent, ils bossent comme c'est pas croyable. Toujours à cavaler. A Bakou, Astrakhan pendant les pêches de printemps, celles d'automne... surveillant, goûtant, modifiant mille détails, mettant toujours leur grain de sel... quand il faut ! un empire artisanal, quoi.

Un marchand de Stradivarius au pays des harmonies municipales.

Chapeau les Petrossian ! Quelle belle saga !

Mon pote Michel Piot, brillant chroniqueur gastronomique et gourmand impénitent, a eu le bol de faire un pèlerinage aux sources du caviar en compagnie de Christian Petrossian notre ami commun. Ils se sont baladés (les veinards!) sur ces usines-bateaux qui pêchent et conservent le caviar au large d'Astrakhan.

Entre la mort de la femelle esturgeon, le coup de lame qui lui surine le buffet et les cinquante kilos d'œufs qui se retrouvent en boîte fermée, il ne se passe pas plus de vingt minutes.

Assez hallucinant!

Michel (le sadique) s'est ingénié à m'expliquer que Christian lui avait fait déguster du Sevruga (« mon Sevruga ») salé à moins de trois pour cent. C'est le « Master » (le maître sur le bateau, celui qui, en fonction de la maturité des œufs, de leur couleur, du poids et de l'âge du poisson, détermine le dosage de salaison) qui choisit minutieusement les grains tout frais du Sevruga qui « avaient un goût de laitage et de blé mûr absolument divin ».

Comment se déguste le caviar? Eh bien, frais sorti du frigo, on ouvre la boîte au dernier moment et on étale les grains sur une tartine de pain grillée, légèrement dorée et finement beurrée. C'est tout. C'est ainsi qu'il est le meilleur.

Les Anglo-Saxons le mangent avec des oignons hachés, des œufs durs, des câpres et de la sauce au raifort! Pourquoi pas du citron tant que vous y êtes!

Je ne suis pas non plus fou des blinis.

J'ajoute qu'arrosé de très bonne vodka ou d'un grand Montrachet, c'est le bonheur suprême!

Certains carburent au champagne. Avec un Dom Pérignon bien sûr, ça donne à réfléchir. La vodka russe la plus géniale (qui m'a pas une seule fois filé mal au chou) est la « Moskovskaya » ou la « Starka » qui vieillissent dans des fûts de poirier et qui ont des arômes abricotés. On s'y fait très bien. Pas vrai, Bernard!

Le caviar est un met délicat et noble et il suffit d'un « rien » pour l'accommoder ou... le dénaturer. Voici quelques façons qui me semblent honnêtes et savoureuses. A préparer bien entendu pour les fêtes que vous souhaitez ponctuer d'un petit événement gastronomique.

C'est à la table même de Colette et Gaston Lenôtre que mon épouse et moi-même avons découvert et hautement apprécié la préparation paradoxale de « patates au caviar » de nos hôtes.
Eh bien, c'est bien bon ! Et ça n'est pas nos amis Monique et Jean Bissonet qui émettront des réserves à propos de ce plat car ils se sont eux aussi régalés.
Grand merci ami Gaston. Si tu le permets je vais en faire profiter d'autres gourmands.

Aussi bête que cela paraisse il ne faut pas n'importe quel caviar ni n'importe quelles patates. A propos de patates mon pote Jean-Pierre Clo, grand fournisseur de nos meilleurs restaurateurs étoilés, pourrait vous en faire un cours magistral. De plus, c'est du Sevruga que Gaston avait choisi, mon préféré.
Le Sevruga de chez Petrossian, c'est une poupée russe qui vous embrasse sur la bouche, tout ça pour vous dire...
Passons aux patates de Gaston si je puis me permettre...

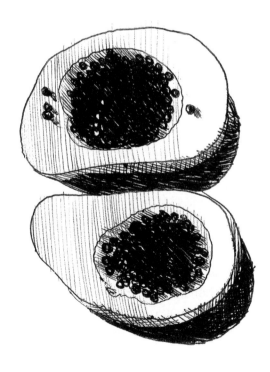

# Patates dites « rattes » au caviar Sevruga

*Pour 6 convives :*
**une trentaine de petites pommes de terre « rattes »**
**de même grosseur**
**une grosse noix de beurre**
**150 g de caviar Sevruga**
**1 cuillerée à café de gros sel moulu**

*Préparation :*
Lavez bien les pommes de terre. Dans un couscoussier, faites-les cuire à la vapeur pendant au moins 20 à 25 minutes sans les peler.

Vérifiez si elles sont bien cuites à cœur avant de stopper le feu.

Ôtez-les du couscoussier. Posez-les sur un torchon propre. Séchez-les sans vous brûler.

Lorsque le degré de chaleur le permet, pelez-les et coupez-les en 2 dans le sens de la largeur.

A l'aide d'une petite cuillère ou de la pointe d'un couteau, évidez-les sur 3 ou 4 centimètres de profondeur et coupez une lamelle du fond arrondi afin qu'elles tiennent à plat sur le plat.

Garnissez chaque creux de la valeur d'un pois chiche de beurre, d'une infime pincée de sel moulu puis d'une petite cuillerée à dessert de caviar jusqu'à ras bord.

Servez-les tièdes. C'est un grand moment.

*Le **Champagne brut** de l'ami **Gaston Lenôtre** peut émoustiller la fête.*

# Caviar et saumon cru
# en saucisson mi-cuit

*Pour 6 convives :*
**6 belles et fines tranches de saumon cru
de 3 millimètres d'épaisseur
150 g de caviar
2 cuillerées à soupe de brins d'aneth haché
1 cuillerée 1/2 à soupe d'huile d'olive
6 feuilles de papier sulfurisé (ou d'aluminium)
poivre rose moulu (ou gris à défaut)**

*C'est un peu cher mais c'est tout simple*

*Préparation :*
Chauffez le four ou la salamandre au maximum.

Une par une, étalez les fines escalopes de saumon cru sur un grand plat. Badigeonnez-les au pinceau d'huile d'olive.

Répartissez un peu de caviar sur toute leur surface.

Saupoudrez d'un peu d'aneth.

Poivrez au moulin selon votre goût et roulez la tranche de saumon en saucisson.

Posez-la sur un papier d'alu que vous enroulez de la même façon autour du saumon en repliant bien les extrémités par-dessous la papillote.

Posez les papillotes sur un plat résistant à la chaleur et mettez-les 3 minutes dans le four très chaud (surtout pas une de plus !)

Servez chaque papillote sur une assiette.

Avec des fines tranches de pain grillé, à peine beurrées et légèrement dorées, c'est encore meilleur !

L'idée de ce plat m'est venue très récemment et je ne fus pas le seul à en apprécier la finesse et la saveur.

*Nous avons savouré un **La Tâche** 1982, vin blanc bourguignon de race, qui fleure bon l'ambre et la résine mais qui pourra se surpasser si nous avons le courage de le laisser vieillir !
Il est bien dur parfois de résister à une telle merveille...*

# Saumon cru à l'huile d'olive aux fines herbes et à l'aneth

*Pour 4 convives :*
**700 à 800 g de saumon frais cru**
**6 cuillerées à soupe d'huile d'olive vierge**
**1 cuillerée à soupe d'échalote hachée très menu**
**le jus d'un demi-citron vert**
**4 brins d'aneth frais hachés**
**1 belle cuillerée à soupe de ciboulette hachée menu**
**sel de mer moulu fin**
**1 cuillerée à dessert de poivre vert moulu grossièrement ou écrasé (surtout pas fin) et rincé à l'eau claire à travers une passoire, faute de quoi il sera beaucoup trop fort.**

*Préparation :*
Mettez 4 grandes assiettes plates au réfrigérateur.
Découpez (ou faites-le faire par votre gentil poissonnier) le saumon cru en très fines tranches.
Réservez dans un plat.

Dans un saladier, faites dissoudre le sel dans le citron.
Ajoutez l'aneth, la ciboulette, l'échalotte, le poivre et l'huile.
Dans ce mélange, mettez les tranches de saumon à mariner
10 minutes, puis ôtez-les et placez-les chacune sur une assiette froide (sortant du frigo).
Répartissez par-dessus avec un pinceau tout ce qui restera dans le saladier.

Il est préférable de savourer ce saumon cru avec des tranches grillées blondes, légèrement tartinées de beurre demi-sel.

C'est un délice pur que nous dégustons souvent aussi chez nos potes Dany et Maurice Cartier. Philippe Valin (le big chef) le prépare à peu près de la même façon et les clients s'en lèchent les francforts.

*Je conseille le **Champagne Legras** qu'on sert chez*
***Dodin-Bouffant**, il est plus léger qu'une danseuse de l'Opéra et pétillant comme un dialogue d'Henri Jeanson.*
*Merci Maître Barbier qui veillez à sa constante qualité.*

# Daurade en papillote
## à la citronnelle

C'est une des meilleures façons de garder saveur et fermeté à ce poisson si fin. Voici comment je le prépare :

*Pour 4 convives :*
**une belle daurade d'un kilo à 1,200 kg**
**25 feuilles de citronnelle fraîche**
**2 cuillerées à soupe d'huile d'olive**
**1 gousse d'ail écrasée**
**4 fines rondelles de citron pelées**
**1 piment de Cayenne, finement pilé**
**(sans les graines ni le pédoncule)**
**sel de mer moulu**

*Préparation :*
Faites chauffer le four thermostat 7.
Nettoyez, videz la daurade. Laissez la tête et les écailles. Lavez-la à l'eau claire. Séchez-la.

Pratiquez une incision latérale tous les 4 centimètres sur les 2 faces du poisson. Faites également une incision d'1 centimètre le long du dos à l'endroit le plus charnu.

Hachez menu la citronnelle, frottez et garnissez-en bien toutes les entrailles, le ventre et le dos. Mettez l'ail dans le ventre.
Couchez la daurade sur une double papillote de papier sulfurisé (ou d'alu), huilez au pinceau. Plaquez 2 fines rondelles de citron sur chaque face. Salez légèrement de chaque côté. Saupoudrez de piment à votre convenance.

Fermez la papillote en repliant bien les extrémités en dessous.

Laissez 1/2 heure à four chaud en n'oubliant pas de retourner à mi-cuisson.

Servez dans un plat bien chaud après avoir ôté la papillote et la peau du poisson.

Des pommes de terre Roseval cuites à la vapeur ou au diable agrémentées de beurre salé accompagneront parfaitement cette daurade.

*Un bon vin blanc, un **Sauvignon des Coteaux de Blaye** convient très bien à ce type de plat. Le millésime 85 de la coopérative est plus qu'honorable.*
*Il développe un bouquet fruité qui précède un bel équilibre en bouche.*
*De plus, il ne coûte pas les yeux de la tête !*

# Le bar sublime d'Anne-Marie

Il le faut bien sûr extrêmement frais.

Notre gentille amie Anne-Marie nous en faisait régaler à Setté-Cama au Gabon. A peine sorti de l'eau, il était dans le four et elle nous tançait vertement lorsque le « bestiau » que nous venions de pêcher dépassait les trois livres, car au-delà de ce poids, manifestement, ça ne l'intéressait guère.

Son plat ne suivait pas ces dimensions saugrenues !

Voici comment il atteint les sommets « divins » dans sa préparation.

*Pour 6 convives :*
1 bar de 1,200 kg environ
1 cuillerée à soupe d'huile d'olive
50 g de beurre (1 belle noix environ)
1 douzaine de feuilles d'estragon hachées menu
3 brins de persil simple hachés
2 échalotes
1 demi-cuillerée à café de farine
sel de mer (sel de Guérande) moulu
poivre rose moulu (ou gris à défaut)
1 grande feuille de papier sulfurisé
ou de papier d'alu pour faire la papillote

*Préparation :*
Faites chauffer le four à thermostat 7.

Nettoyez et videz le poisson. Sur le dos du bar, avec un couteau, faites une incision de 3 à 4 centimètres de profondeur, dans la partie la plus charnue, sur 15 centimètres de long à peu près en partant de la tête.

Coupez le beurre en petits cubes.
Mettez-le dans un bol avec la farine.

Coupez les échalotes en deux. Mettez-les dans un presse-ail et pressez-les sur la farine et le beurre.

Ajoutez l'estragon et le persil.

Malaxez bien le tout dans vos doigts après avoir salé et poivré le mélange.

Garnissez les entailles du dos avec ce beurre « manié ».

Badigeonnez le poisson d'huile d'olive avec le pinceau, salez et poivrez légèrement à l'intérieur.

Placez-le dans le centre du papier sulfurisé sur son ventre ouvert et refermez bien la papillote sur le haut.

Mettez le bar en papillote sur un plat légèrement huilé au pinceau.

Mettez le plat dans le four déjà bien chaud. 15 à 20 minutes suffisent.

*J'ai débouché un **Bâtard-Montrachet** 1978 de chez l'ami **René Fleurot** (Santenay). Ce vin est une symphonie. S'il est en dessous du grand montrachet, certes, il dépasse à mon avis tous les chassagne ou les puligny les plus honorables. Il vous emplit le fer à souder de truffe et vous laisse dans les papilles les saveurs d'un bouquet de fleurs des champs.*

Silver Medal
Paris 1963

Médaille d'Argent
Paris 1963

# Bâtard-Montrachet

*APPELLATION CONTROLÉE*

*Année 1969*

RENÉ FLEUROT · DOMAINE FLEUROT-LAROSE

PROPRIÉTAIRE A SANTENAY, COTE-D'OR

*MISE EN BOUTEILLE A LA PROPRIÉTÉ*

# Coquilles Saint-Jacques aux pointes d'asperges

Régal du printemps. Élaboré simplement avec les « dernières » Saint-Jacques et les premières asperges. Je n'en ponctue les saveurs naturelles qu'avec une vinaigrette à l'huile de noix et du cerfeuil. Voici comment :

*Pour 6 convives :*
**18 coquilles Saint-Jacques**
**une vingtaine d'asperges dont**
**la moitié du « corps » est bien vert**
**3 cuillerées à soupe d'huile de noix**
**2 cuillerées à soupe d'huile d'arachide**
**2 cuillerées à soupe de vinaigre**
**de vin rouge dont 1 de vinaigre de xérès**
**1 petit bouquet de cerfeuil frais**
**sel, poivre au moulin**

*Préparation :*
Si vous achetez les Saint-Jacques dans leurs coquilles, mettez-les à cuire 3 minutes à la vapeur (avec 1 litre d'eau en dessous) elles s'ouvriront et vous détacherez facilement les noix.

Replacez les noix sur la grille du cuiseur-vapeur et faites-les cuire encore 3 minutes à couvercle entrouvert.

Escalopez-les.

Sur l'autre grille de la cocotte, faites cuire les asperges 10 minutes à la vapeur.

Hachez le cerfeuil.

Dans un bol, faites dissoudre le sel dans le vinaigre, ajoutez les deux sortes d'huile et faites une vinaigrette bien homogène.

Coupez les asperges en bâtonnets de 2 centimètres.

Mettez-les dans un plat creux avec les lamelles de Saint-Jacques. Arrosez de vinaigrette et répandez le cerfeuil dessus. Poivrez de 3 tours de moulin.

*Sa robe jaune paille, son arôme et sa légèreté font de ce vin
tendre et souple un **Muscadet** de Sèvres-et-Maine un peu à part.
Celui-ci est un séducteur.
Le 1985 était idéal avec ces coquilles.*
**Guy Charpentier,** *Les Noues
Loroux-Botterau.*

# Goujonnettes de filets de soles au caviar et pointes d'asperges vertes

Pour tous les blasés qui ne savent plus de quelle façon accommoder leur caviar, voici une recette qui devrait retarder de quelques jours leur fatale décision de se praliner le plaftard !

*Pour 6 convives :*
**(à condition d'avoir encore 5 amis !)**
**150 g de caviar**
**3 belles soles**
**6 œufs**
**1 botte d'1 kg d'asperges vertes**
**2 cuillerées à soupe de crème fraîche fleurette**
**1 cuillerée à soupe de beurre**
**gros sel gris moulu**
**poivre rose (ou noir à défaut)**

*Préparation :*
Faites lever les filets des soles par votre poissonnier préféré. Rincez-les à l'eau froide, séchez-les dans un torchon.

Faites-les cuire à la vapeur 7 à 8 minutes.

Ôtez-les. Jetez l'eau. Rincez le couscoussier.
Coupez 6 à 7 centimètres de la pointe des asperges bien vertes.

Lavez-les et faites-les cuire également à la vapeur pendant 10 minutes. Vérifiez la cuisson de la pointe du couteau.

Dans un petit saladier, battez les œufs au fouet, salez et poivrez-les au moulin.

Faites fondre doucement le beurre avec la crème fraîche dans une casserole et ajoutez les œufs battus. Maintenez-les sur feu doux et remuez doucement à la spatule en bois jusqu'à ce que le mélange devienne légèrement crémeux (ne laissez pas trop épaissir).

Après avoir découpé les filets de sole en goujonnettes, mettez-les dans la casserole ainsi que les pointes mélangées avec les œufs et la crème.

Remuez doucement à la spatule.

Servez dans de petites terrines de porcelaine bien chaudes (de la grosseur d'une tasse à café) et disposez en dernier le caviar par-dessus en partageant équitablement si possible.

*Un **Chassagne-Montrachet blanc** de chez l'ami **René Fleurot** est difficilement détrônable sur ce plat.*

# Les céteaux en meunière

Ultra facile.

Tout comme le goujon, le petit rouget, le bar ou la pibale (civelle), le céteau fait partie de mes poissons préférés. Ce poisson plat ressemble à une petite sole mais sa saveur et sa finesse sont incomparables.

Lorsque j'ai la chance d'en avoir de bien frais, je les prépare simplement en meunière. C'est pour moi, de loin, la meilleure façon d'en apprécier les qualités.

J'en déguste parfois de succulents au restaurant « La Cagouille » à Montparnasse, que m'a fait découvrir mon ami François Roboth, ou chez mon copain Claude, Charentais de pure souche qui a un sens très aigu de la convivialité. Son restaurant s'appelle « La Ferme saintongeaise » et il y sert des plats charentais dont la qualité des produits est étonnante, tout comme ceux de « La Cagouille » du reste !

(2 bonnes adresses à noter.)

*Pour 6 convives :*
**2 douzaines de céteaux**
**150 g de beurre**
**3 cuillerées à soupe d'huile d'arachide**
**1 verre de lait cru**
**un peu de farine**
**sel, poivre au moulin**

*Préparation :*

Videz, lavez et rincez bien les céteaux à l'eau froide. Épongez-les dans un torchon.

Mettez-les dans un plat creux à tremper 10 minutes dans le lait.

Égouttez-les, salez et poivrez légèrement sur chaque face. Farinez-les délicatement. Réservez-les.

Dans une petite casserole, mettez tout le beurre à feu doux et clarifiez-le à travers une fine passoire.

Faites chauffer alors ensemble dans la poêle l'huile et le beurre mélangés jusqu'à ce qu'ils deviennent très chauds sans fumer.

Tapez les céteaux l'un contre l'autre afin d'en ôter l'excédent de farine et glissez-les doucement 2 par 2 dans l'huile chaude sans toutefois que le feu soit trop vif et sans vous brûler.

Au bout d'1 minute environ, tournez les céteaux sur l'autre face avec une spatule. Ils seront dorés de chaque côté au bout de 2 minutes en tout au maximum car c'est un poisson très plat et fragile.

Personnellement, je sors les céteaux de la poêle à l'aide d'une spatule trouée et les dépose sur un grand plat préchauffé au four.

Je n'ajoute ni le beurre de la poêle ni beurre frais.

Je dispose des moitiés de citron autour du plat pour les invités mais je déguste le céteau nature car c'est ainsi que je le préfère.

Je les sers accompagnés de pommes de terre rattes, Viola ou Rosa, cuites à la vapeur avant d'être pelées. C'est délicieux avec une noisette de beurre salé ou simplement de sel de Guérande moulu et de poivre.


*Que peut-on boire avec les céteaux ? C'est un jeune petit vin blanc frais à la robe paille qui vous met le printemps dans la bouche. Il sent le tilleul et déploie une petite saveur de prune. Il vient du **Château Berthenon,** dans les **Coteaux de Blaye.** C'est M. Henri Ponz qui l'a « bien » élevé et ses tarifs sont bien raisonnables.*

# Anguilles
# et pommes de terre sautées

La pomme de terre sautée est un mets succulent si on apporte un peu de soin à sa cuisson. Contrairement à la pomme rissolée (c'est-à-dire cuite à cru) on la fait d'abord cuire à l'eau, ou, ce qui me paraît bien meilleur, cuire d'abord à la vapeur dans un couscoussier, ou un « cuiseur-vapeur ». Je me régale souvent (et ceci bien avant que nos grands chefs aient soudain découvert la vertu de la patate!) de pommes de terre nouvelles (à défaut des vieilles!) sautées avec des tronçons d'anguille.

*Pour 4 à 6 personnes :*
**700 g de pommes de terre**
**70 g de beurre**
**2 cuillerées à soupe d'huile d'olive**
**600 à 700 g d'anguilles pas trop grosses**
**4 belles gousses d'ail hachées**
**1 bouquet garni**
**1 cuillerée à café de sel marin moulu**
**6 tours de poivre au moulin**

*Préparation :*
Grattez les pommes de terre nouvelles, pelez-les si elles sont vieilles. Gardez-les entières si elles ne sont pas grosses, sinon coupez-les en quartiers en arrondissant les angles.

Faites-les cuire à la vapeur dans un couscoussier 25 à 30 minutes environ.

Laissez-les refroidir.

Lavez les anguilles à l'eau froide. Séchez-les au torchon, tronçonnez-les en morceaux de 5 centimètres.

Dans un poêlon en terre frotté d'ail à l'intérieur, ou dans une sauteuse (ou même une poêle), faites chauffer le beurre et l'huile d'olive sans les laisser noircir ni fumer.

Faites revenir les pommes de terre et le bouquet garni, tournez, remuez bien à la cuillère en bois. Laissez cuire à feu moyen, sans couvrir, pendant 10 minutes, ajoutez les tronçons d'anguilles, mélangez bien le tout sans couvrir.

Ajoutez l'ail. Salez.

Faites sauter le tout 10 à 15 minutes. Poivrez et régalez-vous !

*Un **vin blanc de Bordeaux** guilleret en diable vous rafraîchira agréablement les cloisons. C'est un **Château-Reynon** 1985. Il a tout pour plaire.*

# Anguille sautée au vermicelle chinois

Il faut dénicher des anguilles pas trop grosses ni trop grasses chez son poissonnier. C'est un poisson ferme et très fin. Il faut le faire sauter, bien dorer et bien égoutter l'huile.

Lorsque j'étais mouflet j'en pêchais assez souvent dans le canal ou dans la Garonne. Maman les accommodait en persillade et c'était un régal. Voici comment elles sont aussi savoureuses.

*Pour 4 convives :*
**1 anguille d'1 kg à 1,200 kg**
**ou 2 d'une bonne livre**
**1 gros oignon haché**
**100 g de vermicelle chinois**
**(on en trouve facilement aujourd'hui**
**dans les boutiques exotiques)**
**1 cuillerée à soupe de Nuoc Mam**
**2 cuillerées à soupe d'huile d'arachide**
**2 cuillerées à soupe d'huile d'olive**
**2 pieds de ciboule hachée**
**(ou un bouquet de ciboulette hachée)**
**1 cuillerée à soupe de sauce de soja**
**sel, poivre ou piment de Cayenne**

*Préparation :*
Nettoyez l'anguille, videz-la, pelez-la, découpez-la en tronçons de 5 centimètres.

Dans un saladier, mettez le Nuoc Mam et la sauce de soja et laissez-y tremper 5 minutes les tronçons d'anguille.

Mettez le vermicelle à ramollir pendant 10 minutes dans une casserole d'eau tiède.

Égouttez-le. Dans une poêle, faites revenir l'oignon dans les deux huiles (seulement 1 cuillerée de chaque) bien chaudes, pendant 3 minutes sur un feu doux. Tournez à la cuillère en bois.

Ôtez les morceaux d'anguille du Nuoc Mam. Séchez-les au torchon et ajoutez-les aux oignons dans la cocotte.

Faites-les sauter en les tournant bien jusqu'à coloration.

Ôtez anguilles et oignons de la cocotte avec une écumoire et mettez-les dans un plat.

Rajoutez les 2 cuillerées d'huile restantes dans la cocotte où vous ferez sauter à présent le vermicelle après l'avoir bien égoutté.

Augmentez le feu et tournez bien à la cuillère en bois pendant 3 minutes. Incorporez les morceaux d'anguille au vermicelle, saupoudrez de ciboule hachée.

Mouillez d'une cuillerée à soupe du mélange Nuoc-soja.

Salez très légèrement.

Poivrez ou mettez une pointe de couteau de poudre de piment rouge. Mélangez bien.

Servez très chaud.
C'est un plat délicieux que me « piquera » sûrement un jour mon amie Thérèse.

*Que diriez-vous les aminches d'un **Hermitage blanc** pour apprécier ces petites anguilles exotiques ? En tout cas, un 1978 de chez **Jean-Louis Grippat** (à Tournon) s'est montré digne de confiance. Il fleure bon la fumée et la confiture de coings. Chaque gorgée amène de nouvelles sensations. Un baiser de nana quoi...*

# Petits pavés
# de lotte au fenouil

C'est un plat relativement vite fait et qui n'a rien de sophistiqué. Il s'agit simplement de cuire 15 minutes, à la vapeur, en même temps, la lotte et le fenouil accompagnés d'une sauce légère. Je vais vous mettre tout de suite au parfum.

*Pour 6 convives :*
**8 bulbes de fenouil moyen**
**900 g à 1 kg de lotte**
**2 jaunes d'œufs**
**1 cuillerée de moutarde**
**1 cuillerée à soupe d'huile d'olive**
**1 cuillerée à soupe de concentré de tomates**
**1 pointe de couteau de piment de Cayenne**
**1 bouquet de persil simple**
**2 brins de thym**
**4 feuilles de basilic**
**le jus d'1 citron**
**2 petites cuillerées à soupe**
**de crème fraîche légère (fleurette)**
**sel, poivre**

*Préparation :*
Mettez à chauffer sur feu vif, 1 l 1/2 d'eau dans votre cuiseur-vapeur.

Lavez et coupez en 4 les bulbes de fenouil et cuisez-les 10 minutes dans le compartiment inférieur à couvercle fermé.

Débitez la lotte en petits pavés de 6 centimètres de longueur sur 4 d'épaisseur et autant de largeur.

Placez-les sur la grille de l'étage supérieur et laissez cuire encore 5 minutes lotte et fenouil, à couvercle légèrement entrouvert. Testez la cuisson de la pointe d'un couteau.

Pendant cette courte cuisson, vous avez largement le temps de faire la sauce.

Dans un petit saladier ou une terrine, mettez les 2 jaunes d'œufs, la moutarde et l'huile d'olive. Montez en mayonnaise au fouet ou au mixer.

Ajoutez la crème fraîche, le concentré de tomate, le jus de citron et la pointe de cayenne. Salez. Poivrez légèrement (1 tour de moulin) et passez tout au mixer une minute pour faire une mousseline très légère.

Pendant que refroidissent le fenouil et la lotte sur un torchon propre, hachez finement le bouquet de persil simple avec le basilic.

Mettez-les dans un bol avec le thym frais émietté.

Placez le fenouil en quartier au milieu d'un joli plat rond avec les pavés de lotte tout autour.

Nappez le tout avec la sauce. Répandez par-dessus les fines herbes. Servez.

*J'ai choisi un **vin blanc de Bandol** jaune paille. Il sent la poire de curé. Il a des saveurs fraîches et généreuses. C'est un 1984. Il escorte très bien la lotte dans son nid de fenouil. Il est né au **Moulin des Costes.** Chez M. Paul Bunan à La Cadière-d'Azur.*

# Filets de limande farcis

*Pour 6 personnes :*
12 filets de limande
1 bouquet de ciboulette
1 bouquet de coriandre fraîche
3 échalotes grises hachées
200 g environ de pleurotes
(champignon qui pousse au mois de mai
sur les ormeaux morts ou que l'on cultive
à présent facilement. On en trouve sur les marchés.
Les « sauvages » sont meilleurs !)
4 jaunes d'œufs
40 g environ de mie de pain
que vous mettrez à gonfler dans un bol
contenant 2 cuillerées à soupe de lait
2 cuillerées à soupe d'huile d'arachide
2 cuillerées à soupe d'huile d'olive
1 noix de beurre
2 belles cuillerées à soupe de crème fleurette

Faites d'abord chauffer le four au thermostat 8.

Hachez grossièrement les pleurotes.

Hachez très finement ciboulette et coriandre.

Jetez les pleurotes dans une cocotte à feu vif, sans matière grasse pour leur faire rendre leur eau.

Faites-les revenir à l'huile d'olive, d'arachide et au beurre avec les échalotes. Très chaud d'abord, puis diminuez vite le feu. Cuisson 10 minutes en tout.

Mettez-les ensuite dans un égouttoir au creux duquel vous aurez placé une feuille de papier absorbant.

Pressez fortement la boule de mie de pain afin d'en extirper le lait.

Préparez une farce avec pain, jaunes d'œufs, ciboulette, coriandre, échalotes et pleurotes. Après avoir salé et poivré, mélangez bien le tout.

Disposez la farce sur 6 des filets que vous recouvrez des 6 autres.

Salez et poivrez très légèrement.

Placez-les alors dans un plat à four après y avoir mis un peu de beurre au fond et la crème fleurette bien répartie par-dessus.

10 minutes de cuisson dans le four suffisent.

Il faut retourner les filets à la spatule au bout de 5 minutes afin de les dorer de chaque côté.

*C'est une préparation simple dont je me régale quelquefois en l'accompagnant d'un jeune **vin blanc** frais des **Côtes de Bourg** (Bordeaux).*

# Petits rougets en papillotes

Je crois l'avoir souligné, les petits rougets sont un enchantement du palais. Principalement du mien lorsque je les prépare en papillotes et que j'ai la chance de m'en procurer de très frais.

**Pour 4 convives :**
**16 petits rougets n'excédant pas**
**10 à 12 centimètres de longueur**
**8 feuilles de papier sulfurisé**
**ou à défaut d'aluminium**
**50 g de beurre**
**1 cuillerée à soupe d'huile d'olive**
**une quinzaine de feuilles de basilic**
**6 branches de persil simple**
**le jus de deux citrons**
**sel, poivre au moulin**

*C'est très simple à faire, on s'en lèche les babouines !*

*Préparation :*
Nettoyez les rougets. Videz-les. Gardez les foies et hachez-les.

Hachez le persil (sans les grosses queues). Hachez les feuilles de basilic et incorporez-les au beurre avec les foies. Salez légèrement. Poivrez et arrosez la « farce » d'un filet de jus de citron.

Répartissez ensuite cette farce à l'intérieur des poissons. A l'aide d'un pinceau, enduisez chaque rouget d'huile d'olive mélangée au restant du jus de citron, et placez-les par 4 sur une double papillote. Salez légèrement. Poivrez.

Fermez les papillotes en pliant bien doublement sur le dessus et en repliant les extrémités par-dessous. Posez-les sur la plaque ou dans le plat à four dont le gril aura été préchauffé 1/4 d'heure avant au thermostat 8.

3 à 4 minutes de cuisson par face suffisent amplement. Ne les placez pas trop près du gril qui brûlerait les papillotes.

Présentez les rougets dans leur papillote que vous aurez incisée sur le dessus.

*Dégustez un **Chablis** frais du **Domaine Laroche**, vous connaîtrez ainsi ce qu'est un vrai chablis !*

# Saumon poché au court-bouillon sauce Gribiche

Préparez d'abord dans une grande marmite le bouillon suivant :
Dans 5 litres d'eau mettez :

**1/2 bouteille de bon vin blanc sec**
**4 carottes**
**2 gros oignons coupés**
**(plus 1 entier piqué de clous de girofle)**
**1/2 feuille de laurier**
**un bouquet de cerfeuil, thym et persil**
**2 branches de céleri**
**une légère pincée de gros sel de mer**

Cuisson 1 heure à feu moyen. Mi-couvert.
Laissez refroidir complètement.
Disposez ensuite un saumon entier de 6 ou 7 livres dans une poissonnière et versez dessus le bouillon et les légumes froids jusqu'à recouvrir complètement le poisson.

Allumez le gaz sous la poissonnière à feu moyen.

Arrêtez impérativement le feu aux premiers frémissements du bouillon.

Le saumon est ainsi cuit, tout en restant très moelleux à l'arête.

Il est indispensable de le laisser dans la poissonnière jusqu'à complet refroidissement. Retirez-le alors du bouillon.

Disposez le saumon sur un long plat après avoir enlevé la peau et les arêtes.

Servez-le accompagné d'une sauce Gribiche dont la recette se trouve au chapitre « sauce ».

*Un **Chablis**, un **Meursault** ou un **Puligny-Montrachet** (je peux vous le dire, je me suis sacrifié pour les goûter !), les trois vous botteront à coup sûr. C'est selon les fifrelins dont vous disposez pour faire la fête !*

# Le loup au gros sel

Les petits loups ont une chair ferme, fine, délicate et savoureuse. Je les préfère cuits dans le gros sel. Voici comment je fais.

Il y a d'abord deux préparations bien distinctes.
La cuisson du poisson.
La préparation de la sauce tomate qui l'accompagne.

*Pour 6 convives :*
**1 loup de 1,500 kg**
**1,500 kg de gros sel**
**6 gousses d'ail hachées**
**2 échalotes hachées**
**1 branche de thym frais**
**1 belle cuillerée à soupe de basilic**
**1 de cerfeuil, 1 de persil simple**
**1 de ciboulette, 1 de blanc de céleri**
**plus 1 d'aneth**
**(le tout haché à la dernière minute)**
**5 cuillerées à soupe d'huile d'olive vierge**
**1 pincée de pistil de safran**
**(on peut faire sans, mais c'est autre chose !)**
**1 kg de tomates fraîches**
**1 cuillerée à café de concentré de tomates**
**sel, poivre au moulin**

*Très simple, à faire !*

*Préparation :*
Dans un grand plat à four à bords assez hauts, placez le loup sur un lit de gros sel après l'avoir rincé à l'eau froide et nettoyé sans l'écailler.
Recouvrez-le entièrement de gros sel.

Placez le plat dans le four déjà chaud. Le thermostat doit être réglé à 8 et la cuisson dure 25 minutes environ.

*Préparation de la sauce pendant la cuisson du loup :*
Pelez, épépinez les tomates et coupez-les grossièrement.

Faites chauffer doucement l'huile d'olive dans un poêlon en terre ou en fonte ; mettez-y pendant une minute l'échalote et l'ail, puis ajoutez la tomate concassée ainsi que le concentré.

Laissez cuire à feu doux une dizaine de minutes.

Ajoutez le brin de thym frais, le pistil de safran, plus toutes les herbes finement hachées au dernier moment. Salez. Poivrez.

Laissez cuire encore très doucement pendant 10 petites minutes. Votre sauce sera prête à peu près en même temps que le loup sera cuit.

Retirez le poisson du four. Cassez la croûte de sel. Ôtez les écailles et la peau.

Prélevez les filets que vous servirez dans un plat chaud nappés de l'appétissante sauce que vous venez de réussir.

Bon appétit !

*Il y a quantité de vins blancs qui peuvent accompagner ce grand gentil loup.*
*Moi, j'ai débouché à mes potes un **Côte-de-Beaune**. Un **Pernand-Vergesses**, plus précisément un 1979. Je lui trouve un goût de noisette et de blanc de céleri cru. Tout ça n'engage que moi, bien entendu.*
*Le monsieur qui fait cette merveille s'appelle **Jacques Germain**, Château de Chirey-lès-Beaune, à Beaune.*

# Les pibales à l'espagnole

Il est parfois quelques plats qui me font courir, faire des détours, voire même y aller « exprès » pour le simple bonheur de les déguster. Celui-ci en est un. Je ne suis pas le seul. Notre amie Thérèse et mon épouse en raffolent aussi.

Les pibales appelées également civelles sont des alevins d'anguilles que l'on trouve chez nous au printemps. Peu de poissonniers en ont car la presque totalité de notre production est achetée par les Espagnols qui en sont très friands. Comme je les comprends ! Si vous avez un jour la chance d'en trouver, voici comment personnellement je les préfère.

*Pour 6 convives :*
**1,200 kg de pibales**
**de la très bonne huile d'olive**
**3 petits piments rouges piquants**
**10 gousses d'ail (grosses de préférence)**
**sel, poivre**

*Préparation :*
Pelez l'ail, et découpez-le en lamelles fines dans le sens de la largeur.

Lavez les piments. Ôtez la queue. Partagez-les en 4. Ôtez les graines.

Lavez les pibales à grande eau froide jusqu'à ce que l'eau reste très propre.

Égouttez-les. Séchez-les délicatement dans un torchon.

Dans six petits poêlons en terre ou six plats à œufs, versez l'huile d'olive jusqu'à moitié de la hauteur du plat.

Posez les plats sur la plaque chauffante ou sur la plaque du four (thermosat 8 ou 9) et attendez que l'huile soit très chaude.

Ensuite, mettez dans chaque poêlon une couche de pibales puis par-dessus une couche de lamelles d'ail et quelques morceaux de piments puis une dernière couche de pibales.

Salez. Poivrez légèrement.

Laissez cuire à four très chaud 15 minutes jusqu'à ce que les pibales soient bien blanches.

Avec une cuillère à soupe, ôtez 3 ou 4 cuillerées d'huile de cuisson de chaque poêlon avant de les servir très chauds à vos convives.

*Un superbe **vin rouge d'Arbois** de chez M. **Émile Nevers** m'a été envoyé un jour par mon ami Jean Monteaux. Ce fut une découverte pour moi qui n'étais pas fou des vins d'Arbois. Le 79 dégusté au sortir de la cave avait la puissante élégance nécessaire pour faire face à ces piquantes pibales.*

# Les moules et les pétoncles cuits au diable

Ultra facile.

Un diable, pour ceux qui l'ignorent, est une espèce de cocotte en terre à deux faces égales dont la partie supérieure se pose sur celle de dessous. Il supporte très bien le feu (normal pour un diable !) à condition de le poser sur une plaque d'amiante ou de le placer dans le four après l'avoir entièrement trempé dans l'eau froide sans l'essuyer.

On se procure aisément les belles moules de bouchot, mais il est plus difficile de trouver des pétoncles chez son poissonnier. Essayez, ça vaut la peine !

**Il faut pour 6 convives :**
1 kg de moules
1 kg de pétoncles (ou de palourdes à défaut)
1 bouquet garni
3 gousses d'ail hachées menu
2 échalotes grises hachées
poivre rose (ou gris à défaut)
1 grand verre 1/2 de bon vin blanc sec

*Ce plat très simple est savoureux*

*Préparation :*

Laissez tremper 2 ou 3 minutes le diable dans l'eau froide (entièrement).

Nettoyez bien les moules et pétoncles et mettez-les dans la partie inférieure du diable sans l'avoir essuyé.

Mettez le bouquet garni, l'échalote et l'ail, ainsi que le vin blanc par-dessus les moules.
Poivrez de 6 tours de moulin.

Recouvrez le diable de sa partie supérieure et placez-le dans le four à thermostat 5 pendant 25 minutes environ.

Servez dans le diable même.

*Un frais **Muscadet 83 du Domaine de la Bigotière** ajoute encore au bonheur de découvrir ce plat.*

# Sashimi des îles

Voici comment notre amie Mareva nous prépara un jour un sashimi de poissons à sa façon qui fit le régal des convives gourmands.

Je venais de ramener fièrement un thon de 70 kg pêché à la traîne au large de l'île de Manihi, en Polynésie.

Elle en préleva la chair au sommet du dos (près de la tête qui est le meilleur morceau). Elle éminça finement, comme du papier à cigarettes, des tranches de thon cru qu'elle recoupa ensuite en languette de 3 centimètres.

Demandez par conséquent le même morceau à votre poissonnier et vous pourrez facilement faire la même chose.

On peut également faire un sashimi avec un bar, une dorade ou même un merlan.

*Pour 6 personnes :*
**1 kg de chair de poisson finement émincée
et en plus si vous le souhaitez
1 livre de coquilles Saint-Jacques
crues bien nettoyées, rincées à l'eau claire
et émincées finement en largeur
Disposez le ou les poissons dans un grand plat
Par ailleurs, émincez très finement
après les avoir pelés :
300 g de carottes tendres
1/2 botte de radis très frais
(introuvables dans les îles)
et le cœur le plus tendre d'un pied de céleri**

Disposez ces légumes dans un autre grand plat.

Placez également sur la table des petits bols contenant la sauce à sashimi (que l'on achète facilement dans les boutiques exotiques).

Présentez les deux plats à vos convives qui napperont de sauce à leur convenance et se régaleront.

*Servez un bon **Muscadet** frais, il est fait pour ! Nos copains Guy, Andrée et Coco Chaze s'en rafraîchissent les conduits dans leur île lointaine.*

# Grenouilles sautées

J'adore les grenouilles sautées.
J'ai gardé en mémoire et au palais le souvenir des grenouilles que nous pêchions enfants aux bords du ruisseau qui longeait le jardin de la maison.

Mon frère et moi, nous les pêchions mais n'osions pas les tuer. Nous les mettions donc dans le bassin-lavoir de Maman. Les infortunées bestioles s'échappaient bien entendu et investissaient la maison, la cuisine, la salle de café, à la grande terreur de la gent féminine qui lâchait soudain le diabolo menthe pour grimper sur une chaise : « Tu commences à nous embêter avec tes grenouilles » ! grondait Maman. « Rattrape-moi ces bestioles et va plutôt faire tes devoirs... »
Les dieux n'étaient pas avec moi !

*Pour 4 convives :*
**4 douzaines de cuisses de grenouilles**
**le jus d'un citron**
**6 gousses d'ail émincées**
**1 cuillerée à soupe d'huile d'arachide**
**1 noix de beurre frais**
**3 cuillerées à soupe de farine**
**1 gros bouquet de persil simple haché**
**1 pointe de couteau de paprika**
**1 cuillerée de crème fraîche fleurette**
**sel, poivre**

*Préparation :*
Si vous en avez le courage, désossez les cuisses de grenouilles. Lavez-les à l'eau citronnée. Séchez-les.

Mettez-les dans un plat creux, salez, poivrez, ajoutez le paprika.
Saupoudrez-les très légèrement de farine et mélangez-les à la crème fleurette.

Faites saisir les grenouilles 2 minutes dans une poêle anti-adhésive avec la moitié du beurre et l'huile. Mélangez bien à la cuillère en bois.

Lorsqu'elles commencent à dorer, ajoutez les lamelles d'ail et le reste de la noix de beurre. Mélangez à nouveau et laissez sur le feu jusqu'à ce qu'elles vous paraissent bien rissolées. Ôtez-les de la poêle et mettez-les dans un égouttoir au fond duquel vous aurez placé une double couche de papier absorbant. Salez-les à mesure et poivrez.

Présentez-les sur un plat très chaud et répandez par-dessus le persil haché.

*Ce **Pouilly Fumé** a d'abord séduit tous les convives par son arôme typique de fleur d'acacia. Bien que sec, il a des saveurs de figue et de pomme verte. C'est le jardin d'Allah ! il m'arrive du reste d'en déboucher une boutanche avec ou sans invités. Le 83 est parfait en ce moment chez M. **Bouchié-Chatellier** à Pouilly-sur-Loire.*

# Chipirons en leur encre
## (In su tinta en espagnol)

J'ai gardé la nostalgie de ce plat si particulier et si appétissant, dégusté il y a plus de vingt ans pour la première fois dans un petit restaurant de pêcheurs, au bord de la côte andalouse, bien avant que la vue sur la mer ne soit occultée par un million de cages à lapins !

Soyez vigilant pour préparer le chipiron (ou encornet), veillez à ce qu'il n'ait pas déjà été débarrassé de son encre (la sépia) par le poissonnier. Ce mets, comme les pibales, est encore meilleur cuisiné dans un petit poêlon de terre cuite, au four ou sur une plaque d'amiante.

*Pour 6 convives :*
**1,500 kg de chipirons avec leur sépia**
**1 oignon haché**
**4 échalotes grises finement hachées**
**1 verre d'huile d'olive fruitée**
**2 gousses d'ail pressées**
**1 petit piment rouge de Cayenne**
**1/2 litre de fumet de poisson**
**1 verre de Montilla ou à défaut de vin jaune du Jura...**
**ou de vin blanc sec**
**sel, poivre au moulin**

*Préparation :*
Avec vos chipirons, demandez à votre poissonnier 2 ou 3 têtes de poissons pour faire le fumet. (Voir recette.)

Nettoyez les chipirons. Récupérez la poche d'encre.

Découpez le corps en rondelles et les tentacules en morceaux de 2 centimètres environ.

Dans une sauteuse, faites chauffer doucement l'huile d'olive (sans fumée) et faites revenir les oignons et les échalotes pendant 4 minutes à feu doux, ajoutez l'ail, les morceaux de chipirons, le cayenne pilé (sans la queue ni les graines) et mélangez bien le tout à la cuillère en bois pendant 3 minutes.

Stoppez le feu.

Mettez tout le contenu de la sauteuse dans une cocotte en terre (avec couvercle) ou un poêlon, ou à défaut une cocotte en fonte.

Rajoutez la montilla (ou le vin blanc), la sépia, le fumet de poisson.

Salez, poivrez légèrement à cause du cayenne. Couvrez et laissez mijoter 1 h 1/2 dans le four réglé à feu doux.

*Dégustez le même vin que celui utilisé pour la sauce.*
*La **Montilla** espagnole ou le **vin jaune du Jura** (j'ai testé les deux) s'accordent remarquablement avec les saveurs de ce plat.*

# Gratin de queues d'écrevisses aux morilles

Le délice à l'état pur! Malheureusement les écrevisses ne courent pas les rues de nos jours...
Si vous avez la chance d'en dénicher de bonnes... voici comme je les prépare à la maison.

*Pour 6 convives :*
**4 douzaines d'écrevisses vivantes**
**300 g de morilles**
**1 oignon**
**2 tomates**
**2 carottes**
**2 jaunes d'œufs**
**2 verres à moutarde de vin blanc sec**
**1 petit verre de cognac**
**1 bouquet garni**
**400 g de crème fraîche**
**1 petite noix de beurre**
**1 soupçon de noix de muscade**
**1 soupçon de piment de Cayenne en poudre**
**sel, poivre**

*Préparation :*
Plongez les écrevisses vivantes dans une marmite contenant 4 litres d'eau bouillante pendant 3 minutes.

Égouttez-les. Décortiquez les queues et les pinces. Réservez-les. Broyez et pilez bien les carapaces.

Épluchez et coupez en dés les carottes. Hachez l'oignon. Faites revenir les carapaces pilées dans une sauteuse avec une noix de beurre. Flambez avec le cognac puis ajoutez carottes et oignon.

Faites un hachis avec les tomates (sans les pépins ni les peaux). Ajoutez-les dans la sauteuse avec les carapaces, les légumes, le bouquet garni et le vin blanc. Laissez étuver à feu moyen 20 minutes avec le couvercle mi-fermé.

Dans une autre sauteuse ou une grande casserole à bords bas, mettez la moitié de la crème fraîche à chauffer et faites cuire les morilles à feu doux après les avoir fendues en 4 et bien lavées plusieurs fois. Laissez-les cuire le même temps que les carapaces (20 minutes).

A la fin de la cuisson des carapaces, passez-les au mixer puis au chinois. Recueillez la sauce dans un récipient. Ajoutez les jaunes d'œufs et le reste de la crème fraîche, les morilles et leur crème, les queues et pinces d'écrevisses. Mélangez bien.

Râpez par-dessus un peu de noix de muscade. Ajoutez une pointe de poudre de cayenne. Salez et poivrez de 4 tours de moulin.

Mélangez bien et videz le tout dans le plat à gratin.

Gratinez à la salamandre ou sous le gril du four doucement pendant 5 à 6 minutes.

*La félicité sera complète en dégustant un **Montrachet blanc** de chez l'ami **Fleurot** !*

# Le homard au champagne

Un jour de fête, ponctuez-le d'un plat tel que celui-ci ou du « Gratin de queues d'écrevisses ». Ça fera tout de même une diversion avec le « purée-jambon » de vos repas de stress !

Moi qui ai mis tout en œuvre pour réduire le « stress » à son strict minimum, voici ce qu'il m'arrive de préparer à la maison, à la famille ou aux copains.

*Pour 6 convives :*
**2 beaux homards de 800 g environ
la chair de 5 tomates fraîches
3 belles noix de beurre
200 g de crème fraîche fleurette
1 pincée (5 g environ) de pistil de safran
1 petit bouquet de cerfeuil et 1 de ciboulette
2 branches d'estragon frais
1 petit verre d'armagnac
1 verre de champagne
(dégustez le reste à l'apéritif !)
1 cuillerée à soupe d'huile d'olive
sel et pincée de piment de Cayenne en poudre**

*Préparation :*
Pelez (après les avoir plongées dans l'eau bouillante, puis passées sous l'eau froide), épépinez les tomates et concassez-les. Réservez-les dans une assiette.

Découpez en 2, en longueur, les homards vivants sur une planche. Récupérez le liquide et les entrailles dans un bol. Réservez-les.

Tronçonnez les homards en morceaux de 5 centimètres environ.

Mettez la moitié du beurre et l'huile d'olive dans une sauteuse sur un feu assez vif. Faites revenir les morceaux de homard.

Ajoutez le piment de cayenne, le safran et l'estragon haché. Salez.

Après 5 minutes de cuisson, flambez à l'armagnac.

Stoppez le feu. Ôtez les tronçons de homard de la casserole.

Décortiquez-les. Réservez-les sur un plat.

Dans la même sauteuse, ajoutez le reste du beurre. Quand il est bien chaud ajoutez les entrailles du homard et son jus, les tomates concassées, la ciboulette et le cerfeuil hachés, et les 3 ou 4 feuilles d'estragon, sans oublier le champagne.

Laissez cuire 10 minutes à feu très moyen, ajoutez la crème fraîche.

Mélangez bien le tout et laissez encore 10 minutes à feu doux.

Passez le tout au mixer, puis au chinois et remettez ce coulis à chauffer doucement dans la sauteuse afin de lui donner la consistance voulue (ni trop liquide ni trop épaisse). Rectifiez l'assaisonnement si nécessaire.

3 minutes avant de servir, ajoutez le homard dans la sauce et laissez réchauffer très doucement surtout sans faire bouillir.

Vous pouvez accompagner ce plat savoureux de 300 g de pâtes fraîches (tagliatelles) cuites « al dente », accommodées de 2 cuillerées de crème fraîche et d'une noix de beurre avec sel et poivre au moulin.

*Du **Champagne** s'impose.*
*Pas n'importe lequel, s'entend. Un **Brut** de chez l'ami **Legras** (grand fournisseur des restaurants dignes de ce nom !) séduira particulièrement les nanas qui s'en montrent souvent friandes.*

# Homard à ma façon

Dans notre pays, les poireaux, les fèves nouvelles et les premières girolles ont la bonne idée de jaillir de terre à peu près à la même époque. Ceci se passe de la mi-avril jusqu'à la fin mai, suivant les régions.

Si vous ajoutez quelques fines lamelles de homard breton à ces délicieux ingrédients, vous obtiendrez un plat original et savoureux qui régalera vos amis gourmands.

*Pour 10 convives :*
**1 homard moyen**
**2 kg de fèves en leur cosse**
**(car une fois épluchées il en restera à peine 1/3)**
**300 g de girolles fraîches**
**le blanc de 6 beaux poireaux**
**2 cuillerées à soupe d'huile d'Argane (c'est une**
**huile délicieuse qui ne s'achète hélas qu'au Maroc ou, paraît-il, dans certains magasins spécialisés.)**
**Vous remplacerez à défaut par celle d'olive**
**1 cuillerée 1/2 à soupe de bon vinaigre de vin**
**dont une moitié de vinaigre de Xeres, par exemple**
**sel, poivre**

*Préparation :*
Épluchez les fèves. Ôtez la peau des plus grosses. Voire même toutes les peaux si elles vous paraissent trop dures.

Nettoyez les poireaux. Ne gardez que les blancs que vous partagez en deux dans le sens de la longueur.

Nettoyez les girolles.

Séparez la queue de homard de la carcasse. Réservez la queue.

Mettez 1 litre d'eau dans le cuiseur-vapeur et sur la grille placez les poireaux, les girolles et les fèves que vous faites cuire d'abord dix minutes.

Ajoutez alors aux légumes et champignons la queue de homard non décortiquée que vous laissez cuire trois minutes de plus à la vapeur.

Pendant ce temps, faites une vinaigrette.

Puis ôtez le homard du couscoussier, décortiquez-le et coupez la queue en médaillons le plus fin possible.

Dressez sur un plat chaud les légumes (artistiquement si possible) en les recouvrant de lamelles de homard et arrosez bien le tout de vinaigrette. Avant de servir, saupoudrez de ciboulette hachée.

*Avec ce plat, j'ai « testé » un **Coteaux du Luberon**. Le **clos Murabeau blanc** sent le chasselas écrasé. La saveur du 86 est subtile et il est presque dommage de le déboucher si prématurément. Ce qui est fait est fait. Les autres « rouilles » attendront sagement couchées dans l'ombre de la cave.*
*« Clos Murabeau », Mirabeau par Pertuis.*

# Homard et Saint-Jacques braisés au vin jaune du Jura

*Pour 4 à 6 convives :*
**2 homards de 800 g à 1 kg**
**6 coquilles Saint-Jacques**
**12 échalotes hachées**
**50 g de jambon de Bayonne cru**
**1 grand verre de vin jaune du Jura**
**1 belle cuillerée de crème fraîche**
**sel et poivre blanc ou rose**
**1 grosse noix de beurre**

Faites cuire le homard 5 minutes à la vapeur d'algues (votre poissonnier vous en donnera facilement une poignée que vous mettrez dans l'eau du couscoussier). Le homard cuit, ôtez les pinces (réservez-les), décortiquez la queue, coupez-la dans le sens de la longueur et ôtez le filament à l'intérieur.

*Petit bouillon :*
**2 branches de céleri**
**1 gros oignon piqué de girofle**
**3 carottes coupées en rondelles**
**1 bouquet garni**
**carcasse du homard concassée**

Mettez d'abord 1/2 litre d'eau légèrement salée dans une petite marmite, puis le céleri coupé en bâtonnets, l'oignon piqué, les carottes, le bouquet garni et la carcasse de homard broyée et mixée.

Faites cuire avec couvercle 1/2 heure à moyenne ébullition.

Pendant ce temps, découpez le jambon en petites lamelles de 2 centimètres de côté.

Mettez du beurre dans une sauteuse et faites revenir très doucement les échalotes en les remuant à la cuillère.

Au bout de 3 minutes, ajoutez le jambon pour 1 minute encore.

Ôtez échalotes et jambon de la sauteuse. Réservez-les.

Rajoutez du beurre dans la sauteuse et faites saisir et revenir le homard coupé en morceaux, les pinces décortiquées et les Saint-Jacques coupées en 2 dans le sens de la largeur.

Salez. 2 minutes suffiront pour les colorer partout.

Ôtez-les de la sauteuse. Réservez-les avec les échalotes et le jambon.

Maintenant il ne doit rester après la cuisson qu'un verre de bouillon environ, passez-le au chinois et ajoutez-le au vin blanc pour déglacer, à feu vif. Décollez bien les sucs, et laissez évaporer jusqu'à ce qu'il ne reste que 2 centimètres de jus au fond et mettez la crème fraîche.

Baissez le feu au maximum, ajoutez les coquilles et le homard dans la sauce.

Laissez frémir 1 minute, poivrez de poivre rose et servez dans un plat très chaud.

*Dégustez bien sûr le même **vin jaune du Jura.***

# Moules au safran

*Pour 6 convives gourmands :*
6 litres de moules
4 échalotes grises hachées
100 g de beurre frais
1/2 bouteille de vin blanc de Bordeaux sec
1 cuillerée à café de poudre de safran
2 jaunes d'œufs
2 belles cuillerées à soupe de crème fleurette
sel de mer, poivre
1 bouquet garni

je ne puis
m'empêcher de
saliver en
y pensant

## Préparation :

Faites revenir en sauteuse les échalotes hachées dans le beurre pendant 5 minutes à feu doux, puis mettez-les dans une haute marmite à couvercle.

Ajoutez le vin blanc et le bouquet garni. Laissez bouillir 8 à 10 minutes à couvercle mi-fermé.

Après avoir bien lavé plusieurs fois les moules, ajoutez-les aux échalotes dans le vin blanc, mettez un feu plus vif jusqu'à ce que les moules s'entrebâillent.

Ôtez alors le couvercle. Avec une écumoire, retirez les moules maintenant ouvertes.

Séparez les moules de leur coquille et réservez-les dans un grand plat creux chaud. Pendant ce temps, laissez réduire le jus de moitié à feu vif.

Il ne reste plus qu'à bien délayer le safran dans un bol avec les jaunes d'œufs et la crème fleurette.

Versez le tout très, très doucement dans la marmite en remuant au fouet pour bien mélanger. Laissez frémir 10 minutes. Salez légèrement. Poivrez. Goûtez, rectifiez la sauce s'il en est besoin, versez-la toute chaude sur les moules et servez immédiatement après avoir bien mélangé moules et sauce.

Du pain grillé très légèrement frotté d'ail est parfait pour accompagner ce plat.

*Quant au vin, pas d'hésitation. J'ai offert à mes potes ce*
*« fameux »* **Malartic-la Gravière blanc** *que j'avais décidé de*
*laisser vieillir un peu. Un 1978 pouvait raisonnablement*
*patienter. La curiosité l'a emporté. Il fleure bon la cire d'abeille*
*et le chèvrefeuille. Au palais, il est roi, irréprochable ! A la*
*troisième rouille, nous en étions sûrs !*

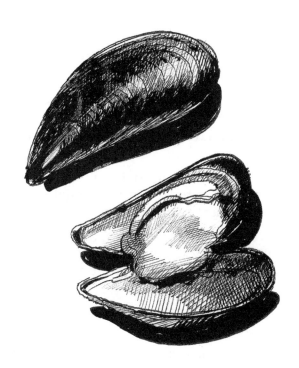

# Artichauts à l'ail
# et queues de gambas

C'est un plat aussi savoureux que facile à réaliser. Si vous avez la chance de vous procurer des gambas fraîches, la réussite sera totale !

*Pour 6 convives :*
**1 kg de gambas**
**12 petits artichauts violets de Perpignan**
**6 belles gousses d'ail**
**1 bouquet garni**
**3 échalotes hachées**
**1 verre de vin blanc sec**
**1 morceau de sucre de canne**
**2 cuillerées à soupe d'huile d'olive**
**1 noix de beurre**
**1 petit bouquet de cerfeuil**
**sel, poivre, 1 pointe de paprika**

*Préparation :*
Faites cuire les artichauts entiers pendant 15 minutes à la vapeur.

Pendant ce temps, décortiquez les queues des gambas. Mettez-les dans une assiette.

Dans un pilon ou au mixer, broyez les coffres et l'enveloppe des queues ensemble.

Dans une sauteuse, faites chauffer 1 cuillerée d'huile d'olive et la moitié du beurre. Faites revenir les échalotes à feu moyen en les mélangeant bien pendant 3 à 4 minutes.

Ajoutez les coffres des gambas broyés, l'ail haché, mélangez pendant 1 minute, ajoutez le verre de vin blanc plus 1 verre d'eau, le bouquet garni, un peu de sel, le poivre, le paprika et le sucre.

Couvrez la sauteuse, baissez le feu et laissez réduire le jus d'une bonne moitié.

Les artichauts étant cuits, ôtez les feuilles, le foin et partagez les fonds en 4.

Lorsque la réduction de sauce est faite, videz-la dans un récipient à travers le chinois.

Asséchez le fond de votre sauteuse avec un papier absorbant et faites chauffer le reste du beurre et la deuxième cuillerée d'huile d'olive.

Quand l'huile est bien chaude, mettez les fonds d'artichauts coupés à colorer (en les tournant à la cuillère) ainsi que les queues de gambas pendant 3 minutes.

Ôtez les artichauts avec une écumoire et jetez l'huile.

Hachez le cerfeuil finement.

Remettez les artichauts dans la sauteuse avec les queues de gambas et arrosez-les avec le jus passé au chinois.

Mélangez le tout sur le feu doux avec la cuillère en bois pendant 2 minutes encore. Salez légèrement et poivrez au moulin.

Mettez dans un plat chaud et répandez par-dessus le cerfeuil haché en pluie.

*Connaissez-vous le **Bellet** ?*
*Il est issu d'un petit vignoble perché sur les hauteurs de Nice.*
*Ça n'est pas du mille-feuilles que de s'en procurer !*
*J'ai escorté mes gambas avec un **Château Cremat** 1983. Il fleure bon la pomme verte et déploie des saveurs de miel d'acacia et d'amandes fraîches.*
*Enfin, vous l'avez compris, c'est un vin qui vous réjouit le « porte-pipe » !*
*Bagnis et fils. Nice.*

# Thon au gingembre entouré de salsifis

*Pour 6 convives :*
**1 tranche de thon frais
(blanc de préférence) d'1,200 kg
4 cuillerées à soupe d'huile d'olive
6 belles tomates
2 oignons hachés
3 gousses d'ail
1 bouquet garni + 1 clou de girofle
2 verres de vin blanc sec
80 g de gingembre (ou 1 cuillerée
à soupe de poudre de gingembre)
600 g de salsifis
sel, poivre**

*Préparation :*
Dans un saladier, faites dégorger le thon une heure dans l'eau froide afin d'éliminer le sang.

Pendant ce temps, grattez les salsifis. Lavez-les à l'eau claire. Coupez-les en 2 dans le sens de la longueur et tronçonnez-les en bâtonnets.

Faites-les cuire dans un couscoussier 20 minutes à la vapeur. Vérifiez de la pointe du couteau leur cuisson, ils doivent être fermes mais cuits.

Pendant la cuisson des salsifis, pelez les tomates. Ôtez le plus gros des pépins en les pressant et concassez grossièrement la chair.

Mettez la tranche de thon dans une cocotte, après l'avoir bien séchée au torchon. Faites revenir les oignons 2 minutes à peine sans les colorer (feu doux) et posez-les sur la tranche de thon. Retournez-la au bout de 4 à 5 minutes. Râpez (ou saupoudrez) de gingembre le dessus de la tranche.

Ajoutez l'ail écrasé dans un presse-ail, la chair de tomate, le bouquet garni, le clou de girofle et le vin blanc.

Placez autour les salsifis cuits.

Salez et poivrez de 6 tours de moulin.

Couvrez la cocotte et laissez mijoter une quinzaine de minutes.

Dans un plat chaud, servez la tranche de thon, nappez de sa sauce avec sa garniture de salsifis.

Moi, j'adore !


*Un **Saint-Joseph blanc** 1982 (qui peut encore vieillir) aromatique et long en bouche tiendra le choc avec ce plat de saveurs. J'en ai dégusté un chez mon ami Chabran et je n'ai pas hésité à en noter la précieuse adresse que je vous livre ici.*
**Marc Sorrel,** *« Les Roucoules »*
*Tain-L'Hermitage.*

*Pour pallier à la sécheresse du thon grillé
La saveur et l'onctuosité en sont étonnantes*

# Turbot aux huîtres parfumé à la coriandre

Notre amie Thérèse propose à ses honorables clients un « turbot à la sauce d'huîtres » avec du gingembre que son vénérable chef réussit merveilleusement. Je vous recommande chaudement ce lieu de haute gastronomie chinoise ainsi que de convivialité distinguée, poil au pied !

*Pour 6 convives :*
**1 turbot d'1 kg**
**2 douzaines de belons triple zéro**
**1 verre de très bon vin blanc (je mets du Meursault)**
**2 cuillerées à soupe de crème fraîche double**
**100 g de beurre**
**1 bouquet de coriandre fraîche**
**sel, poivre, cayenne en poudre**

*Préparation :*
Faites chauffer le four au thermostat 8.

Prélevez les filets de turbot et faites-en au moins 6 tranches.

Posez les belons à plat sur la grille du cuiseur-vapeur et faites les cuire 4 à 5 minutes au maximum. Lorsqu'elles sont ouvertes, videz le jus que vous filtrez au-dessus d'un bol et détachez les huîtres de leur coquille. Réservez-les dans une assiette.

Mettez sur le feu une casserole contenant l'eau des huîtres et le vin blanc. Poivrez d'un tour de moulin. Laissez réduire des 3/4.

Lorsque la réduction est faite, ajoutez la crème fraîche et amenez doucement à ébullition. Incorporez petits cubes par petits cubes tout le reste du beurre, en mélangeant bien au fouet, ainsi que la coriandre hachée menu.

Dans la casserole ôtée du feu, faites pocher les huîtres quelques instants.

Placez les morceaux de filets de turbot dans un plat beurré, juste à la dimension du poisson, et mettez à four très chaud pendant 3 minutes au maximum.

Présentez les filets de turbot sur un plat très chaud avec quatre belons sur chaque filet.

Nappez de sauce très chaude et décorez avec 3 ou 4 feuilles de coriandre par-dessus.


*Eh oui! un **Meursault** « **Clos du Cromin** » du domaine de Jean Monnier était tout indiqué avec ce royal turbot. Un 1978 illumina mes convives et provoqua un silence éloquent lors de sa dégustation.*

*Inutile d'épiloguer.*

*« Quand c'est bon, ça ne peut pas être meilleur », comme dit mon ami Jean Delaveyne!*

# Poisson à la tahitienne

Voici comment nous dégustons le poisson frais que nous pêchons en vacances (ou à la faveur de quelque récital !) en Polynésie, dans les îles Tuamotu.

On prépare là-bas principalement le poisson-perroquet multicolore que l'on peut substituer en France par la dorade par exemple, qui convient très bien.

Ce plat s'appelle tout simplement le poisson « à la tahitienne » ou « poisson cru mariné ».

*Pour 6 personnes :*
**1 kg, 1,200 kg environ de dorade ou de loup**
**8 citrons verts**
**1 gros oignon émincé**
**2 échalotes émincées**
**3 tomates**
**1 noix de coco fraîche**
**sel, piment haché menu**

*Préparation :*
Ôtez la peau des poissons crus, prélevez les filets que vous découpez en petits dés.

Placez-les dans un saladier et versez le jus des citrons verts par-dessus. Recouvrez-les ensuite avec les échalotes et l'oignon.

Salez légèrement au sel de mer et ajoutez 1 pincée de piment vert des Antilles (que l'on trouve à présent parfois sur les marchés, ou de piment rouge, très peu) ou à défaut de poivre ! (c'est meilleur avec du piment), mélangez le tout.

Le poisson doit mariner 1 heure environ.

Fendez en deux la noix de coco, sans laisser perdre l'eau qui est à l'intérieur et que vous récupérez dans un bol.

Ôtez la pulpe blanche, passez-la au mixer et mélangez-la à l'eau de la noix de coco. Réservez.

Pelez et épépinez les tomates. Hachez-les et placez-les dans un égouttoir. Réservez-les.

Égouttez le poisson 5 minutes, placez-le sur le plat à servir.

Nappez alors votre poisson avec l'eau de coco (qui, au contact de la pulpe, sera devenue laiteuse) que vous aurez filtrée au chinois ou à l'aide d'un linge fin en pressant bien.

Ajoutez à cela la tomate hachée en dés.

Goûtez, rectifiez l'assaisonnement si nécessaire.

Servez et régalez-vous !

*Un petit **vin blanc de Bandol** un peu frais fera l'affaire.*

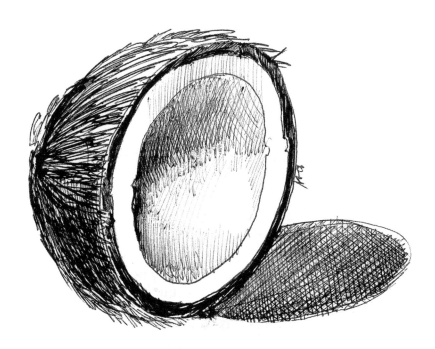

# Rillettes de saumon parfumées à l'aneth et à la menthe

C'est une des plus goûteuses façons d'apprécier le saumon « onctueux » et odorant.

*Pour 6 convives :*
**450 g de saumon frais**
**(soit 3 tranches de 150 g chacune)**
**200 g de saumon fumé**
**2 jaunes d'œufs**
**100 g de beurre**
**1 cuillerée à soupe d'huile d'olive**
**1 petit pot d'œufs de saumon**
**le jus d'un 1/2 citron**
**1 bouquet de coriandre fraîche**
**1 bouquet d'aneth frais**
**sel, poivre rose (ou gris à défaut)**
**1 bouquet de ciboulette**

*Préparation :*
Sortez le beurre du frigo 1 heure à l'avance.

Hachez ensemble la coriandre et l'aneth.
Hachez finement la ciboulette. Réservez-la.

Répartissez le mélange haché sur une seule face des tranches de saumon.

Entourez chaque tranche entièrement de gaze en emprisonnant les herbes (ou bien cousez deux morceaux de gaze ensemble comme pour faire un gant de toilette et mettez le saumon à l'intérieur avec les herbes).

Posez-les sur la grille de votre cuiseur-vapeur avec la face imprégnée d'herbes, dessous bien entendu.

Faites cuire à la vapeur 7 à 8 minutes à partir de l'ébullition avec le couvercle posé un peu en biais, pour éviter que l'eau de vapeur condensée à couvercle fermé n' « arrose » le saumon cuit.

Mettez le saumon cuit dans un plat (jetez les herbes). Ôtez peau et arêtes et défaites-le à la fourchette, puis écrasez-le.

Hachez en tout petits dés (comme un pois chiche) le saumon

fumé et incorporez-le au saumon cuit écrasé. Ajoutez le jus de citron, l'huile d'olive, les jaunes d'œufs et le beurre mou. Salez légèrement. Poivrez et malaxez à la fourchette afin de bien mélanger.

Prenez des petits pots de faïence ou de grès et mettez au fond une couche de farce de saumon d'1 à 2 centimètres d'épaisseur, puis une couche fine d'œufs de saumon. Remplissez le pot de cette façon en terminant par la « purée » de saumon.

Posez par-dessus 1 brin d'aneth pour décorer et mettez les pots au moins 3 heures au frigo avant de déguster ces « rillettes » étalées sur de fines tranches de pain grillé bien chaud et légèrement beurré.

*Au **Domaine de la Violette** en Savoie, il existe un **vin blanc,** un petit chef-d'œuvre ! Il sent l'aubépine et la rose, l'abricot et l'amande sèche. Il a des saveurs de brugnon et de figue fraîche. Le jardin d'Éden !*
*A table, il a scié tout le monde.*
*Petit prix pour ses grandes qualités, retenez l'adresse :*
*Daniel Fustinoni, Les Marches, à Montmélian.*

# Lotte à ma façon accompagnée d'épinards en branches

*Pour 6 convives :*
**1,500 kg de lotte**
**10 g de poudre de safran**
**6 gousses d'ail écrasées**
**1 cuillerée à soupe de Nuoc-Mam**
**1 oignon et 3 échalotes**
**1 noix de beurre**
**1 cuillerée à soupe de vinaigre de vin**
**1 cuillerée à soupe d'huile d'olive**
**1 morceau de sucre de canne**
**2 ciboules finement hachées**
**12 petites feuilles de menthe hachées menu**
**1 pointe de piment de Cayenne en poudre**
**500 g d'épinards en branches**
**(pour l'accompagnement)**
**sel, poivre**

*Préparation :*
Mettez dans une terrine la lotte découpée en cubes de 2 à 3 centimètres.

Épluchez et hachez fin l'oignon et les échalotes. N'en mettez que la moitié dans la terrine. Réservez le reste.

Épluchez et écrasez l'ail (dans un presse-ail). Ajoutez-le au reste ainsi que la poudre de safran, le cayenne et le Nuoc-Mam.

Mélangez bien. Laissez macérer 2 heures.

Dans la poêle huilée, faites revenir l'autre moitié des oignons 5 à 6 minutes à feu doux, puis ajouter 1 bol d'eau, le vinaigre et le sucre. Augmentez le feu. Amenez à ébullition et laissez réduire 3 minutes.

Mélangez ensuite avec le poisson et sa macération.

Faites cuire 5 à 6 minutes en baissant le feu et en tournant bien à la cuillère en bois. Mettez dans un plat chaud.

Hachez finement la menthe et la ciboule et répandez-les en pluie par-dessus.

Pendant la confection du plat, à peu près en même temps

que vous mettez la poêle sur le feu, vous pouvez faire cuire les épinards en branches pendant 10 minutes à la vapeur, avec le couvercle incliné. Égouttez-les 3 minutes, puis mettez-les dans un plat chaud et ajoutez la noix de beurre, un peu de sel et poivre. Mélangez bien et servez-les pour accompagner la lotte.

*Il est dans ma cave un beau **graves blanc,** un **Château-Carbonnieux.** Je ne le débouche que lorsqu'il flotte à la maison un petit air de fête. Nous avons arrosé cette lotte d'un superbe 78 et il est bien évident (de l'avis unanime) qu'on ne doit pas laisser boire ce vin à n'importe qui.*

*Plat improvisé un jour que mes potes eurent l'air d'apprécier particulièrement*

# Terrine de poisson aux cèpes

*Pour 8 personnes :*
**1 petit litre de soupe de poissons que vous ferez
en laissant réduire dans une marmite :
1 tranche de 200 g de cabillaud,
les têtes et les arêtes de vos poissons
2 branches de fenouil
1 petite pincée de paprika
1 pincée de gros sel, 4 tours de moulin à poivre**

Le tout à cuire dans 1 litre 1/2 d'eau que vous laisserez
s'évaporer mi-couvert.

**Il vous faut par ailleurs pour faire la terrine :
500 g de lotte
500 g de saint-pierre
10 coquilles Saint-Jacques fraîches avec leur corail
1 bol de gelée de poissons ou si vous
n'en avez pas 7 ou 8 feuilles de gélatine
250 g de cèpes frais de préférence, ou en bocaux**

*Préparation :*
Faites sauter les cèpes à la poêle dans un feu vif pendant 10
minutes en les tournant bien. Salez et poivrez-les. Mettez-les
dans un égouttoir. Réservez-les.

Après avoir prélevé les arêtes et les têtes de vos poissons
pour en faire la soupe, il vous reste les filets.
Pochez-les ainsi que les coquilles Saint-Jacques dans la
soupe de poissons bouillante 1 à 2 minutes au maximum.
Laissez refroidir dans un égouttoir.

Ajoutez alors les feuilles de gélatine dans la soupe de
poissons que vous laisserez réduire de moitié sur un feu
moyen.

Versez la soupe dans un autre récipient en la filtrant au
chinois.

Votre gelée ainsi obtenue, versez-en une couche dans le fond
d'une terrine rectangulaire longue. Laissez refroidir.

Placez dessus en alternant la moitié des filets de lotte et de
saint-pierre après les avoir débarrassés de leur peau.

A l'étage au-dessus, placez les cèpes en morceaux.

Ajoutez par-dessus encore un lit de coquilles Saint-Jacques et enfin une dernière couche de filets de poissons.

Remplissez alors de gelée de poissons encore tiède, puis laissez refroidir.

Recouvrez d'une feuille de papier d'aluminium et mettez au frigo pendant une nuit.

Démoulez la terrine en la trempant 1 minute dans l'eau chaude avant de la servir.

*Sauce froide pour accompagner cette terrine :*
Prenez 1 bol de soupe de poissons qui vous reste, 1 tasse de coulis de tomate, le jus de 1/2 citron, 1 cuillerée à soupe de crème fraîche, 1 cuillerée à café d'huile d'olive, 1 pincée de sel moulu, 1 pincée de poivre blanc moulu. Broyez au mixeur, filtrez au chinois, mettez dans une saucière.

*Un vin blanc de Jurançon frais convient très bien à ce plat*

# Comment dessaler la morue entière

Il ne suffit pas de la faire tremper une nuit dans l'eau froide.

Il faut auparavant placer au fond d'une haute marmite ou d'une bassine, 2 morceaux de bois croisés ou 1 égouttoir, posé à l'envers.

Il faut y placer dessus la morue coupée en 4 avec la peau en haut, ce qui facilite l'évacuation du sel et évite à la morue de reposer sur le sel dégorgé.

Ajoutez 5 litres d'eau fraîche, elle se dessale ainsi complètement.

Il faudra la ressaler légèrement quand vous la cuisinerez, car le sel de consommation n'a rien de commun avec celui de conservation.

Voici une recette rustique et savoureuse que faisait une vieille voisine espagnole au temps de mes premières émotions gourmandes.

# Morue de la voisine

*Pour 6 convives :*
1 kg de morue
2 cuillerées à soupe d'huile d'arachide
2 cuillerées à soupe d'huile d'olive
un peu de farine
4 gousses d'ail ciselées
1 petit bouquet de persil haché
1/4 de piment piquant
4 cuillerées à soupe de vinaigre de vin
(xérès par exemple)

Mettez une morue d'1 kg à dessaler une nuit dans l'eau froide.

Pochez-la 3 minutes dans l'eau bouillante.

Ôtez la peau et les arêtes.
Effeuillez-la (détachez les morceaux les uns des autres).

Dans un poêlon en terre que vous mettez au feu sur une plaque d'amiante, faites revenir les morceaux légèrement farinés dans les huiles mélangées. Après leur avoir fait prendre couleur, ôtez-les du poêlon. Réservez. Dans la même huile, faites revenir 3 minutes l'ail et le persil. Ajoutez le 1/4 du petit piment et 4 cuillerées à soupe de vinaigre.

Mélangez le tout sur le feu pendant 1 minute et passez au chinois toute la sauce que vous récupérez dans un bol.

Remettez dans le poêlon à feu doux sur la plaque d'amiante, la morue et la sauce. Tournez à la cuillère.

Laissez cuire 15 minutes sur le feu doux et servez dans le poêlon qui garde sa chaleur.

# Morue sautée aux pommes de terre

*Pour 6 convives :*
**700 g de morue**
**700 g de pommes de terre (Roseval)**
**10 gousses d'ail hachées**
**1 gros bouquet de persil simple haché**
**2 brins de thym**
**2 cuillerées à soupe d'huile d'arachide**
**3 cuillerées à soupe d'huile d'olive**
**1 cuillerée à soupe de crème fraîche**
**sel, poivre**

*Elle est délicieuse et également très simple à faire.*

*Préparation :*

Dessalez la morue comme pour la brandade ou utilisez des filets en paquets qui perdront leur sel en ne passant qu'une nuit dans l'eau.

Le lendemain, pochez-la 10 minutes dans l'eau bouillante. Sortez-la. Laissez-la refroidir. Ôtez la peau et les arêtes si ce ne sont pas des filets et effeuillez-la.

Faites cuire les pommes de terre avec leur peau 1 heure à la vapeur.
Une fois tièdes, pelez-les et découpez-les en rondelles d'1 centimètre environ.

Dans une sauteuse (ou une poêle à défaut) chauffez doucement l'huile d'arachide et faites revenir l'ail et le persil pendant 3 minutes. Ajoutez l'huile d'olive, les pommes de terre, la morue, le thym émietté. Salez très légèrement, poivrez de 6 tours de moulin.

Mélangez bien à la cuillère en bois sur un feu moyen à présent. Ceci pendant 6 à 7 minutes, jusqu'à ce que le plat prenne une belle couleur.

Ajoutez la crème fraîche et tournez 2 minutes sur le feu doux en mélangeant bien. Servez sur un plat chaud.

*Un **Côtes-du-Rhône blanc** (85) un peu frais, aux fragrances de pomme vous séduira autant qu'il m'a botté (je n'étais pas le seul). Les tarifs sont très honnêtes. Notez l'adresse :*
***Domaine de Bruthe,** Christian de Seresin, Sabran. Bagnols-sur-Cèze.*

# Mérou frit
(quel délice si vous pouvez vous en procurer !)
## ou morue fraîche aux câpres

*Pour 6 convives :*
**1 kg à 1,200 kg de mérou ou de morue**
**2 cuillerées à soupe de câpres**
**2 filets d'anchois à l'huile**
**2 gousses d'ail**
**1 bouquet de persil simple**
**10 amandes**
**le jus de 2 citrons**
**1 pointe de piment piquant**
**(d'Espagne ou de Martinique)**
**1/3 de verre d'huile d'olive**
**1 cuillerée d'huile d'arachide**
**sel**

*Préparation :*

Hachez finement les câpres, anchois, amandes, ail et piment.

Découpez le mérou en tranches épaisses. Faites-le frire 2 à 3 minutes dans l'huile d'arachide de chaque côté, dans une poêle, à feu vif afin qu'il se colore bien.

Salez légèrement et tenez-le au chaud.

Dans la même poêle et avec un peu d'huile d'olive, faites revenir à feu doux tous les aromates hachés.

Ajoutez le jus des citrons et servez toute la sauce très chaude sur chaque tranche de poisson.

*Pourquoi ne pas essayer un jeune **Chablis** ?*

# Morue aux aubergines

*Pour 6 convives :*
600 g d'aubergines
800 g de morue fraîche (cabillaud)
8 à 10 cuillerées à soupe de coulis de tomate
(ou 4 de concentré)
8 gousses d'ail émincées en fines tranches
1 branche de thym
1/2 feuille de laurier
1 pincée de clou de girofle en poudre
50 g de parmesan râpé + 50 g de gruyère râpé
6 cuillerées à soupe d'huile d'olive
1 cuillerée à soupe de gros sel de mer moulu
50 g de beurre
sel, poivre et piment de Cayenne pilé

*Préparation :*
Faites dessaler la morue pendant 24 heures.

Coupez les aubergines en tranches fines dans le sens de la longueur sans les peler.

Faites-les dégorger 45 minutes dans du sel pour leur ôter l'amertume.

Essuyez-les bien ensuite au papier absorbant.

Faites-les revenir dans une poêle à l'huile d'olive, bien dorées de chaque côté. Placez-les ensuite dans un égouttoir.

Pochez la morue 2 minutes dans 3 litres d'eau bouillante afin de mieux ôter la peau et les arêtes. Effeuillez-la.

Au fond d'un plat à four, mettez en petits dés la moitié des 50 g de beurre et 3 cuillerées d'huile d'olive. Puis placez toute une couche de tranches d'aubergines au fond du plat.

Sur les aubergines, répandez un peu au fur et à mesure les 2 fromages râpés mélangés ainsi que l'ail, le thym émietté, le clou de girofle en poudre, le sel, le poivre et le piment.

Ensuite, une couche de morue effeuillée, puis une couche de coulis de tomate, ainsi de suite jusqu'à finir le plat par une couche d'aubergines. En dernier, répandez sur le dessus le restant des fromages râpés.

Après avoir bien chauffé le four, mettez le plat à feu moyen environ 15 minutes, puis 25 minutes encore à feu doux. Ne retirez le plat que lorsque tout le jus lâché est évaporé et que le gratin a une belle couleur dorée.

Plus ce plat est réchauffé (à feu doux), meilleur il se révèle.

*Nous avons dégusté un **Quincy blanc** 1985, avec l'ami Francis Darroze et sa gentille Annick, lorsque je leur ai mitonné ce plat pour la première fois.*

*Il sent bon le tilleul et la mangue mûre, sa saveur rappelle fortement la noisette. Il a fallu en déboucher une seconde, histoire de voir si on s'était pas gourrés dans nos digressions œnologiques ! Ce petit et délicieux Quincy a été élevé par M. **Raymond Pipet**. Quincy, Lury-sur-Arnon.*

# Morue fraîche

*Pour six convives :*
**2 oignons moyens**
**6 échalotes grises**
**Une vingtaine de pommes de terre rattes pelées**
**5 tomates**
**4 gousses d'ail**
**800 g de morue fraîche**
**50 g de beurre**
**6 cuillerées à soupe d'huile d'olive**
**Une petite cuillerée à café de sel de mer**
**4 tours de moulin à poivre rose (ou gris à défaut)**
**petit bouquet de persil simple**
**2 cuillerées à soupe de vinaigre d'estragon**
**sel, poivre**

*Préparation :*

Pelez et émincez, échalotes et oignons en rondelles fines.

Faites chauffer dans une sauteuse à feu moyen la moitié du beurre avec 3 des 6 cuillerées d'huile d'olive.

Faites revenir dans huile et beurre chauds, les oignons en les tournant de temps en temps à la cuillère en bois.

Lorsque les oignons sont blonds, ajoutez les pommes de terre (les Rosa ou Roseval iront très bien) coupées en rondelles d'1/2 centimètre environ.

Faites-les sauter avec les échalotes, toujours en les tournant, pendant 20 minutes à feu doux jusqu'à les rendre moelleuses.

Pendant ce temps, sur un deuxième feu, faites revenir à la poêle 10 bonnes minutes la morue fraîche (après avoir ôté peau et arêtes) dans ce qui vous reste de beurre et d'huile.

Ensuite pelez et pressez les tomates afin d'en extirper les pépins. Coupez-les en petits dés que vous répandez dans la poêle sur la morue.

Pelez l'ail, coupez-le en fines lamelles, ajoutez-le à la morue.

Laissez cuire 5 minutes après avoir mélangé la morue, la tomate, l'ail et mouillez le tout de vinaigre : éteignez le feu.

Videz alors le contenu de cette dernière poêle dans la

sauteuse afin de mélanger la morue aux pommes de terre sautées.

Salez, poivrez.
Mélangez bien le tout à feu doux pendant 5 minutes et recouvrez-le, avant de servir chaud, d'une pluie de persil simple finement haché.

*Les évidentes effluves vanillées d'un **Bourgogne aligoté** 84 blanc furent confrontées à celles de ce poisson ensoleillé ! Les convives supportèrent vaillamment le choc et la tablée fut soudain très volubile. Si ça vous chante...*
**Jean-Hugues Croisot.** *Saint-Bris-le-Vinieux.*

*Pour changer de la brandade que j'adore*

# La brandade de morue

Il est encore un plat que Maman avait la patience de confectionner et le talent de réussir car il faut y apporter du soin si l'on veut régaler ses convives.

C'est la brandade de morue.

Je suis toujours fou de ce plat apparemment simple mais qui, tels les œufs au plat tout bêtes ou de simples pommes frites, ne souffre pas de médiocrité.

*Pour 6 personnes :*
**1 kg de morue (dessalée pendant 24 heures)**
**1/2 litre de lait**
**500 g de pommes de terre**
**1 verre 1/2 à moutarde d'huile d'olive fruitée**
**6 belles gousses d'ail**
**1 pincée de noix de muscade**
**sel, poivre au moulin**

*Préparation :*
Dans un couscoussier, faites cuire les pommes de terre pelées et entières à la vapeur pendant 20 minutes.

Dans une grande marmite d'eau portée à ébullition, pochez les filets de morue, 4 ou 5 minutes suffiront car il ne faut jamais laisser bouillir la morue qui perdrait toute sa saveur.

Ôtez la peau et les arêtes. Effeuillez-la (détachez les morceaux les uns des autres).

Dans une grande cocotte, mettez les pommes de terre déjà passées à la moulinette.

Passez la morue au mixer.

Écrasez l'ail dans un pilon.

Ajoutez la morue mixée, le sel, le poivre, la muscade, l'ail et la moitié du lait dans la cocotte que vous posez sur un feu doux.

Mélangez et travaillez bien le tout à la cuillère en bois en y incorporant à tour de rôle un peu d'huile d'olive, un peu de lait, etc., jusqu'à utilisation complète du lait et de l'huile. Il faut que le résultat soit très crémeux, homogène et très onctueux.

Goûtez avant de servir et, au besoin, ajoutez du lait et rectifiez l'assaisonnement.

Servez dans un plat très chaud avec par-dessus quelques cubes de croûtons légèrement aillés et frits à l'huile.

*Un **Châteauneuf-du-Pape** blanc 83. Essayez-le, il affronte sans dommage cette odorante brandade. Il y oppose de puissantes senteurs d'herbes sauvages, et la symbiose est parfaite.* ***Domaine de Nalys** à Châteauneuf-du-Pape.*

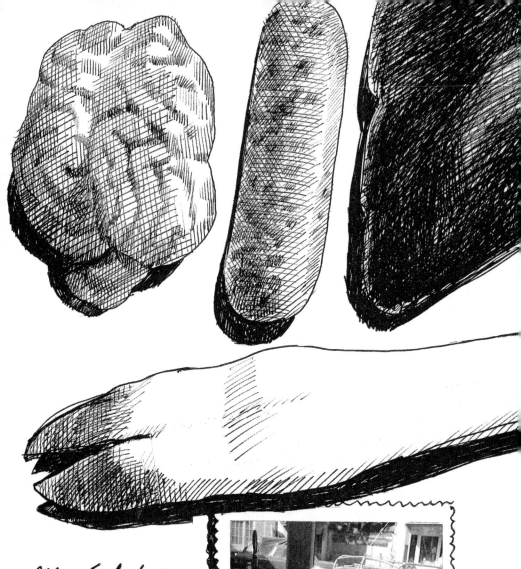

Memé faisait
la fricassée

# ABATS
## ... les préjugés

Bon nombre de gens ont « peur » DES ABATS ! La simple évocation de tripes, foies, pieds de veau ou de porc, gésiers, joues ou cervelles les met mal à l'aise. Je crois que ça n'est qu'une question d' « éducation ». Les générations d'aujourd'hui tout de même plus « gâtées » que les enfants des années 40, ont des habitudes « gastronomiques » plutôt « nazebroques », se contentant depuis toujours du poulet rôti acheté dans une grande surface, du jambon-purée ou du sempiternel steak (haché bien sûr !) avec des frites ! Ils ont passé et passeront sans doute le restant de leurs jours à côté d'une pléthore de plats savoureux (les abats !) dont ils n'auront jamais soupçonné l'existence !...

Nécessité fait loi : les abats ne sont autres que les bas morceaux abandonnés depuis toujours par les vainqueurs aux vaincus.

Ces derniers, l'ingéniosité et la gourmandise aidant, en ont fait parfois de petits chefs-d'œuvres tels les « pieds-paquets » provençaux si appétissants, les andouillettes au vin blanc ou les foies frais aux raisins...

Laissons donc aux impécunieux imaginatifs et gourmands le privilège de préparer et déguster ces modestes plats si riches de saveurs.

# Cervelles d'agneau et aubergines frites

Voici une préparation simple dont je raffolais autrefois (quand j'étais jeune !), que j'aime pourtant toujours et que je ne fais plus jamais ! Tiens, ce sera pour demain !

*Pour 4 convives :*
**6 petites cervelles d'agneau**
**3 belles aubergines**
**50 g de beurre**
**3 cuillerées à soupe d'huile d'arachide**
**6 cuillerées à soupe d'huile d'olive**
**2 jaunes d'œufs**
**1 cuillerée à soupe de farine**
**citron ou vinaigre**
**sel, poivre**

*Préparation :*
Quelques heures avant, faites dégorger les cervelles de leur sang dans un saladier d'eau froide.

Pelez les aubergines, coupez-les en 3 lamelles et mettez-les dans un grand plat à dégorger en les salant légèrement de sel fin sur chaque face. Cela 1 heure avant de faire le plat.

Débarrassez les cervelles de leur membrane et des filets de sang coagulés qui l'entourent, et remettez-les 15 minutes dans un saladier d'eau claire citronnée.

Quand les aubergines ont dégorgé, frottez-les et séchez-les bien dans du papier absorbant, ou au torchon. Découpez les lamelles de façon à obtenir des cubes d'1,5 centimètre de côté environ.

Pochez les cervelles durant 3 minutes dans une casserole contenant 1 litre d'eau et le jus d'1/2 citron ou 1 cuillerée à soupe de vinaigre, ajoutez 1 pincée de gros sel.

Ôtez les cervelles avec une écumoire. Mettez-les dans un égouttoir.

Dans une poêle, mettez les 2 huiles à chauffer et n'y ajouter les aubergines que lorsque l'huile est très chaude afin de bien les saisir. Elles doivent cuire ensuite à feu moyen 15 à 20 minutes jusqu'à ce qu'elles soient bien dorées.

Pendant ce temps, séchez délicatement les cervelles sur un torchon, puis découpez-les en 4.

Cassez les œufs et ne gardez que les jaunes dans une terrine.

Ajoutez la farine, un peu de sel et un peu d'eau tiède jusqu'à obtenir une pâte à beignets pas trop liquide.

Mettez les morceaux de cervelle dans la terrine de pâte à beignets.

Dans une sauteuse, faites chauffer le beurre jusqu'à la couleur noisette et jetez-y un par un les morceaux de cervelle enrobés.

Laissez-les bien dorer sur tous les côtés.

Retirez les aubergines de la poêle (ou sauteuse) lorsqu'elles sont dorées et à l'aide d'une écumoire, mettez-les dans un égouttoir au fond duquel, vous aurez placé une triple couche de papier absorbant avant de les recevoir.

Mettez-les ensuite dans un plat chaud.

Avec la même écumoire, ôtez les cervelles lorsqu'elles sont également bien dorées.

Salez les aubergines tant qu'elles sont bien chaudes.
Salez légèrement les cervelles.

Poivrez bien le tout et servez dans des plats séparés bien chauds.

Le plaisir que l'on a de savourer ce plat compense largement le temps qu'on y a consacré !

*J'ai humecté ces petites cervelles avec un joli vin rouge de terroir (trop peu connu !) des **Côtes de Fronton** 1981. Il est légèrement fruité et bien rond en bouche avec un soupçon de cassis dans sa finalité.*
*Il se conserve très bien et ne vous ponctionnera pas trop le morlingue \* ! **Château Clos mignon,** Fronton.*

---

\* *Note de l'éditeur : Il n'est pas cher !*

# Foie de veau au vert-jus

Si vous avez confiance en votre boucher, et si ce dernier vous garantit un veau élevé sans hormones, achetez-lui un foie de veau de 700 à 800 grammes que vous découpez en six tranches pour six convives.

*Voici l'une de mes recettes favorites :*
**800 g de foie de veau**
**3 cuillerées à soupe d'huile**
**de pépins de raisin ou d'arachide**
**1 noix de beurre**
**2 gousses d'ail hachées**
**le jus d'un citron ou mieux au mois d'août**
**une grappe de raisin vert**
**1 morceau de sucre de canne**
**ou 1 cuillerée de miel**
**une pincée de sel**
**poivre au moulin**

*Important : Ne jamais saler un foie avant de le cuire si on ne veut pas qu'il durcisse.*
Chauffez dans la poêle huile et beurre mêlés. Lorsqu'ils sont bien chauds (sans fumée) posez dessus les tranches de foie afin de les faire saisir 2 minutes de chaque côté.

Au moment où vous tournerez les tranches, ajoutez l'ail haché.

(Je préfère le foie légèrement « rose ». Si, comme mon épouse, cette couleur de cuisson vous effraye, laissez cuire à cœur sans toutefois le laisser durcir, ce qui serait du gâchis.) Salez, poivrez, puis ôtez les tranches que vous réserverez dans un plat chaud.

Mêlez alors le vert-jus de raisin et le morceau de sucre de canne ou le miel dans la poêle chaude toujours sur le feu et remuez à la cuillère en bois afin d'y mélanger les sucs du foie.

Laissez réduire 2 minutes à feu moyen. Versez ce jus bien chaud sur les tranches de foie et servez.

Une purée de pois cassés accompagnée de petits cubes de croûtons aillés et frits à l'huile d'olive accompagnera divinement le foie.

*En voulant me faire une fleur à ce dîner, j'ai débouché une
paire de rouilles de **Côtes du Jura** 1979. Elles ont quasiment fait
monter d'un cran le registre des digressions philosophiques
égrénées par mes volubiles poteaux. Ce cru empeste la truffe,
déclara sentencieusement Bernard. Il a fallu finir les bouteilles
pour être sûr qu'il ne racontait pas de salades... Ce nectar se
trouve (j'espère encore) au **Caveau des Jacobins,** rue du Collège,
à Poligny.*

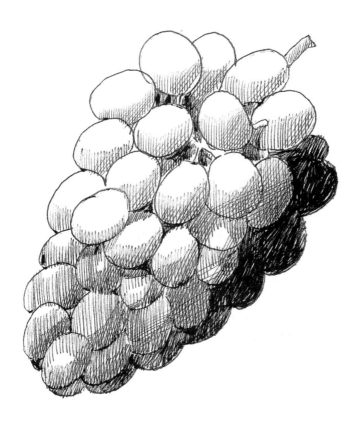

# Queues de veau aux fèves nouvelles

*Pour 4 à 6 convives :*
3 queues de veau
2 kg de fèves nouvelles très tendres
1 belle tranche de jambon de Bayonne
3 oignons émincés
3 gousses d'ail hachées
1 branche de thym
2 cuillerées d'huile de tournesol
1 cuillerée d'huile d'olive
1 morceau de sucre de canne
2 à 3 verres d'eau ou, mieux, de bouillon
sel, poivre

*je suis fou de ce plat !*

*Préparation :*
Découpez en tronçons de 5 centimètres environ les 3 queues de veau.

Lavez les fèves à l'eau froide.

Écossez-en la moitié seulement. Gardez l'autre moitié dans leurs cosses tendres que vous serez étonné de trouver si moelleuses et savoureuses.

Découpez la tranche de jambon en dés.

Dans une cocotte en fonte, faites revenir le tout à feu moyen dans les 2 huiles mélangées pendant 10 minutes. Tournez et mêlez bien à la cuillère en bois.

N'oubliez pas les oignons, ail, thym, sel, poivre et le morceau de sucre.

Ajoutez alors 3 ou 4 verres d'eau (ou de bouillon) selon le volume à recouvrir.

Laissez cuire à feu très doux (en mélangeant de temps en temps) au moins 45 minutes à couvercle mi-fermé.

*N'ignorez pas plus longtemps ce superbe **Coteaux du Languedoc** rouge 1985 élevé au **Prieuré de Saint-Jean-de-Bébian** par M. A. Roux à Pézenas.*
*Il est vinifié, vous « mâchez » une corbeille de fruits en le dégustant, et de plus, une caisse de ce délicieux vin de terroir vous coûtera... une poignée de cerises ! Sautez sur l'occase !*

# C'est quoi, la sanquette ?

J'habite la campagne. J'ai donc la chance d'avoir un potager, des arbres fruitiers, des lapins, des canards, des poules et des œufs, etc., c'est, je m'en rends bien compte, un privilège et pour moi un bonheur vrai, un peu de mon enfance qui (malgré les chamboulements) n'est pas tout à fait partie. Lorsque Maman tuait un poulet, elle recueillait le sang au fond d'une assiette dans laquelle elle avait haché finement une échalote (ou une gousse d'ail selon l'humeur), et quatre brins de persil simple, une pincée de sel, une de poivre et un tout petit filet de vinaigre.

Le sang du poulet s'écoulait par-dessus et formait une galette rouge-brun qui se figeait très vite.

Maman poêlait vivement la sanquette dans l'huile bien chaude. Trente secondes de chaque côté suffisaient.

Lorsque je fais ce plat aujourd'hui avec le sang d'une paire de jeunes poulets que je m'apprête à cuisiner, il m'arrive de téléphoner à notre amie Juliette Boisrivaud (une gourmande s'il en est!) en lui disant d'un air détaché et perfide.
— Tiens, ce soir, je vais tuer les poulets et faire cuire les sanquettes.
— Salaud! pas sans moi. J'arrive!

C'est quand même beau de voir qu'il existe encore des êtres capables de faire cent vingt bornes pour déguster une sanquette!

# Joues et queues de bœuf braisées au vin rouge de Bourgogne

Ce sont les morceaux de bœuf braisés que je préfère. Il n'en est pas de plus moelleux.
La veille de la confection du plat, faites une marinade.

*Pour 6 convives :*
**600 g de joues**
**700 g de queues de bœuf**

Découpez la joue crue en morceaux de 2 à 3 centimètres de côté environ. Faites débiter en petits tronçons la queue de bœuf par votre boucher.

*Pour la marinade :*
**3 carottes moyennes découpées en dés**
**2 gros oignons débités en rondelles**
**1 bouteille de bon bourgogne rouge**
**1 cuillerée à soupe de vinaigre de vin**
**1 bouquet garni**
**100 g de grains broyés de genièvre**
**(si vous en avez)**
**3 pincées de sel**
**10 tours de moulin à poivre**

Dans un grand saladier, mettez tous ces ingrédients et les viandes à mariner la veille dans le vin de Bourgogne.

*Le lendemain il vous faut :*
**400 g de tagliatelles**
**1 litre de bouillon de volailles**
**(voir fond de poule)**
**8 queues de cèpes séchées**
**100 g de beurre**
**1/2 verre d'huile d'olive**

Mettez à gonfler les 8 queues de cèpes séchées dans 1/2 bol d'eau tiède.

Ôtez les légumes et la viande de la marinade et mettez-les dans un égouttoir. Finissez de les sécher dans un torchon.

Dans une grande cocotte en fonte, faites chauffer l'huile et le beurre (sans les laisser fumer) et faites rissoler les cubes de joues et les morceaux de queue de bœuf.

Faites-leur prendre couleur sur toutes les faces et ôtez-les avec l'écumoire.
Réservez-les dans un plat.

Dans la même huile, faites revenir les légumes pendant 5 minutes.

Ajoutez alors par-dessus : les viandes et l'eau colorée et parfumée des cèpes, le bouillon et le vin de la marinade que vous aurez passés à travers le chinois.

N'oubliez pas d'y ajouter aussi les queues de cèpes.

Réglez le feu moyen (puis doux, 15 minutes plus tard) sous la cocotte et laissez mijoter en tout 2 heures avec le couvercle.

Quelques minutes avant la fin de la cuisson, faites pocher 400 g de tagliatelles dans une marmite d'eau bouillante, 4 à 5 minutes suffisent. Égouttez-les.

Ôtez la viande du ragoût que vous mettez dans un plat très chaud avec la moitié de la sauce.

Ajoutez alors les tagliatelles au restant de la sauce dans la cocotte et mélangez bien à la cuillère en bois.

Laissez-les mijoter 2 minutes dans la sauce en fermant le couvercle de la cocotte.

Mettez les pâtes en sauce dans un autre récipient, et servez les deux plats bien chauds.

*Un **Pommard rouge Clos de Cîteaux** 79 nous a cloué le bec de bonheur en le savourant, il a fait l'unanimité des connaisseurs à table.*
*Il vient de chez Jean Monnier et son fils, récoltants à Meursault.*

*Bravo et merci, messieurs !*

# Jarret de porc
# aux lentilles et au curry

C'est un plat d'hiver inhabituel au palais à cause de son parfum
« exotique » et séduisant par le moelleux de la chair du jarret et la saveur
que prennent les lentilles.

*Pour 6 convives :*
**2 jarrets de porc (moyens)**
**400 g de lentilles noires**
**1 cuillerée à soupe de poudre de curry**
**1 beau bouquet de persil simple haché menu**
**1 bouquet garni**
**4 tomates**
**2 gros oignons hachés**
**4 échalotes hachées**
**4 gousses d'ail pressées**
**1 pincée de muscade**
**1 pincée de cayenne**
**1 morceau de sucre**
**3 cuillerées à soupe d'huile d'olive**
**sel, poivre**

*Préparation :*
La veille, mettez les lentilles à tremper.

Le lendemain, versez-les dans une grande cocotte en fonte (à
couvercle incurvé). Ajoutez le bouquet garni, le curry en
poudre et couvrez d'au moins 5 à 6 centimètres d'eau.

Posez le couvercle et versez 2 verres d'eau dans le creux.
Mettez sur le feu moyen pendant 45 minutes.

Au bout de ce temps, incorporez les jarrets de porc entiers
(rajoutez de l'eau au besoin).

Salez. Couvrez. Remettez de l'eau dans le creux du
couvercle, laissez cuire de nouveau 45 minutes à petite
ébullition.

Plongez les tomates dans de l'eau bouillante. Pelez-les. Ôtez
les pépins et concassez-les.

Mettez une poêle sur le feu avec l'huile d'olive. Faites
revenir l'oignon et les échalotes pendant 4 à 5 minutes en les
tournant.

Ajoutez l'ail pressé puis, au bout d'1 minute, la chair des tomates, 1/2 verre d'eau, 1 morceau de sucre, le persil et la pincée de cayenne et de muscade. Salez légèrement. Baissez le feu au maximum et laissez cuire doucement pendant 15 à 20 minutes.

A la fin de la cuisson, videz le contenu de la poêle dans la cocotte. Mélangez bien et laissez mijoter le tout très doucement pendant 40 minutes avec cette fois le couvercle légèrement entrouvert.

Quand le plat est terminé, le « jus » ne doit pas dépasser le niveau des lentilles.

Ôtez le bouquet garni, partagez les jarrets en morceaux et servez l'ensemble dans un plat chaud. Poivrez légèrement de 2 ou 3 tours de moulin.

*Pouvais-je ignorer ce nectar issu des vignobles de MM. Chanson Père et Fils ? Ils y élèvent et vinifient un bien séduisant* **Pernand-Vergelesses (Côte-de-Beaune)**. *Ses arômes de banane, de citron et de vanille vous saisissent le blair \* à bras-le-corps. Il respire la gaieté et se déguste jeune, comme une chanson ! c'était en 1985.*
*MM. Chanson habitent au 10, rue Paul-Chanson (ils ont même une rue dans la famille, ils la méritent !) à Beaune.*

\* *Note de l'éditeur : le nez !*

# Gras-double au safran

C'est une recette très ancienne de mon pays. Elle a été un peu oubliée aujourd'hui depuis que le safran n'y est plus cultivé, car il poussait très bien dans le Sud-Ouest.
Aujourd'hui on y fait pousser... du maïs !

*Pour 6 convives :*
**environ 1,200 kg de gras-double**
**1/2 pied de veau**
**2 tranches de jambon de pays (gras et maigre)**
**300 g de carottes**
**1 oignon - 10 échalotes hachés grossièrement**
**2 clous de girofle**
**1 tête d'ail entière**
**1 bouquet garni**
**2 cuillerées à café de safran en poudre**
**1 cuillerée à café de saindoux**
**2 cuillerées à soupe d'huile d'arachide**
**1 verre de vin blanc sec**
**sel, poivre au moulin**

*Préparation :*
Épluchez les carottes, coupez-les en rondelles.

Découpez le jambon en petits carrés d'1 centimètre.
Faites revenir à feu doux les échalotes, l'oignon, le jambon à l'huile et au saindoux mélangés, dans une grande cocotte en fonte, 10 minutes suffisent en tournant souvent à la cuillère en bois.

Placez ensuite dans la même cocotte le 1/2 pied de veau, le gras-double découpé en morceaux, le bouquet garni, la tête d'ail entière en ôtant seulement la pelure extérieure, les clous de girofle et le safran.

Ajoutez par-dessus le verre de vin blanc et recouvrez complètement avec de l'eau, il est indispensable que le liquide recouvre le gras-double, salez, poivrez de 10 tours de moulin.

Couvrez la cocotte et placez-la dans le four (ou, mieux, sur la braise d'une cheminée).

La cuisson à feu doux doit durer 6 à 7 heures. Le couvercle

doit être toujours bien fermé — le plat sera meilleur réchauffé. Rajoutez de l'eau si nécessaire.

*A une certaine époque (déjà lointaine !), le safran cultivé par les ancêtres poussait tout autour des vignobles de **Lavilledieu** (Tarn-et-Garonne).*
*C'est pourquoi j'ai choisi ce vin rouge de terroir léger dont Jules César lui-même humectait, paraît-il, copieusement ses charmeuses \*.*
*Coopérative : Lavilledieu-du-Temple.*

---

\* *Note de l'éditeur : Moustaches.*

# Foie de canard frais
# aux brocolis citronnés

Se procurer du foie de canard frais n'est pas évident dans certaines régions, ainsi que les brocolis d'ailleurs.
Voici tout de même ma recette pour les gourmands débrouillards.

**Pour 6 convives :**
**2 foies d'environ 250 g chacun**
**500 g de brocolis tendres et bien frais**
**1 noix de beurre**
**le jus d'1 citron**
**1/2 verre de sauternes ou de monbazillac**
**un peu de farine**
**sel, poivre au moulin**

*C'est un plat très fin facile à réaliser*

*Préparation :*
Avant toute chose, mettez un plat en porcelaine au chaud (au four tiède par exemple) dont vous aurez besoin ultérieurement.

Rincez bien les brocolis à l'eau froide.

Posez-les entiers sur la grille du couscoussier et faites-les cuire 5 minutes à partir de l'ébullition.

Égouttez-les.

Partagez-les en 2 dans le sens de la longueur.

Escalopez les foies en tranches d'1 bon centimètre.

Farinez-les très légèrement de chaque côté.

Faites chauffer doucement la moitié du beurre dans la poêle. Lorsqu'il est bien chaud, de couleur noisette et qu'il ne fume pas, mettez à saisir les tranches de foie 15 à 20 secondes de chaque côté. Salez-les légèrement après leur cuisson. Réservez-les dans votre plat très chaud.

Rajoutez dans la poêle une petite noisette de beurre et faites saisir les brocolis 30 secondes de chaque côté. Salez-les légèrement. Ôtez-les. Placez-les dans le plat chaud autour des foies de canard.

Versez le 1/2 verre de vin blanc et le jus de citron dans la poêle chaude, déglacez au pinceau pendant 10 secondes à feu vif.

A travers une passoire, faites couler le jus que vous répartissez bien sur le foie et les brocolis.

*M. Jean-Noël Gagnard, je ne vous connais pas, mais si vous ressemblez un tant soit peu à ce généreux et coloré* **Chassagne Montrachet 1982 (Clos de la Maltroye premier cru)** *que nous avons si fortement apprécié avec ce plat, vous devez être bien sympathique ! Au plaisir de vous saluer...*

# Foie d'agneau au miel, vinaigre et gros oignons

Le foie d'agneau a une onctuosité et des saveurs étonnantes lorsqu'il est préparé délicatement. Voici comment (n'osant pas proposer d'abats à mes invités) je préfère « me » le préparer égoïstement. Je dois tout de même préciser que notre copine Thérèse goûte et, en véritable amie qu'elle est, va même jusqu'à « adorer » tous les plats que je prépare à la maison. Quel bonheur d'avoir de tels amis !

J'ai essayé un jour de passer 10 minutes à la vapeur des lamelles de gésier d'oie confits et leur onctuosité n'en fut que multipliée. J'ai donc tenté, depuis, la délicate cuisson des foies de lapin (en les faisant juste dorer 1 minute en sauteuse pour finir) puis du foie d'agneau avec le même principe.

*Pour 4 convives :*
2 foies d'agneau de 300 g chacun environ
3 gros oignons émincés
4 gousses d'ail hachées
1 bouquet de persil simple haché
2 cuillerées à soupe de vinaigre de vin
1 cuillerée à soupe de vin blanc sec
1 belle cuillerée à café de miel
1 noix de beurre
1 cuillerée à soupe d'huile d'arachide
sel et poivre au moulin

*Préparation :*
Partagez les foies en 2 avec un couteau bien aiguisé et coupez-les en fines lanières dans le sens de la largeur.

Mettez 1 litre d'eau au fond du couscoussier ou du cuiseur-vapeur, placez les oignons et le foie découpés sur la grille supérieure et laissez cuire 5 à 6 minutes à couvercle fermé.

Dans une grande poêle, faites chauffer l'huile et le beurre (sans les laisser fumer) et mettez-y les petits morceaux de foie et les oignons.

Faites bien sauter pendant 3 à 4 minutes à feu assez vif, ajoutez l'ail et le persil.

Salez 10 secondes avant de sortir le plat du feu (afin de ne pas durcir le foie), mélangez à la cuillère en bois.

Poivrez de 6 tours de moulin.

Avec l'écumoire, mettez foie et oignons dans un plat creux chaud.

Mettez le vinaigre, le vin blanc et le miel dans la poêle et déglacez (frottez le fond au pinceau pour en décoller les sucs).

Arrosez les foies de ce jus et servez chaud.

Vous pouvez accompagner ce plat d'une salade de jeune cresson bien tendre assaisonnée d'une vinaigrette à l'huile d'olive.

*C'est un vin assez tonique à la saveur un peu rustique que j'ai choisi pour ponctuer ce plat coloré. Le **Château Lyonnat** est un **bordeaux rouge,** élevé avec soin à Lussac-Saint-Émilion par la famille Milhabe heureux propriétaires également du **Château Recougne** ainsi que d'un **Lalande Pomerol** remarquable, le **Château Sergant** élégant comme pas deux !*

# Foie de canard chaud sur cœur de choux braisés au sauternes et au vinaigre

La qualité des ingrédients est très importante pour tous les plats et particulièrement pour celui-ci. Le foie de canard et le vinaigre (entre autres) doivent être de toute première qualité. Cette préparation est une petite merveille lorsqu'elle est bien réussie, voici comme je m'y prends.

*Pour 4 convives :*
**4 tranches de foie de canard cru
de 60 g chacune environ
1 chou milan d'à peu près 700 à 800 g
1 tranche de jambon de Bayonne
4 échalotes hachées menu
1 noix de beurre
1 verre de bon sauternes
1 verre d'eau
1 cuillerée à soupe de très bon vinaigre de xérès
1 cuillerée à dessert de farine
le jus d'1/2 citron
sel, poivre**

*Préparation :*
Cuisson du chou :
Mettez sur le feu vif une marmite contenant 2 litres d'eau avec le jus d'1 citron.

Ôtez les 4 ou 5 premières feuilles du chou. Gardez les plus tendres.
Découpez le chou en 4 et plongez-le dans l'eau bouillante pendant 10 minutes.

Pendant ce temps, hachez le jambon en petits dés.

Égouttez le chou.

*Pour la sauce :*
Dans une petite casserole, mettez le beurre à fondre doucement et versez-le, fondu, à travers un fin tamis dans une sauteuse (afin de le clarifier).

Mettez la sauteuse sur un feu moyen et faites revenir les échalotes doucement.

Lorsqu'elles commencent à dorer, ajoutez le jambon haché. Mélangez bien et laissez cuire 10 minutes encore à feu doux.

Ajoutez le vinaigre et frottez le fond de la sauteuse avec un pinceau pour déglacer.

Laissez frémir tout doucement durant 1 minute et ajoutez le sauternes. Laissez frémir le tout 5 minutes encore et retirez du feu.

*Braisage du chou :*
Sur le même feu, posez une cocotte en fonte et versez dedans la sauce aux échalotes et jambon à travers un chinois. Faites bien tout passer en écrasant bien dans le chinois avec le dos d'une cuillère en bois.

Posez les quartiers de chou sur la sauce. Salez légèrement. Poivrez. Fermez le couvercle et laissez braiser le chou pendant 25 à 30 minutes à feu très doux.

*Cuisson du foie :*
Vers la fin de la cuisson du chou, mettez une poêle anti-adhésive sur le feu (sans matière grasse), farinez légèrement les tranches de foie sur chaque face et posez-les dans la poêle très chaude 20 à 25 secondes de chaque côté.

Salez-les 5 secondes avant de stopper le feu.

Passez les quartiers de chou braisés sur un plat très chaud et posez les escalopes de foie de canard par-dessus. Poivrez légèrement.

Servez très chaud.


*Vous pouvez bien sûr déguster du sauternes avec ce plat. Personnellement j'ai savouré un **Pauillac-Lynch-Bages** 79 qui m'a laissé sans aucun remords !*

# Petit « paillasson » de foies de lapin sur canapés au beurre d'anchois

*Pour 6 convives :*
**3 foies de lapin jeune (votre marchand
de volailles vous trouvera bien ça)
6 tranches de pain normal ou 6 moitiés de tranches
de pain de campagne grillées (pas trop) « blondes »
2 noix de beurre
1 cuillerée à café d'huile d'olive
le jus d'un citron
la moitié d'un sucre
3 filets d'anchois à l'huile
1 gousse d'ail
sel, poivre**

*Préparation :*
Émincez les foies de lapin en lanières de 2 centimètres de large sur 1/2 centimètre d'épaisseur.
Mettez le pain à griller doucement assez loin du gril.

Dans un mortier, mettez l'une des 2 noix de beurre avec les filets d'anchois.

Pilez-les bien, faites-en une pommade bien lisse.

Lorsque les tranches de pain sont bien dorées, frottez-les très légèrement d'ail et tartinez-les d'une pellicule de pommade d'anchois.

Dans une sauteuse ou une poêle, mettez l'huile d'olive et la deuxième noix de beurre à chauffer.

Lorsque c'est très chaud, jetez-y les lanières de foie et faites-les sauter vivement, entre 10 et 15 secondes maximum. Ne les salez que 3 secondes avant de les retirer de la sauteuse avec une écumoire.

Répandez-les en les ordonnant un peu sur les toasts grillés, beurrés d'anchois.

Mettez le jus de citron et une cuillerée d'eau dans la sauteuse avec le morceau de sucre et frottez le fond avec un pinceau afin de bien déglacer (sur un feu moyen durant 7 à 8 secondes). Répartissez délicatement ce jus sur chaque toast à travers une petite passoire ou à l'aide d'un pinceau. Poivrez et servez aussitôt. Vous serez étonné !

*Champagne* *pour tout le monde ! mais pas n'importe lequel, l'un des meilleurs « petits propriétaires » de ce noble vin est* **Michel Wafflart** *; cet artisan du jus pétillant de la blonde grappe est si attentif à son évolution qu'il a pratiquement vendu toutes ses « rouilles » avant de les avoir récoltées ; quand nous faisons la fête à la maison c'est le « Wafflart Antoniolli » (Sacy près de Reims) qui revient le plus souvent sur notre table. Ce fut le cas avec ce plat.*

C'est une petite entrée
bien appétissante
qui ouvre les estomacs
et vide les verres

# Andouillettes en papillotes et purée de brocolis

*Pour 6 convives :*
**6 belles andouillettes A.A.A.A.A. \***
**3 cuillerées à soupe de moutarde forte**
**3 cuillerées à soupe de crème fraîche**
**1 cuillerée à café de vinaigre de vin**
**2 feuilles de sauge séchées, émiettées**
**6 feuilles de papier sulfurisé ou d'aluminium**
**500 g de brocolis**
**1 noix de beurre**
**sel, poivre**

*Préparation :*

Dans un petit saladier, mélangez d'abord le sel au vinaigre, puis ajoutez 2 cuillerées de crème, la moutarde et la sauge émiettée. Battez bien le tout au fouet durant 1 minute.

Trempez les andouillettes dans ce mélange et emprisonnez-les dans les papillotes bien fermées en repliant les extrémités en dessous.

Mettez 1 litre d'eau dans votre couscoussier et posez les andouillettes en papillotes sur la grille. 10 minutes de cuisson suffisent.

Pendant ce temps, dans un autre cuiseur-vapeur, vous pouvez faire cuire 1 livre de brocolis pendant 25 minutes après les avoir nettoyés, lavés et fendus en 2 dans la longueur. A défaut d'un deuxième appareil vapeur, vous pouvez plonger les brocolis pendant 15 minutes dans 2 litres d'eau bouillante citronnée.

Égouttez-les et faites une purée au mixeur, ajoutez 1 noix de beurre et 1 cuillerée de crème fraîche, salez, poivrez et servez chaud avec les andouillettes présentées dans leurs papillotes.

*Un **Hermitage blanc** 1981 de chez **Chapoutier**, voilà ce que j'ai préféré déguster avec ces andouillettes savoureuses. Il est baptisé le **chante alouette** et cette alouette fait chanter à son tour le palais. Les goûts subtils prédominants sont l'orange et le miel.*

*Ma vigilance de sommelier mise en défaut, mes convives ce jour-là m'ont timidement demandé si je n'en avais débouché qu' « une » !*
*Max Chapoutier, à Tain-L'Hermitage.*

* Association Amicale des Amateurs d'Andouillettes Authentiques

# Riz à la tomate fraîche et aux queues de jeunes porcs

Il faut disposer de deux bonnes heures pour confectionner ce plat, mais il en vaut la peine.

*Pour 4 convives :*
**8 petites queues de porcs jeunes**
**2 belles tranches de jambon de campagne (non fumé)**
**2 beaux oignons dont 1 émincé**
**et l'autre piqué d'1 clou de girofle**
**3 gousses d'ail émincées**
**2 carottes**
**2 branches jaunes de céleri**
**6 belles tomates bien mûres**
**1 verre de vin blanc sec**
**(gaillac ou graves, ou de vin jaune ou blanc !)**
**1 verre de montilla (Tio Pepe)**
**100 g de parmesan râpé**
**50 g de beurre**
**1 cuillerée d'huile d'olive**
**10 coups de râpe de noix muscade**
**1 clou de girofle**
**riz et citron**
**sel, poivre au moulin**

*Préparation :*
Rasez les queues de porc s'il reste des poils.

Pochez-les 3 à 4 minutes dans l'eau bouillante citronnée.

Hachez l'ail et l'oignon avec le jambon découpé en petits carrés. Réservez-les.

Pochez les tomates dans une casserole d'eau bouillante pour mieux les peler.

Pressez-les pour ôter les pépins, coupez-les en petits cubes ou hachez-les.
Réservez.

Dans une marmite, mettez 2 bons litres d'eau froide en y ajoutant les queues de porc, l'oignon piqué d'1 clou de girofle, les carottes et le céleri coupés en morceaux. Laissez bouillir 1 heure à feu moyen.

Au bout de 30 minutes de cuisson, ôtez les queues de porc du bouillon et coupez-les en 3 morceaux chacune.

Passez le bouillon au tamis et réservez-le au chaud dans une casserole.

Dans une cocotte, mettez le beurre et l'huile, faites rissoler le jambon, l'ail et l'oignon 3 minutes à feu doux. Ajoutez les queues de porc que vous laissez colorer 3 minutes encore en mélangeant bien. Ôtez les queues, réservez-les.

Versez alors le vin blanc dans la cocotte, montez le feu et faites réduire jusqu'à 8/10 d'évaporation. Ajoutez la tomate et laissez fondre à feu doux pendant 1/2 heure.

Salez, ajoutez la muscade râpée. Mélangez bien le tout, ajoutez à présent les queues de porc, le riz, la montilla et mélangez bien à la cuillère en bois.

Ajoutez 3 louches de bouillon pour la cuisson du riz qui doit s'effectuer à feu doux.

Rajoutez du bouillon si cela vous paraît nécessaire mais ne laissez pas trop cuire le riz non plus. Goûtez-le.

Incorporez alors le parmesan râpé et amalgamez-le bien au riz.

Couvrez la cocotte. Laissez reposer 2 minutes votre plat, 6 tours de moulin à poivre et servez-le tout chaud.

*Il se déguste à peine frais, il sent un peu le tilleul et le foin coupé et sa saveur fait penser aux cerises bien mûres. C'est un **Mâcon Villages** 1985 de chez **Georges Dubœuf** qui a escorté efficacement ces queues de porcs hautes en couleurs.*

# Saucisson de Lyon chaud aux pommes de terre en vapeur arrosées de vinaigrette à l'huile de noix

Nous avons la chance d'avoir un tonton (ancien maître queux s'il vous plaît !) qui habite l'Auvergne et qui produit lui-même artisanalement quelques dizaines de litres d'huile de noix dont il me réserve une partie de la toute première pression. Les salades vertes ou de légumes (haricots blancs frais) en bénéficient d'une saveur exceptionnelle. Merci tonton Jacques !

Si vous avez la chance vous aussi d'avoir de la bonne (et fraîche) huile de noix et si vous savez où dénicher un bon saucisson à cuire, essayez de faire ce plat simple, il est incomparable.

**Pour 5 convives :**
**1 beau saucisson de Lyon à cuire**
**de 600 à 700 g**
**7 ou 8 pommes de terre roses (Roseval)**
**Choisissez-les moyennes et à peu près d'égal calibre en fonction de la cuisson vapeur**
**1 cuillerée à soupe de bon vinaigre de vin**
**1 cuillerée à café de moutarde de Dijon**
**1 cuillerée à soupe d'huile d'arachide**
**3 cuillerées à soupe d'huile de noix**
**sel, poivre gris au moulin**

*Préparation :*
Mettez 2 litres d'eau dans votre cuiseur-vapeur.

Placez sur la grille inférieure, le saucisson à cuire coupé en rondelles de 2 centimètres d'épaisseur.

Dans le compartiment supérieur, placez les pommes de terre non pelées après les avoir lavées.

Laissez cuire 25 à 30 minutes.

Mettez le vinaigre et le sel dans un bol, mélangez bien à la cuillère en bois afin de le laissez dissoudre. Ajoutez la moutarde, mélanger bien, puis les huiles et le poivre au moulin.

Ôtez le saucisson et les pommes de terre de la grille où ils ont cuit. Pelez les pommes de terre, coupez-les en rondelles. Mettez-les dans un saladier avec les tranches de saucisson par-dessus.

Arrosez le tout avec la vinaigrette.

*Qu'il est bien réussi ce **Saint-Véran blanc** 1985 dernier né de la région mâconnaise !*
*Il est fait pour souligner toutes les saveurs du saucisson chaud lyonnais. Entre voisins !...*
*Il fleure bon la fougère et le chèvrefeuille, ses saveurs fruitées sont bien équilibrées. M. Paul Beaudet, de grâce, continuez de nous réjouir la boîte à baisers !*
*Paul Beaudet Pontaneveaux à La Chapelle-de-Guinchay.*

197

# Foie de veau à ma façon

Je mitonne de temps en temps ce plat vite fait pour mon fils Alain, car il est le seul de la famille à apprécier la cuisson rosée telle que je la pratique, ainsi que les saveurs particulières qui le singularisent.

*Pour 4 convives :*
**1 beau foie de veau d'environ 500 à 600 g**
**3 belles gousses d'ail**
**1 cuillerée à soupe d'huile d'arachide**
**1 cuillerée à soupe de beurre**
**1 cuillère à soupe de bon madère**
**1 cuillerée à soupe de bon vinaigre de vin**
**1 petite cuillerée à soupe de miel**
**1 pointe de piment de Cayenne en poudre**
**1 bouquet de persil simple haché**
**sel de mer mou, poivre**

*Préparation :*
Faites chauffer doucement au four, le plat de service.

Découpez le foie en 4 tranches égales qui seront plutôt épaisses (1,5 à 2 centimètres).

Dans une grande sauteuse (ou une grande poêle) (la sauteuse est préférable), faites chauffer à feu moyen l'huile et le beurre jusqu'à ce qu'ils grésillent sans fumer.

Saisissez les tranches de foie dans le beurre chaud, puis baissez le feu et laissez cuire à feu doux 4 à 5 minutes sur chaque face. Il faut stopper le feu lorsque le foie est rosé mais non cru.

Ôtez les tranches de la sauteuse, salez-les partout, et mettez-les dans le plat chaud au four, éteignez le four.

Dans le même beurre de la sauteuse, faites revenir l'ail que vous aurez coupé en fines lamelles dans le sens de la largeur (important) ceci durant 2 minutes à feu doux, puis jetez en pluie le persil.

Ajoutez le vinaigre et déglacez le jus des foies au pinceau. Ajoutez le miel et le madère, salez légèrement.

Mettez le piment en poudre.

Laissez réduire (sans bouillir) durant 5 minutes à petit feu.

Ôtez le plat du four et versez la sauce sur les tranches de foie.

Ce plat s'accompagne très bien de cœurs de céleri cuits 5 minutes à la vapeur, sautés au beurre, salés, poivrés et arrosés d'un filet de citron.

*Avec ce foie de veau singulier, nous avons apprécié un*
**Chiroubles** *85 au sortir de la cave, légèrement frais.*
*L'inévitable parfum de violette précédait ces saveurs de cerise mûre et de cassis qui le caractérisent.*

*Tout comme la môme Mistinguett au Casino de Paris, il est bien descendu !*
*A mon humble avis, amateurs de* **Beaujolais,** *ce vin me semble faire partie des tout meilleurs chiroubles qu'on puisse trouver.*
*Chez Jean Barronat.*
*Les Bruyères, Gleize, à Villefranche-sur-Saône.*

# Foie gras truffé dans la cendre

*Il vous faut :*
1 foie d'oie frais de 800 g à 1 kg
3 truffes
4 feuilles de papier sulfurisé ou d'alu
sel, poivre

*Peut-on vraiment inclure ce plat dans le chapitre des abats !*

A déguster dès les premiers froids !

Faites un grand feu de bois (dans votre maison à la campagne si vous le pouvez, bien sûr !).

Afin d'obtenir au moins la hauteur de 30 centimètres de cendre, quelques fagots de sarments de vigne sont l'idéal !

Le choix du foie est très important, sachez d'où il vient, achetez-le artisanal.

Ôtez d'abord toute trace de fiel, la fine peau qui enserre les lobes et tous les filets sanguins.

Salez-le légèrement à la main partout.

Posez-le alors sur une large et fine barde de lard.

Émincez au couteau 3 belles truffes noires dont vous disposez les lamelles sur le dessus et les côtés du foie.

Fermez les bardes en les réunissant au sommet du foie afin qu'il soit totalement emprisonné de lard.

Enveloppez le tout d'au moins 4 feuilles de papier sulfurisé en différant le sens des feuilles, ce qui évitera de perdre le précieux jus, plus 2 autres par-dessus, bien fermées de papier alu.

Enfouissez-le alors sous la cendre brûlante, la braise seule le cuira en une petite heure.
Pour les tristes qui n'ont pas de cheminée mais peuvent tout de même s'offrir foie gras frais et truffes, 4 à 5 feuilles de papier sulfurisé et d'alu, et un four remplaceront la cuisson sous la cendre.

*Le **Montrachet** de **René Fleurot,** ça ne se raconte pas! C'est certainement l'un des meilleurs grands vins blancs du monde. C'est aussi l'un des plus aromatiques qu'on puisse humer. Il sent la fleur, le miel et la cannelle. Il est onctueux, rond en bouche, je n'ai jamais vu quelqu'un lui résister dans un dîner. Le charme à l'état pur, une sorte de Diva, quoi!*

Médaille d'Or
Mâcon 1970

Médaille d'Or
Paris 1956

# LE MONTRACHET

*APPELLATION CONTROLÉE*

*Année 1969*

**RENÉ FLEUROT - DOMAINE FLEUROT-LAROSE**

PROPRIÉTAIRE A SANTENAY, COTE-D'OR

*MISE EN BOUTEILLE AU DOMAINE*
IMP. HÉRY & GRANJON - BEAUNE

# Crêtes de coq aux pleurotes « rognons » * de coq et gésiers

Ce sont les fameux « rognons et crêtes de coq » de mon ami Chapel qui m'ont inspiré cette recette.
Le mariage avec les pleurotes et gésiers confits m'a paru heureux et les copains ont l'air d'aimer...

*Pour 4 convives :*
**une dizaine de « rognons blancs » de coq**
**8 crêtes de coq**
**300 g de pleurotes**
**5 gésiers de poulet ou (mieux)**
**2 gésiers confits d'oie confits**
**1 tomate**
**2 cuillerées à soupe de vieux madère**
**2 oignons émincés**
**4 échalotes émincées**
**3 gousses d'ail (ciselé)**
**50 g de beurre**
**1 cuillerée à soupe d'huile d'arachide**
**1 cuillerée à soupe d'huile d'olive**
**1 bouquet garni**
**2 belles cuillerées à soupe**
**de crème fraîche fleurette**
**citron**
**gros sel moulu**
**poivre au moulin**

*Préparation :*
Après les avoir lavées, faites bouillir les crêtes de coq 25 minutes dans de l'eau citronnée.

Pendant ce temps, faites revenir en cocotte, dans le beurre et les huiles mélangées, les oignons et les échalotes, laissez colorer quelques minutes, ajoutez l'ail et le bouquet garni.

Rajoutez les pleurotes (débarrassées de leur eau dans une poêle sans matière grasse). Coupez-les en 2 ou 3 morceaux si elles sont trop grosses.

Ajoutez les « rognons blancs ».

Faites revenir le tout 10 bonnes minutes en remuant à la spatule en bois. Diminuez le feu.

Mettez dans la cocotte les gésiers de poulet (ou d'oie) émincés.

Égouttez les crêtes de coq bouillies, puis ajoutez-les dans la cocotte avec gésiers, pleurotes, rognons et la chair d'une tomate (pelée et épépinée) coupée en petits cubes.

Versez sur le tout 2 cuillerées à soupe de madère. Couvrez. Laissez mijoter à feu très doux un bon quart d'heure après avoir légèrement salé (les gésiers confits le sont déjà) et 6 tours au moulin à poivre.

Ajoutez enfin, 2 minutes avant de servir et mêlant bien le tout à la spatule, 2 cuillerées à soupe de crème fleurette.

Goûtez. Rectifiez l'assaisonnement si besoin et servez chaud.


*Le **Chasse-Spleen** et le **Château Brillette** sont les deux moulis (**Bordeaux-Médoc**) qui me bottent le plus. Ce dernier qui fleure bon la reine-claude gorgée de soleil est rempli de saveurs subtiles, élégantes.*
*Si vous n'avez pas encore rafraîchi votre toboggan..., c'est Mme Monique Berthault qui élève douillettement ce beau cru. Moulis-en-Médoc à Castelnau-de-Médoc.*

\* *Attributs virils du volatile.*

# Ris, cœurs et foies d'agneau en persillade

*Pour 6 convives :*
3 ris, 3 cœurs, 3 foies
6 gousses d'ail
1 beau bouquet de persil simple frais
2 cuillerées d'huile d'olive
2 cuillerées d'huile de tournesol
1 grosse noix de beurre
le jus d'un citron
1/2 verre de vin blanc sec
1/2 morceau de sucre
2 pieds de céleri bien tendres
2 brins de thym
sel, poivre

*Préparation :*
1 heure avant, mettez les ris à dégorger dans 1 litre d'eau salée et 2 cuillerées de vinaigre.

Lavez les pieds de céleri et ne gardez que les branches les plus tendres et le cœur jaune.

Découpez-les en bâtonnets de 5 centimètres.
Fendez-les en deux en longueur et mettez-les à cuire 1/4 d'heure à la vapeur dans le couscoussier.

Séchez les ris au torchon, ôtez la peau et coupez-les en gros dés.

Partagez les foies en 2.

Coupez les cœurs en 4.

Mettez à chauffer doucement les huiles dans une sauteuse.

Salez et poivrez les ris et les cœurs, émiettez le thym et faites revenir en tournant. Au bout de 10 minutes, ajoutez les foies (sans les saler) et répandez dessus l'ail coupé en fines lamelles, laissez cuire 5 minutes en mélangeant bien.

Avec l'écumoire, ôtez tous les morceaux de la sauteuse (l'ail y compris) et réservez-les dans un plat chaud.

Déglacez le fond de la sauteuse avec le jus de citron, le vin blanc et le demi-morceau de sucre.

Laissez réduire 1 minute, ajoutez le céleri et mélangez bien.

Posez ensuite par-dessus le céleri, les ris, les cœurs, le foie (que vous salez légèrement), l'ail cuit et le persil finement haché. Couvrez. Laissez encore 5 minutes couvert sur le feux doux et servez dans un plat chaud avec le céleri autour. Poivrez au moulin.

*Le **Château-Sergant** a la robe chaude d'une courtisane royale et la saveur de ses baisers, c'est un bordeaux rouge. **Lalande de Pomerol,** il est charnu, rond en bouche et développe très nettement des saveurs de caramel et de vieux bois. Nous avons fait sa fête à une betterave de 79 (un magnum en l'occurrence !) qui nous escorta gentiment jusqu'à un superbe cantal au goût de noisette que m'avaient gentiment expédié (de chez un petit paysan) mes amis Cobelt d'Aurillac.*

# Foies et rognons de lapin au vinaigre et aux jeunes cardons

Faites réserver à votre gentil marchand de volailles cinq ou six beaux foies et une douzaine de rognons de lapin.

*Pour 4 à 6 convives :*
**700 à 800 g de cardons très tendres**
**2 cuillerées à soupe d'huile d'olive**
**1 noix de beurre**
**1/2 verre de vinaigre de vin**
**1/2 verre d'eau**
**2 sucres de canne**
**sel, poivre**

*Préparation :*
Faites cuire à la vapeur les cardons en morceaux dans un couscoussier.

Quand ils sont cuits, égouttez-les bien au torchon et placez-les dans une sauteuse où vous aurez fait doucement chauffer la moitié du beurre et de l'huile.

Salez et faites-leur prendre une belle couleur en les tournant à la spatule.

Après 10 minutes retirez-les, mettez-les dans un plat. Gardez-les au chaud dans le four.

Rajoutez le reste d'huile et de beurre dans la sauteuse. Laissez-les chauffer doucement et faites saisir les foies (sans les saler !). Augmentez le feu légèrement s'ils sont épais, laissez-les à peine 3 à 4 minutes de chaque côté. Il faut qu'ils soient cuits à cœur et moelleux.

Ne mettez les rognons dans la sauteuse que lorsque vous retournerez les foies.

Salez le tout légèrement, poivrez et ôtez foies et rognons de la sauteuse.

Versez alors d'abord le vinaigre dans le fond de la sauteuse pour déglacer, puis rajoutez le demi-verre d'eau au vinaigre et les morceaux de sucre.

Augmentez un peu le feu et laissez réduire en frottant le fond 2 à 3 minutes environ.

Retirez du four le plat de cardons gardé au chaud, posez par-dessus les foies et rognons et arrosez le tout du jus déglacé de la sauteuse.

Dès l'arrivée des premiers cardons, je me régale souvent de ce plat dont je suis très friand.

*La famille Pauty élève son **La Grâce de Dieu (Saint-Émilion** sublime !) avec autant d'attention que les vendangeurs du Château-d'Yquem apportent à choisir les « bons » grains de leur sublime cru.*

*On ferme les calots en le dégustant et Schéhérazade vous invite à faire une descente à la cave... Qui dit mieux ?*

# Andouillettes à ma façon

Il est indispensable de se procurer des andouillettes de grande qualité. Hormis deux ou trois petits charcutiers de campagne dont je garde jalousement l'adresse, je peux tout de même vous conseiller les andouillettes
l'on arrive à trouver chez les bons marchands.

*Pour 6 convives :*
**6 belles andouillettes (ou plus si vous adorez ça)**
**200 g d'échalotes grises**
**250 g de rosés des prés**
**(ou à défaut de champignons de Paris)**
**50 g de beurre**
**2 cuillerées à soupe d'huile d'arachide**
**1 petit verre de bon armagnac**
**3 grands verres à moutarde de vin blanc de vouvray**
**Sel et poivre au moulin**

*Préparation :*
Dans un petit plat correspondant à leur volume, placez les andouillettes que vous piquez en 2 ou 3 endroits chacune. Arrosez-les avec l'armagnac et 1 verre de vin blanc. Laissez macérer une dizaine d'heures en les retournant 3 ou 4 fois si possible. 1 h 1/2 avant le repas, hachez les échalotes après les avoir pelées.

Nettoyez et hachez grossièrement les champignons, puis mélangez les deux hachis et disposez-les au fond d'un plat à four correspondant au volume des andouillettes.

Sur le lit de hachis, placez les andouillettes côte à côte après les avoir sorties de leur marinade.

Arrosez-les de beurre, d'huile et mouillez du reste du vin blanc (2 grands verres).

Salez, poivrez de 8 tours de moulin.

Mettez le plat dans le four doux (préchauffé), laissez cuire doucement après avoir couvert d'un papier alu durant 3/4 d'heure en les retournant à mi-cuisson.

Si le lit d'échalotes et champignons s'est un peu trop desséché, ajoutez 1/2 verre de vin blanc allongé d'un peu d'eau. (Ôtez le papier d'alu 7 minutes avant la fin de cuisson afin de bien laisser dorer.)

Vous pouvez servir ce plat délicieux accompagné de pommes de terre rosa ou ratte cuites à la vapeur dans leur peau et ensuite pelées avant de les présenter toutes chaudes.

*Cet odorant **Vouvray** vêtu d'un superbe « maillot jaune » s'il n'est pas le tout premier, s'en approche tout au moins d'une courte « gorgée », il fleure bon le coing et la camomille et sa saveur est au palais ce que Vivaldi distille dans vos cages à miel \* ! choucard, non ? Notez son blaze : **Daniel Jarry** à Vouvray.*

*Voici ma manière préférée de les préparer et de les savourer*

---

\* *Note de l'éditeur : Oreilles.*

# Ris d'agneau en papillotes au vermicelle chinois sauté

*Pour 6 convives :*
**6 ris d'agneau**
**400 g de vermicelle chinois**
**2 cuillerées à soupe de sauce au soja**
**(vendue en bouteille dans toutes les boutiques de produits exotiques)**
**2 cuillerées à soupe de coulis de tomate**
**2 échalotes hachées menu**
**2 gousses d'ail hachées**
**2 brins de thym**
**1/2 feuille de laurier**
**6 feuilles de papier sulfurisé (ou d'alu)**
**pour faire les papillotes**
**3 à 4 cuillerées à soupe d'huile d'arachide**
**2 cuillerées à soupe de vinaigre de vin**
**sel, poivre**

*Préparation :*
Dans un plat, faites dégorger pendant 1 heure les ris d'agneau dans de l'eau fraîche salée additionnée de 2 cuillerées à soupe de vinaigre de vin.

Faites chauffer le four.

Dans une sauteuse ou une poêle, faites revenir doucement les échalotes jusqu'à les faire blondir.

Ajoutez ensuite l'ail (à cuire 10 secondes avec l'échalote).

Mêlez-y alors le coulis de tomate, le thym et le laurier.

Ajoutez 1/2 verre d'eau et laissez frémir à feu très doux pendant 10 minutes.

Pendant ces 10 minutes, mettez les petits écheveaux de vermicelle à cuire à la vapeur.

Ôtez les ris de l'eau froide. Séchez-les au torchon. Découpez-les en dés et placez-les chacun dans une papillote bien huilée intérieurement après les avoir salés et poivrés.

Vous pouvez donner à la papillote la forme d'un chausson aux pommes en pinçant bien les bords.

Mettez les papillotes au four chaud dans un plat huilé et

beurré. (Les papillotes doivent être aussi huilées au pinceau extérieurement.)

Laissez-les ainsi 3/4 d'heure dans le four doux.

Pendant ce temps, vous mettrez dans une poêle (ou mieux une sauteuse) huilée et beurrée le vermicelle (déjà cuit à la vapeur) à sauter 5 minutes en le tournant à la cuillère.

Ajoutez ensuite par-dessus le coulis chaud (que vous passez au chinois) et les 2 cuillerées de sauce soja.

Mélangez bien et laissez encore 15 minutes sur le feu doux. Couvrez. Rajoutez 1/2 verre d'eau au besoin.

Servez les papillotes avec le vermicelle bien chaud. C'est un régal.

*Pour ce plat « amusant » dégusté entre potes, j'ai essayé un* **Saint-Nicolas-de-Bourgueil** *1982. Il aurait pu attendre deux ou trois piges de mieux.*
*Il fleurait bon le pruneau et s'avérait puissant en bouche.*
*Vous l'apprécierez certainement un peu plus vieux.*
*M. Joël Taluan, au* **Domaine de la Chevrette,**
*Saint-Nicolas-de-Bourgueil.*

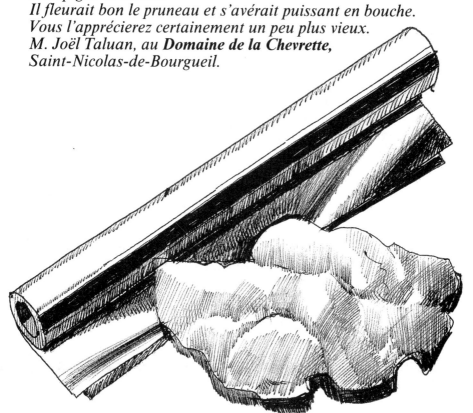

# Rognons et ris de veau aux morilles

La morille !

J'adore la morille. Je ne suis pas le seul. Louis XIII en était fou, il en faisait paraît-il des chapelets qu'il mettait à sécher dans sa chambre tant il en aimait également le parfum !

**Pour 6 convives :**
**1 beau rognon de veau**
**500 g de ris de veau**
**100 g de beurre**
**2 belles cuillerées d'huile d'arachide**
**ou de tournesol**
**300 g de morilles séchées**
**(ou fraîches, bien sûr !)**
**4 échalotes hachées menu**
**1/2 verre à moutarde de vieux madère**
**2 brins de thym**
**2 cuillerées à soupe de crème fraîche (fleurette)**
**sel, poivre**

*Préparation :*

Il faut d'abord avoir fait dégorger les ris dans l'eau froide salée, vinaigrée pendant quelques heures.

Mettez les morilles à tremper dans un saladier d'eau tiède. (Inutile si elles sont fraîches bien sûr !)

Ôtez la graisse du rognon et réservez-la dans un bol.

Coupez les morceaux de rognon en dés de 2 centimètres environ.

Mettez une grosse casserole d'eau à chauffer et plongez les ris dans l'eau bouillante pendant trois minutes. Les membranes et parties nerveuses s'enlèveront mieux ensuite.

Mettez la moitié du beurre et une cuillerée d'huile dans une sauteuse que vous chauffez doucement.

Nettoyez et coupez les ris en cubes puis mettez-les dans l'huile chaude en les tournant à la spatule jusqu'à ce qu'ils se colorent.

Ôtez-les au bout de 3 ou 4 minutes avec une écumoire. Réservez-les.

Rajoutez dans la sauteuse le reste d'huile et de beurre que vous faites chauffer en y incorporant la graisse des rognons que vous laissez fondre doucement. Ôtez ce qui n'a pas fondu avec l'écumoire et saisissez les rognons pendant 1 à 2 minutes tout au plus en les tournant sans arrêt à la cuillère de bois.

Retirez-les bien rosés à cœur, mais bien colorés. Réservez-les dans le plat des ris.

Mettez les échalotes à blondir doucement pendant 3 à 4 minutes. Émiettez le thym par-dessus.

Ôtez-les avec l'écumoire. Réservez-les. Filtrez alors l'eau des morilles, versez-la dans la sauteuse et frottez à la cuillère de bois pour en décoller les sucs. Ajoutez le madère et laissez réduire 4 à 5 minutes à feu moyen.

Ajoutez la crème fraîche, les échalotes, les ris et les rognons. Salez. Poivrez. Laissez encore 2 minutes sur le feu et vous régalerez vos hôtes.

Ce plat est fort bien accompagné par un gratin de céleri-rave.

*Vous savez qu'il existe d'étonnants **Châteauneuf du Pape ?** Il en est même de sublimes. Celui-ci, qui était un 1981, bien équilibré sur le perchoir à frites \*, vous laisse d'abord sur le flanc par les formidables bouffées de thym, de fenouil et de girofle qu'il vous balance en plein tarbouif\*\*. Il fait fleurir la bonne humeur sur les babouines \*\*\* de tous les convives. Il a été (bien) élevé, au **Domaine de Cabrières** à Châteauneuf-du-Pape, par Louis Arnaud et ses enfants.*

*Note de l'éditeur : \* la langue ; \*\* le nez ; \*\*\* lèvres.*

Mon copain
Rémy Corraza
(à gauche), Maman, Papa,
ma pomme et mon frelot

# VOLAILLES
## Prêts, bardez !

Le marché à la volaille, ça se passait le jeudi à Castelsarrasin. Les paysans d'alentour y apportaient leurs œufs, poulets, canards, oies, pintades, pigeonnaux, dindons et lapins. Maman n'en laissait jamais passer un seul.

Elle choisissait d'abord les « bons paysans », ceux qui n'avaient que deux ou trois paires de poulets ou de pigeons, signe évident d'un petit élevage artisanal, en liberté, nourri au blé ou au maïs et non aux farines de poisson ou aux granulés.

Après avoir un peu « marchandé » (car celui qui ne marchande pas la volaille est regardé « bizarrement » par le paysan), Maman achetait (en ayant à coup sûr « fait une affaire » !) une paire de poulets, pigeonneaux ou pintades vivants, qu'elle saignait (en me demandant de l'aider !), recueillant le sang dans une assiette creuse pour faire cuire plus tard « la sanquette », plumait, vidait, flambait et gardait pour le dîner du lendemain afin de laisser reposer la viande.

A Castelsarrasin, je suis né « dans » la volaille ! Dans le Sud-Ouest, sans aucun chauvinisme, les poulets ou pigeons dont je me suis délecté durant des années valent largement (amis bressans n'en prenez pas ombrage !) les volailles de Bresse si bien vantées par des labels de qualité griffés sur des volatiles « finis au maïs ! ». Savoir vendre est aussi un art.

Il faut, pour qu'une volaille soit bonne, que la chair en soit ferme, onctueuse et goûteuse à la fois ; il ne faut surtout pas que les os se détachent tout seuls d'une chair molle et insipide.

Essayez, comme pour le pain, de dénicher le bon marchand soucieux de la qualité des produits qu'il vous vend.

L'un de mes potes, passionné de cuisine, a fini par ouvrir un petit restaurant où il ne proposait à ses clients que des produits le plus authentiques possible.

Son premier bide fut avec le poulet de grain légèrement ferme — et qu'est-ce qu'il était bon ! Il le rôtissait tout simplement et le servait entouré d'ails doux confits avec une tendre salade du jardin arrosée de jus du volatile. Un vrai délice.

« Ils ont fait la guerre, vos poulets ! » s'entendit-il dire par un « afficionado » du poulet « MacDonald's ». Sa malheureuse expérience s'arrêta ce jour-là, écœuré (peut-être un peu trop vite) par ce genre de client à qui on a affaire, hélas ! de plus en plus un peu partout. Il en est d'autres, fort heureusement, qui apprécient. Si vous êtes de ceux-là...

# Poulet au piment et patates douces

*Pour 4 à 6 convives :*
**1 jeune poulet fermier**
**de 1,500 kg à 2 kg**
**8 citrons verts antillais ou limes**
**1 pincée de noix de muscade**
**1 petit piment vert de Martinique haché**
**800 g à 1 kg de patates douces**
**(on trouve tous ces produits**
**dans les boutiques exotiques)**
**beurre, huile d'arachide**
**sel**

*Préparation :*
Une heure avant de faire cuire le poulet, coupez-le en morceaux, salez-le, mettez-le dans un plat creux avec la moitié du piment (ne vous frottez pas les yeux en enlevant les pépins), le jus de 4 citrons et la pincée de muscade. Imprégnez bien tous les morceaux.

Avant de préparer le poulet, mettez les patates douces à cuire à la vapeur 30 minutes.

Après macération d'une 1/2 heure, séchez dans un torchon les morceaux de poulet. Placez-les au fond d'une cocotte en fonte dans l'huile et le beurre déjà bien chauds.

Faites bien colorer les morceaux 8 à 10 minutes, et ôtez-les de la cocotte. Réservez-les.

Lorsque les patates douces sont cuites (testez avec la pointe d'un couteau), pelez-les, coupez-les en morceaux et faites-les revenir doucement dans l'huile du poulet en y ajoutant le jus des citrons restants et la deuxième moitié du piment. Couvrez 5 minutes environ.

Rajoutez ensuite sur les patates les morceaux de poulet. Refermez le couvercle à moitié. Laissez très doucement frémir 20 bonnes minutes et présentez le poulet et les patates dans un plat très chaud.

C'est original, facile à faire et délicieux.

*Le vin rosé ne me fait généralement pas sauter au plafond ! Il en est pourtant quelques-uns qui, bien choisis, vous offrent d'agréables surprises. Ceux des* **Coteaux d'Aix, de Bandol** *ou des* **Coteaux du Luberon** *en sont un exemple. Certains varois également ; j'ai choisi de boire frais avec ce « poulet exotique » un vin rosé* **Château de Beaulieu** *85 qui, bien que très sec, évoque sous la menteuse les pétales de rose et le tilleul.*

# Lapin à la tomate et au cœur de céleri

Un plat simple dont je suis très gourmand que Maman nous faisait souvent. La cervelle (bien que petite) et les joues étaient les plus convoitées, et Papa les partageait équitablement entre mon frère Jean-Claude et moi qui en étions si friands.

*Pour 4 convives :*
**1 jeune lapin d'1 kg**
**4 gousses d'ail hachées**
**2 échalotes hachées**
**1 bouquet garni**
**4 belles tomates**
**1 pointe de paprika**
**2 cuillerées à soupe d'huile d'arachide**
**2 cuillerées à soupe d'huile d'olive**
**tout le jaune et les branches les plus tendres**
**d'un beau pied de céleri**
**1 morceau de sucre**
**sel, poivre**

*Préparation :*
Découpez au couteau (en suivant les jointures) le lapin en 8 morceaux.

Pochez 2 minutes les tomates dans l'eau bouillante pour mieux les peler, épépinez-les et coupez-les en morceaux.

Coupez le céleri en petit bâtonnets.

Mettez à chauffer doucement les huiles dans une cocotte, sans les faire brûler. Faites saisir les morceaux de lapin et laissez-les colorer sur toutes les faces. Ôtez-les au bout de 8 à 10 minutes. Réservez-les dans un plat. Enlevez alors la moitié de l'huile de la cocotte.

Faites revenir dans le reste d'huile les échalotes, l'ail, le céleri, pendant 5 minutes en tournant à la cuillère en bois.

Ajoutez la chair à tomate, le bouquet garni, le sucre, le paprika et salez modérément.

Laissez mijoter à feu doux 15 bonnes minutes.

Incorporez les morceaux de lapin à la sauce, laissez cuire encore 15 minutes. Poivrez au moulin. Ôtez le bouquet garni et servez dans un plat bien chaud.

*Depuis quelques années, des efforts apportés à la vinification de « petits » vins en ont considérablement amélioré la qualité. Le **Lavilledieu rouge,** bien qu'assez dépourvu de « nez », est léger et très agréable à déguster.*
*Son prix est lui aussi prix plume, ce qui n'est pas du tout déplaisant.*

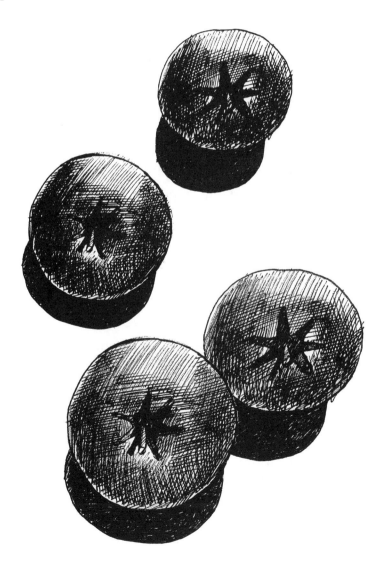

# Poularde aux morilles

*Pour 6 à 8 convives :*
une belle poularde de 2 kg au moins
500 g de morilles
1 os de veau
1 tranche de jambon de Bayonne
2 jaunes d'œufs
4 échalotes hachées
1 boule de mie de pain grosse comme un œuf
1 verre de vin jaune du Jura
3 foies de volaille
50 g de beurre
1/2 verre de lait
1 bouquet garni
1 cuillerée à soupe d'huile d'arachide
1 cuillerée à soupe d'huile d'olive
1 cuillerée à soupe de crème fraîche
sel, poivre au moulin

*Préparation :*
Nettoyez bien les morilles à l'eau claire après les avoir fendues en 2 car elles sont souvent sableuses.

Mettez 3 litres à 3 l 1/2 d'eau dans une haute marmite avec une cuillerée à soupe de gros sel et du poivre, la tête, le cou et les pattes (bien nettoyées) de la poularde ainsi que l'os de veau tronçonné et le bouquet garni. Mettez à cuire ce bouillon 1 h 1/2 sur un feu moyen, à couvercle fermé.

Pendant ce temps, coupez très menu le jambon et les foies de volaille, faites-en une boule de farce avec les jaunes d'œufs, la mie de pain et le lait. Salez, poivrez.

A l'aide d'un pinceau, enduisez entièrement la poularde d'huile d'olive. Salez et poivrez. Réservez-la.

Mettez l'huile d'arachide à chauffer dans une sauteuse avec le beurre et jetez-y les échalotes hachées. Laissez blondir 3 minutes après avoir baissé le feu.

Versez le verre de vin blanc et laissez cuire doucement 3 minutes de plus, ajoutez la crème fraîche et une louche de bouillon qui est en train de cuire. Mettez ensuite les morilles et laissez-les cuire à petits frémissements (sans bouillir) pendant un bon 1/4 d'heure. Stoppez le feu.

Videz le contenu de la sauteuse dans un chinois ou une

grande passoire. Recueillez la sauce dans un récipient. Réservez-la.

Farcissez la poularde avec des morilles coupées en 4 et la farce, et cousez bien l'orifice par lequel vous l'avez remplie.

Lorsque le bouillon est prêt, augmentez le feu à gros bouillons et plongez la poularde dans la marmite. Laissez-la cuire 1 h 1/2 à feu moyen (sans gros bouillonnements).

Faites réchauffer doucement la sauce des morilles dans une casserole pendant que vous découperez la poularde.

Servez, dans un grand plat chaud, les morilles et la farce autour de la poularde. La sauce sera servie à part dans une saucière.

C'est une préparation un peu plus longue que la moyenne des plats que je mitonne habituellement, mais c'est un vrai plat de fête, et la qualité des ingrédients en vaut la peine.

*Cette étonnante poularde appelait une bouteille exceptionnelle, nous l'avons accompagnée avec le plus prestigieux des **vins blancs du Jura** : un **Château-Chalon** 1969. L'émotion était au rendez-vous.*

*Les morilles sont tellement rares qu'elles méritent cette préparation*

# Lapin à la moutarde

*Pour 6 convives :*
**Il faut un lapin d'au moins 2 kg, car on ne conserve que les cuisses arrière et les râbles découpés aussi haut que possible.**

Enduisez-les bien de moutarde brune (moutarde Louit, publicité gratuite !), car la moutarde de Dijon et la moutarde anglaise ne conviennent pas. Garnissez bien tout l'intérieur de l'estomac. Ne la plaignez pas ! et laissez le lapin s'en imprégner toute la nuit.

**Il vous faudra encore :**
**200 g de crème fraîche fleurette**
**2 bardes de lard**
**1 bouquet garni**
**1 oignon piqué d'un clou de girofle**
**2 carottes**
**1 poireau**
**1 verre de vin blanc**
**50 g de beurre**
**sel, poivre**

*En s'y prenant la veille, il est dix fois meilleur*

Le lendemain, mettez à cuire dans une marmite pendant 1 h 1/2 à feu vif, couvercle mi-fermé, le haut du lapin (pattes avant, épaule et tête), un oignon fendu en 2, les carottes, le poireau, le bouquet garni, un verre de vin blanc, un litre d'eau, sel et poivre. Vous obtiendrez ainsi un très bon fumet pour la sauce, en la laissant réduire de moitié.

Bardez le lapin moutardé avant de le mettre au four bien chaud dans un plat beurré.

La cuisson dure 35 minutes, four réglé à feu moyen.

Lorsqu'elle est terminée, otez le lapin du plat. Jetez la graisse fondue et versez dans le plat 2 grands verres de fumet, la crème fraîche et 1 cuillerée à café de moutarde. Mélangez en frottant bien le fond au pinceau. Faites chauffer sur un feu doux sans laisser bouillir.

Goûtez l'assaisonnement. Rectifiez au besoin.

Découpez le lapin, arrosez-le de la sauce filtrée à travers le chinois.

C'est la meilleure façon que je connaisse d'apprêter le lapin à la moutarde.

Pendant la cuisson du lapin, vous pouvez faire cuire des épinards en branches 10 minutes à la vapeur.

Vous les servirez avec une noix de beurre et un peu de sauce de lapin. Ça vous fait voir la vie sous un autre angle.

*Ce lapin si onctueux à déguster ne pouvait s'accorder qu'avec un cru du même type. J'avais choisi un Bordeaux rouge, un **Saint-Estèphe Calon-Ségur** 70, puissant, qui fleurait bon la mûre et dont la couleur de la robe était un plaisir pour les mirettes, il n'en est pas resté beaucoup dans sa carafe de décantation.*

# Pigeonneaux rôtis au four entourés de salsifis

*Pour 6 convives :*
**6 pigeonneaux bien tendres**
**800 g de salsifis**
**3 brins de thym**
**3 gousses d'ail pelées**
**1/2 verre d'huile d'arachide**
**100 g de beurre clarifié**
**1 verre de bouillon**
**sel, poivre**

*Préparation :*
Faites chauffer le four.

Pendant ce temps, grattez les salsifis, coupez-les en 2 dans la longueur puis en bâtonnets de 5 à 6 centimètres. Faites-les cuire 1/4 d'heure à la vapeur.

Coupez l'ail en tranches fines (en largeur) et introduisez 2 ou 3 lamelles dans chaque pigeonneau ainsi qu'une noix de beurre.

Salez et poivrez-les intérieurement et extérieurement, et badigeonnez-les d'huile et de beurre fondu. Émiettez le thym par-dessus.

Mettez le plat de pigeons au four et laissez-les rôtir (en badigeonnant au pinceau de temps en temps) 20 minutes en tout après les avoir retournés à mi-cuisson.

Ôtez-les du plat. Réservez-les.
Déglacez les sucs au pinceau avec un grand verre de bouillon.
Achevez la cuisson des salsifis dans le jus des pigeons pendant 10 minutes.

Posez ensuite les pigeons sur un plat chaud.
Servez les salsifis à part dans leur jus.

*La vanille, la réglisse et le sous-bois, ce sont les senteurs que laisse échapper le **Château-Giscours** 79. Ce noble **Margaux** est un enchantement pour le palais et il ne fut pas surpassé tout au long du dîner par deux autres crus plus vieux et pourtant tout aussi prestigieux dont je tairai ici le nom par charité chrétienne !*
*Heureux propriétaire. Bravo, Pierre Tari !*

225

# Pigeons farcis
# aux trompettes de la mort

Farce improvisée un jour d'automne en revenant de cueillir des champignons dans les bois. Je comptais bien trouver des cèpes et j'ai ramené des trompettes de la mort.

Quatre copains venaient dîner le soir à la maison. J'avais prévu des pigeons sans avoir encore bien décidé de quelle manière j'allais les accommoder.

Voici donc ce que j'ai proposé à mes « cobayes » consentants.

*Pour 6 convives :*
**3 beaux pigeons bien tendres ou six pigeonneaux**
**3 crêtes de coq**
**2 artichauts**
**250 g de trompettes de la mort**
**(ou de girolles à défaut ou de champignons de Paris !)**
**1 tranche de 50 g de jambon de Bayonne**
**2 jaunes d'œufs**
**2 échalotes hachées**
**1 petit bouquet de persil simple**
**1 boule de mie de pain rassis grosse comme un œuf**
**1 cuillerée à soupe de crème fraîche**
**1 cuillerée à soupe d'huile d'arachide**
**2 cuillerées à soupe d'huile d'olive**
**sel, poivre au moulin**

*Préparation :*
Faites chauffer le four. Pendant ce temps, sur la grille supérieure d'un cuiseur-vapeur, mettez vos 2 artichauts ainsi que les crêtes de coq.

Remplissez le compartiment de base de 2 litres d'eau. Laissez cuire les artichauts 25 minutes et 20 minutes de plus pour les crêtes de coq.

Sur la grille inférieure de votre cuiseur-vapeur, placez la tranche de jambon durant 10 minutes afin qu'elle se dessale et s'attendrisse.

Pendant ce temps, fendez en 2 les trompettes de la mort, lavez-les bien car elles sont souvent terreuses à l'intérieur. Séchez-les au torchon. Hachez-les menu, ainsi que la boule de mie de pain et le persil.

Cassez les œufs. Ne gardez que les jaunes dans un bol.

Ôtez la tranche de jambon (qui doit être amollie) et hachez-la menu.

Mettez le tout dans un saladier et ajoutez la crème fraîche, dans une poêle faites revenir les échalotes dans 1 cuillerée d'huile d'arachide pendant 10 minutes, à feu doux. Mélangez-les aux ingrédients du saladier.

Lorsque les artichauts sont cuits, ôtez les feuilles et le foin. Découpez-les en bâtonnets fins et hachez-les en petits cubes de la grosseur d'un pois chiche.
Mettez-les dans le saladier.

Hachez menu les crêtes de coq que vous ajoutez dans le saladier.

Mélangez bien le tout de façon à rendre la farce homogène. Au besoin, mouillez d'1 cuillerée de lait cru. Salez légèrement. Poivrez bien.

Farcissez les pigeons et badigeonnez-les extérieurement d'huile d'olive. Posez-les sur le dos dans un plat à four au fond duquel vous aurez versé l'huile qui vous reste. Salez et poivrez.

Mettez-les dans le four très chaud réglé sur thermostat 8. Au bout de 6 à 7 minutes, recouvrez d'un papier d'alu et baissez la température du four (thermostat 6).

La cuisson dépendra de la nature des pigeons. Si ce sont des pigeonneaux très tendres, 15 à 20 minutes suffisent. Si ce sont de gros pigeons, comptez 30 minutes de cuisson.

Ôtez le papier d'alu 5 à 6 minutes avant la fin de cuisson afin qu'ils dorent bien. Tournez-les sur toutes les faces. Arrosez-les souvent au pinceau avec le jus de cuisson.

Partagez en 2 les gros pigeons ainsi que la farce, sinon servez les petits pigeonneaux entiers dans un plat chaud à vos convives.

*Ce plat délicat et aromatique fut dégusté avec un* **Mouton-Rothschild** *1973. Il est discret, élégant et son arôme, qui évoque la truffe, n'est pas du tout en désaccord avec celui des « trompettes de la mort » qui rappelle si bien l'odeur du sous-bois. Un bien heureux marida !*

# Poulet de grain rôti à l'ail
# et aux cœurs de pissenlits

Dans cette « France profonde », comme on dit, que je commence à connaître pour l'avoir sillonnée en tous sens, on a encore le privilège, en certains lieux tout au moins, de trouver de bons produits.
Ceux qui y habitent et qui ont cette chance savent de quoi je parle quand j'évoque un « bon poulet de grain ».
Ne soyons pas injustes, on en trouve aussi à Paris. Encore faut-il s'en donner la peine.
Ce plat est tout simple. Je ne vous apprendrai pas à faire un poulet rôti.
Faut être doué pour le rater, comme dit l'autre !
Voici comment on peut l'améliorer :

*Pour 6 convives :*
**1 beau jeune poulet de grain d'1,500 kg**
**30 belles gousses d'ail**
**1 kg de pissenlits**
**100 g de lard maigre**
**1 cuillerée à soupe d'huile d'olive**
**2 cuillerées à soupe de vinaigre**
**1 verre d'huile d'arachide**
**1 bouquet garni**
**sel, poivre au moulin**
**le jus d'1/2 citron**

*Préparation :*
Faites chauffer le four (thermostat 8).
Dans un plat à four, enduisez le poulet sur toutes ses faces avec l'huile d'arachide. (Utilisez-la complètement.)

Salez-le. Donnez 8 tours de moulin à poivre.
Lorsque le four est très chaud, mettez le plat dedans et 10 minutes plus tard passez le thermostat sur 6.

Arrosez-le souvent. Passez-le au pinceau. Tournez-le au bout de 20 minutes et ajoutez les gousses d'ail légèrement écrasées, dans leur chemise. Le poulet doit être cuit (vérifiez) au bout de 40 à 45 minutes environ.

Pendant ce temps, mettez 3 litres d'eau à chauffer.

Nettoyez bien les pissenlits (il les faut très tendres).

Pochez-les 15 minutes dans l'eau bouillante citronnée.

Égouttez-les, finissez de les sécher dans un torchon, et mettez-les dans un grand saladier.

Quand le poulet est cuit, découpez-le, mettez-le dans le plat de service et tenez-le au chaud dans le four éteint.

Ôtez la moitié de l'huile du poulet qui reste et mettez les lardons à cuire dans le plat à four pendant 5 minutes sur un feu moyen. Versez le vinaigre et décollez les sucs au pinceau. Ajoutez l'huile d'olive. Goûtez la sauce et rectifiez au besoin l'assaisonnement. Versez toute la sauce bien chaude sur les pissenlits avec les gousses d'ail confites et les lardons. Tournez et mélangez bien. Les pissenlits préparés ainsi sont merveilleux.

Dégustez-les bien sûr... avec le poulet.

*Le bordeaux rouge 1ᵉʳ grand cru Saint-Émilion Château Canon tient une honorable et importante place dans ma cave.*
*Je suis notamment bien pourvu en années 1970 et 1971. C'est cette dernière que nous avons dégustée avec ce succulent poulet. Il sent le cacao et la vanille, et sa saveur évoque nettement le champignon des bois. Il est très long en bouche et il est très difficile, au cours d'un dîner, d'y faire succéder un cru qui offre autant de richesse.*

# Pintadeau au vinaigre

Encore une façon d'aborder le pintadeau par des saveurs un peu plus pointues que celles que nous offre ce délicat volatile dans son état à présent par son ancien (mais tout jeune) et talentueux chef. Il y mitonne par ailleurs des quenelles géniales ou des salades composées à faire blémir des « 3 étoiles » !

*Pour 6 convives :*
**3 pintadeaux de 600 à 700 g**
**2 très fines tranches de jambon de Bayonne**
**3 cuillerées à soupe de vinaigre de bon vin,**
**dont 1 de vinaigre de xérès**
**1 cuillerée à soupe d'huile d'olive**
**2 belles cuillerées à soupe de fond de veau**
**ou de jus de viande**
**6 champignons de Paris**
**ou, bien meilleur, des girolles fraîches**
**1 petit verre d'armagnac**
**150 g de beurre environ**
**6 feuilles d'estragon**
**sel, poivre**

*Préparation :*
Dans une petite casserole, faites fondre le beurre à feu doux et clarifiez-le.

Mettez les pintadeaux entiers dans une cocotte. Enduisez-les bien partout au pinceau à l'huile d'olive et de beurre clarifié. Salez et poivrez au moulin.

Flambez-les avec l'armagnac. Réservez-les.

Ajoutez le vinaigre dans la cocotte et frottez le fond au pinceau afin de bien déglacer.

Ajoutez alors le fond de veau (ou le jus de viande), le restant de beurre clarifié, le jambon coupé en petits dés, l'estragon et les champignons hachés.

Remettez les pintadeaux dans la cocotte. Arrosez-les bien. Couvrez et laissez cuire tout doux 20 minutes encore.

Découpez les pintadeaux en morceaux. Répandez la sauce par-dessus et servez très chaud.

Vous pouvez, comme on le sert « Chez Léa », accompagner

les pintadeaux d'un mince gratin dauphinois bien doré avec une pointe de noix de muscade. L'ensemble sera très « onctueux ».

*Relevé par cette pointe de vinaigre, ce pintadeau fut agréablement escorté d'un **Bourgogne rouge des Côtes de Nuits**, un **Morey-Saint-Denis 1er cru Les Sorbets** 1982. Il a des senteurs sauvagines et peut très bien convenir également à un plat de gibier. Bravo à Bernard Serveau et à ses lardons qui l'ont élevé et vinifié.*

# Jeunes poulets de grain aux courgettes et à l'ail nouveau

*Pour 6 convives :*
**2 à 3 jeunes poulets**
**de 700 à 800 g chacun environ**
**20 belles gousses d'ail nouveau**
**6 courgettes moyennes**
**1/2 verre d'huile d'arachide**
**1 cuillerée à soupe d'huile d'olive**
**sel et poivre au moulin**

*Préparation :*

Découpez les poulets en morceaux. Salez-les et poivrez-les bien partout.

Écrasez très légèrement les gousses d'ail entières dans leur peau.

Lavez et essuyez les courgettes dans un torchon. Découpez-les en gros dés sans les peler.

Faites revenir les morceaux de poulet à feu vif dans une poêle huilée des deux huiles ou de préférence dans une sauteuse.

Au bout de 10 minutes, quand ils commencent à se colorer, rajoutez l'ail entier.

Baissez le feu et laissez cuire 10 minutes encore en tournant avec une spatule.

Rajoutez par-dessus les courgettes que vous salez et poivrez légèrement (ne couvrez jamais).

Mélangez bien avec une cuillère et une fourchette.

Laissez cuire 10 minutes de plus à feu moyen.

A l'aide d'une écumoire, retirez tout de la sauteuse (en laissant l'huile au fond) et servez dans un plat bien chaud.

*Le parfum de violette qu'exhale un jeune et frais **Beaujolais de Quincié** vous séduira comme il m'a enchanté avec ce plat.*

# Poulet au vinaigre et au miel

*Pour 4 à 6 personnes :*
300 g de chair de poulet sans la peau,
découpée en cubes de 2 cm de côté environ
3 cuillerées à soupe de vinaigre chinois
1 cuillerée à soupe de sauce de soja
1 cuillerée à soupe de miel
2 cuillerées à soupe d'huile de tournesol
1 noix de beurre

*Préparation :*
Coupez 300 g de poulet en gros cubes, faites-les macérer
15 minutes dans du vinaigre chinois légèrement salé et une
cuillerée de sauce de soja.

Égouttez les morceaux et enduisez-les bien de miel partout.

Faites-les revenir à la poêle sur un feu moyen dans
2 cuillerées à soupe d'huile de tournesol et une noix de
beurre.

Faites vivement dorer les morceaux en les tournant.

Ôtez-les de la poêle et servez dans un plat chaud.

Cette préparation toute simple a tellement séduit notre amie
Thérèse, un jour à la maison, qu'elle l'a ajoutée sur la carte
du Tong-Yen (son célèbre restaurant chinois du rond-point
des Champs-Élysées). Je suis bien heureux de pouvoir ici
(perfidement) en informer ses clients !

Ce poulet ainsi préparé s'accompagne par ailleurs fort bien
du « vermicelle au crabe » dont ma copine Thérèse m'a (à
son tour) gentiment offert la recette (à charge de
revanche... !).

*Pour escorter ce poulet particulier, j'ai bu et aimé un vin blanc
à robe jaune paille qui vous emplissait le tarbouif de fleurs et de
fruits. C'est un **Château-Grillet** 1983, sa saveur prédominante
est abricotée et il est bien élégant. C'est M. **Neyret-Gachet** qui
l'a mis en bouteille près de Condrieu, dans le Rhône.*

# Les pintadeaux aux queues de cèpes et au vermouth

*Pour 6 convives :*
3 pintadeaux de 600 à 700 g au maximum
3 oignons moyens hachés
2 échalotes hachées
250 g de crème fraîche très légère (fleurette)
80 g de cèpes séchés
1 verre de vermouth
1 cuillerée à soupe d'huile d'olive
sel, poivre au moulin

*Autre façon gourmande de mitonner les pintadeaux.*

*Préparation :*

Mettez les cèpes séchés à tremper dans un bol d'eau tiède.

Découpez les pintadeaux en morceaux.

Dans une cocotte en fonte, faites chauffer l'huile d'olive et mettez-y les oignons, les échalotes ainsi que les morceaux de pintadeau.

Laissez blondir à feu doux pendant 10 minutes sans couvercle en mélangeant bien et souvent. Ajoutez le vermouth et les cèpes hachés menu.

Mettez aussi 1/2 verre de jus de cèpes après l'avoir filtré.

Mélangez bien, salez, couvrez et laissez cuire à l'étouffée pendant 20 minutes (mettez de l'eau dans le creux du couvercle).

Après la cuisson, ajoutez la crème fraîche. Mélangez-la bien. Laissez cuire à découvert encore 5 minutes à feu très doux et donnez quatre tours de moulin à poivre.

Ôtez les pintadeaux de la cocotte, découpez-les et dressez-les dans un plat chaud.

Nappez-les avec toute la sauce passée au chinois et servez très chaud.

*Il fallait un vin relativement puissant pour tenir tête aux saveurs « vermouthées » et à celles des queues de cèpes un peu sauvages. J'ai débouché à mes invités un vin rouge de* **Côtes-Rôtie** *1983 du* **Domaine de La Viaillère** *perché sur la « côte blonde », ça ne s'invente pas ! Son très subtil parfum de vanille se transforme en réglisse lorsqu'on s'en humecte délicatement les cloisons !*

*On peut l'acquérir chez Mme Albert Dervieux-Thaize, à Verenay-Ampuis, à Condrieu.*

*Côté prix, c'est pas le coup de bambou !*

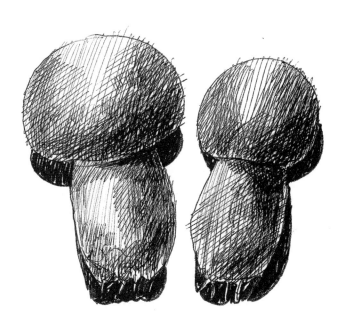

# Canetons aux olives

Encore un goût de nostalgie, Maman préparait simplement ce plat mais le résultat en était sublime.

*Pour 6 convives :*
**2 canetons d'un petit kilo chacun**
**250 g de petites pommes de terre nouvelles**
**200 g de carottes tendres**
**200 g d'olives vertes**
**50 g grammes de lard maigre**
**12 petits oignons blancs**
**6 gousses d'ail**
**1 clou de girofle (piqué dans un oignon blanc)**
**1 bouquet garni**
**2 pincées de queues de cèpes séchées**
**1 cuillerée à soupe d'huile d'olive**
**1 cuillerée à soupe d'huile d'arachide**
**150 g de beurre**
**sel, poivre**

*Préparation :*
Mettez d'abord les cèpes à gonfler dans un bol d'eau tiède.

Faites chauffer doucement là moitié du beurre dans une cocotte. Mettez-y les canetons lorsque le beurre commence à grésiller. Enduisez-les bien partout au pinceau de cuisine.

Faites rissoler très doucement (j'insiste) les canetons sur toutes les faces durant un petit quart d'heure à peine (sans couvercle sur la cocotte).

Lorsqu'ils sont dorés, salez très légèrement (à cause des olives), poivrez de six tours de moulin, mettez le couvercle, et laissez cuire doucement 20 minutes environ. Il faudra vérifier si, en piquant les canetons à la fourchette, le sang qui en jaillit sort encore bien rosé.

Il faut arrêter la cuisson avant qu'ils soient totalement cuits car, au lieu d'être moelleuse, la chair en serait sèche.

Pendant la cuisson des canetons, grattez les pommes de terre nouvelles, lavez-les et séchez-les.

Pelez ou grattez les carottes si elles sont tendres et coupez-les en bâtonnets.

Découpez le lard maigre en petits dés.

Écrasez légèrement les gousses d'ail dans leur peau.

Dénoyautez les olives et ébouillantez-les 1 minute pour en atténuer le goût de saumure. Séchez-les.

Dans une sauteuse ou une poêle, mettez à chauffer le restant du beurre et les deux cuillerées d'huile.

Faites rissoler les pommes nouvelles entières, à feu doux pendant 10 minutes. Ajoutez les carottes, les oignons blancs, les lardons, le bouquet garni, les gousses d'ail.

Laissez cuire le tout 10 minutes encore à petit feu. Ajoutez les cèpes avec un verre d'eau filtrée dans laquelle ils ont gonflé ainsi que les olives. Salez légèrement, poivrez, mélangez bien et laissez cuire 5 minutes environ.

Cette opération « légumes » dure 25 minutes en tout. A peu près le temps de cuisson des canetons. Ôtez-les de la cocotte. Découpez-les.

Déglacez le fond de la cocotte au pinceau (sur le feu doux) avec le verre restant de l'eau des cèpes.

Videz les légumes dans le jus de la cocotte et mettez les quartiers de canetons autour.

*Eh bien, c'est au vin de **Pierre Breton** que j'ai pensé, pour déguster avec ces canetons mignons !*

*Ce jeune homme élève avec soin un **Saint-Nicolas-de-Bourgueil rouge** dont le goût « d'honnêteté » m'a tout de suite séduit. Son nectar a des saveurs de cassis et aussi de griotte.*

*Nous avons débouché un 1982 que nous avons savouré assez frais au sortir de la cave. Prix abordable et qualité constante. Qu'on se le dise !*

# Chapon truffé aux endives

J'ai fait ce plat un jour à l'inspiration du moment, et le mariage endives-chapon m'apparut fort heureux. J'ai donné cette recette à un magazine gastronomique qui en demanda l'exécution à l'ami Joël Robuchon, notre prestigieux trois étoiles dont il est bien connu que la modestie est proportionnelle à son talent! Le résultat enchanta les papilles des dégustateurs.

*Pour 4 à 6 convives :*
1 chapon ou à défaut 1 poularde de 1,800 kg
1 kg d'endives
1 belle truffe (ou deux)
2 cuillerées à soupe de madère
1/2 verre de bouillon de poule
200 g de beurre
1/2 verre d'huile d'arachide
le jus de 2 citrons
1 cuillerée à soupe de sucre en poudre
1 pincée de paprika
sel, poivre

*Préparation :*
Salez et poivrez bien partout le chapon. Après avoir fait des incisions sous la peau (avec la pointe d'un couteau bien aiguisé), glissez-y de fines lamelles de truffe.

Mettez-le à four chaud, dans un plat préalablement huilé et beurré.

Laissez-le saisir 10 minutes et recouvrez d'un papier d'aluminium. Badigeonnez-le souvent au pinceau pendant la cuisson qui doit durer 1 heure à feu moyen.

Ôtez le papier d'aluminium 15 minutes avant la fin de la cuisson pour laisser dorer.

Dans un saladier, découpez les endives sans les laver (ôter les feuilles abimées) en tronçons de 2 centimètres, saupoudrez-les de sucre, ajoutez deux pincées de sel et le paprika. Incorporez le jus des citrons. Mélangez bien le tout.

Dans une grande poêle, mettez à chauffer une noix de beurre et une cuillerée d'huile, faites-y revenir la moitié des endives sur un feu vif en les tournant bien à la cuillère en bois, 3 minutes suffisent. Réservez-les dans un plat chaud.

Recommencez l'opération avec le restant des endives, réservez-les avec la première moitié.

Ôtez le chapon du four quand il est cuit, découpez-le et réservez les morceaux.

Ôtez la graisse du plat, déglacez-le avec le madère et le 1/2 verre de bouillon.

Ajoutez les endives dans le jus et placez les morceaux de chapon par-dessus. Remettez 5 minutes au four et servez bien chaud.

*La truffe et le **Pomerol**, c'est comme Wallis et Futuna, Roux et Combaluzier, Rivoire et Carré, et patin avec couffin, c'est indissociable.*
*C'est pourquoi, avec ce noble chapon auréolé de « noir du Périgord », j'ai choisi tout naturellement un **Château La Violette**, un 1966 s'il vous plaît ! puissant, charpenté, rond ; il est aussi bien souple et équilibré, vêtu d'une jolie robe de bal, il embaume la vanille et vous emplit la bouche de truffe.*
*Et avec ça, faut-il vous l'envelopper ?*

# Râbles et cuisses de lapin aux gros oignons doux et câpres accompagnés de feuilles de blettes à la vapeur

C'est une vieille recette de Maman que je n'ai jamais réussie aussi bien qu'elle malgré tous mes efforts. Il est, à ma décharge, beaucoup plus difficile de se procurer à Paris ces gros oignons un peu sucrés qu'on trouve partout dans le Midi.

*Pour 6 convives :*
**un beau lapin de ferme bien gras de 2 kg**
**4 gros oignons doux finement émincés**
**1 gros morceau de sucre de canne**
**si vous n'avez pas d'oignons doux**
**70 g de petites câpres**
**2 gousses d'ail hachées**
**5 cuillerées à soupe d'huile d'arachide**
**2 brins de thym**
**1,500 kg de blettes tendres**
**1/2 verre de vin blanc sec**
**1/2 verre d'eau**
**sel, poivre**

*Préparation :*
Faites chauffer l'huile dans une cocotte en fonte, faites saisir le lapin coupé en morceaux (sauf le foie), laissez prendre couleur des deux côtés.

Au bout de 3 minutes, baissez le feu et couvrez la cocotte.

Lavez et équeutez les blettes (que vous pourrez préparer en gratin le lendemain) et mettez les feuilles dans un couscoussier à cuire à la vapeur.

Après 10 minutes de cuisson du lapin, ajoutez les oignons et le thym.
Fermez la cocotte et videz un verre d'eau froide dans le creux du couvercle.

Laissez cuire à feu doux en mélangeant de temps en temps. Au bout de 30 minutes, ajoutez les câpres et l'ail haché, salez légèrement et poivrez. 3 minutes plus tard, mouillez avec l'eau et le vin blanc.

Recouvrez. Il faut que le plat cuise à feu doux une bonne heure en tout afin que lapin et oignons soient bien moelleux.

Ajoutez le foie 5 minutes avant la fin de la cuisson, salez-le 1 minute avant de l'ôter du feu.

Vous présenterez les morceaux de lapin aux câpres et oignons dans un plat bien chaud.

Dans un autre plat, vous mettrez les blettes vapeur que vous pourrez arroser du jus de lapin.

Vous vous en lécherez les phalanges.

*Le **Cornas rouge** est un vin de la vallée du Rhône, tout comme le **Saint-Péray** ou le **Saint-Joseph** qui sont, hélas ! trop méconnus.*
*J'en ai ouvert une bouteille de 83 dont la couleur légèrement foncée annonçait déjà un certain tanin, il a été très à la hauteur avec ses saveurs curieuses de cassis ponctuées de... cacao. Il faut le déguster légèrement frais.*
*Ses propriétaires se nomment **Paul-Étienne père et fils** et élèvent leur vin à Saint-Péray.*

# Poule au pot farcie accompagnée de gros sel, moutardes et cornichons

La voici telle que nous la dégustons le dimanche.
Il n'y avait jamais assez de farci pour tout le monde car c'était, avec le morceau préféré de chacun, le délice le plus apprécié.

*Il faut pour 6 convives de bon appétit :*
1 belle poule de 2 kg à 2,500 kg
(cœur, foie, gésier, sang si possible)
1 poignée de mie de pain rassis
de 120 g environ
1 gousse d'ail
2 échalotes
1 oignon
5 jaunes d'œufs
2 cuillerées à soupe de graisse d'oie
(ou à défaut d'huile d'arachide)
2 cuillerées à soupe de lait cru
du gros sel, moutardes (Meaux, Dijon), cornichons
sel, poivre

*Pour le pot-au-feu :*
1 oignon piqué d'un clou de girofle
400 g de carottes
400 g de blanc de poireau
400 g de blanc de céleri
4 navets
1 gousse d'ail
1 bouquet garni
3 cuillerées à soupe de gros sel de mer
1 cuillerée à café de poivre moulu

Dans 3 litres d'eau laissez cuire 20 minutes tous les ingrédients indiqués pour le pot-au-feu.

Pendant ce temps, hachez menu l'oignon, les échalotes, l'ail, le foie, le cœur, le gésier dont vous ôtez la peau blanche dure.

Dans un saladier, mélangez ce hachis avec le pain qui aura trempé dans le lait, ajoutez le sang, les jaunes d'œufs et pétrissez bien le tout.

Farcissez la poule de ce hachis bien homogène et cousez son ouverture.

Dans une grande marmite en fonte, mettez la poule après l'avoir bien badigeonnée de graisse d'oie (ou d'huile). Faites-la dorer sur toutes ses faces à feu moyen.

Recouvrez-la ensuite complètement avec le bouillon des légumes (si vous n'avez pas assez de bouillon, ajoutez de l'eau).

Le temps de cuisson varie entre 1 h 1/2 et 2 h en fonction de l'âge du volatile.

Découpez et servez avec les légumes autour.

*Un beau **Cahors**, aux couleurs vives, au nez puissant et harmonieux en bouche alliant bien ce goût de mousseron avec un soupçon de cerise. C'est le vin que j'ai offert au palais gourmand de mes copains, ils l'ont fortement apprécié et copieusement dégusté.*
*Ils ne connaissaient pas le cahors !*
*Et vous ?*
*Celui-ci, un 1982, venait du **Clos de Gamot** à Prayssac. C'est M. Jean Jouffreau qui l'a fait naître et aidé à grandir.*

# Le haricot

Catherine de Médicis me devint très sympathique le jour où j'appris qu'elle avait « introduit » le « fagioli » en France. Arrivant d'Italie, c'est en effet à Marseille, sur le bateau princier, que la future épouse du dauphin de France exhuma du fond de sa corbeille de mariage un sac de ce que l'on appellera plus tard le... haricot !
Les Mexicains, qui dégustèrent le cassoulet bien avant nous, nommaient « ayacot » cette graine rougeâtre en forme de rognon qui devint chez nous « le haricot ».

# Les cassoulets

Eh bien oui, ce sont les Provençaux qui, les premiers, accommodèrent ce savoureux légumineux. « Remontant » vers la Provence et la Gascogne, le cassoulet se fixa à Castelnaudary qui en devint la capitale. « Cassoulet » vient de cassole, marmite en terre façonnée par les potiers d'Ussel, village voisin de Castelnaudary.

Il existe plus de dix cassoulets différents. Chaque contrée détient bien entendu le seul, l'unique, le vrai ! Celui que l'on mitonne depuis toujours dans ma famille, et qui a fait le régal de bien des amis à la maison, est encore différent de celui de Toulouse (sans la poitrine de mouton), de celui de Castelnaudary (sans le saucisson à l'ail, et même sans le morceau de boudin que parfois les grands-mères y ajoutaient !), de celui de Carcassonne (sans les côtelettes de porc), etc.

Le haricot qui, sans conteste, convient le mieux à ce plat divin est le « haricot de maïs », c'est-à-dire le « Tarbais » (que personne n'utilise !). Il est « beurré » à souhait, sa peau est très fine et sa saveur incomparable.
J'ai, pendant très longtemps, laissé gâcher nombre de kilos de mes Tarbais dévorés régulièrement par les charençons. Une « mémé » m'a donné un jour le secret de sa conservation sans dommages.

— Pitchou, m'a-t-elle dit, si tu ne veux pas laisser manger tes fayots par ces sales bestioles, écrase légèrement quelques gousses d'ail dans leur peau et sème-les un peu partout dans les grands pots où tu les conserves !
Je n'ai jamais plus perdu un seul de mes précieux Tarbais.

J'ajoute enfin que Maman, lasse de n'en point trouver chez les marchands du Sud-Ouest afin de m'approvisionner annuellement, me suggéra tout bonnement d'en semer dans mon jardin en Seine-et-Marne (mais oui !). J'en récolte 50 kilos par an.

Par le truchement de la presse, sans doute, à qui j'ai déclaré si souvent que mon cassoulet était fait avec des haricots Tarbais mais qu'il était quasiment impossible d'en trouver, le Groupement de développement agricole tarbais fut alarmé par mes doléances. Réjoui aussi que je défende si passionnément ce noble produit de son terroir, il vient de décider de « relancer » le haricot Tarbais en encourageant sa culture dans le pays.

Je suis enchanté, messieurs, d'être l'investigateur d'une telle « initiative ».
Lecteurs, donc... si vous n'avez point de jardin, vous saurez où trouver les Tarbais.

# Mon cassoulet

*Ingrédients pour 8 convives :*
1 kg de haricots Tarbais
300 g de tomates fraîches pelées et épépinées
4 ou 6 confits d'oie (cuisses et ailes selon grosseur)
1 livre de saucisse fraîche (voir la recette)
100 g de couenne de porc
2 cuillerées à soupe d'huile d'arachide
6 gousses d'ail
2 oignons
1 bouquet garni
1 clou de girofle piqué dans la moitié d'un oignon
sel assez peu ! (confits et saucisse déjà salés)
poivre noir moulu frais

*Préparation :*
Pendant la nuit, laissez tremper dans un récipient les haricots secs dans l'eau pure (à moins que les haricots ne soient frais). Le lendemain, faites-les bouillir 1/2 h dans cette eau. Rajoutez-en car ils en auront bu en gonflant. Une fois cuits, égouttez-les.

Faites revenir 10 minutes dans une cuillerée de graisse d'oie (celle des confits) et deux d'huile d'arachide, les tomates, l'oignon haché (et l'ail à la fin).

Passez ensuite les confits à la poêle à feu très doux, afin uniquement de les dégraisser. Les mettre à part.

Faites griller la saucisse après l'avoir piquée à la fourchette pour qu'elle évacue son eau en cuisant. Réservez-la.

Mettez ensuite dans une grande marmite en fonte ou un poêlon en terre si possible les haricots, tomates, oignon piqué de girofle, ail, couenne et un bouquet garni. Faites cuire à feu moyen pendant 1 h 1/2 environ après avoir recouvert d'eau de 4 à 5 centimètres. Poivrez au moulin.

Rajoutez ensuite à tout cela les confits entiers et la saucisse coupée en morceaux, le tout enfoui dans les haricots. Rajoutez de l'eau pour couvrir le tout.

Faites cuire à feu très doux sur la braise ou au four pendant 1 heure environ. Retirez le plat du feu, renouvelez cette opération 7 fois en ayant laissé refroidir votre cassoulet à chaque fois, vous « crevez » la peau qui le recouvre et rajoutez toujours un peu d'eau à niveau.

On peut, la toute dernière fois, poser sur le poêlon un moule à gâteau plat à petit rebord et l'emplir de braise rouge afin de gratiner le cassoulet. Ceci est valable pour ceux qui n'ont pas le temps ou la patience de le faire réchauffer si souvent.

*Conseil :*
Afin qu'il n'attache pas, vous pouvez tapisser le fond d'un rond de couenne sur toute la surface du poêlon.
Vous pouvez aussi frotter d'ail tout le tour du poêlon, intérieur et extérieur, comme le font encore les « mémés » de mon pays. C'est encore meilleur !...

*Il y a « tout » dans le **Château Recougne**! J'ai découvert ses vertus au cours d'une tournée qui m'amena un jour à Confolens, le restaurateur amateur de bons crus me recommanda ce « bordeaux supérieur » qu'il n'avait pas encore « couché » sur sa carte. Ce fut une révélation.*

*Il recèle toutes les senteurs et les saveurs que je recherche dans un vin, il est à la fois (selon les années) champignon et fraise des bois, truffe et fumée de feu de bois, abricot et réglisse. Il est chatoyant dans le verre comme un rubis sur un doigt de femme.*

*C'est « le » vin qui n'a même pas une petite place dans le classement de 1855 mais qui en a une grande dans ma cave! Les années 1961, 1970, 1975 et 1978 sont encore étonnantes, ce sont souvent celles que je choisis de faire déguster à mes invités pour que la réussite soit totale avec « mon » cassoulet.*

*Ce cru éblouissant et modeste (par son appellation et par son prix) est mis en bouteille chaque année à Galgon, en Gironde, chez **Hélène et Jean Milhade** et leurs enfants. Grâces leur soient rendues!*

*Frissonnant 3 fois en une journée sur la braise, il est très bon (toutes les 3 heures environ) 3 ou 4 fois de plus le lendemain, il est inégalable...*

# Cassoulet de fèves au confit de canard

C'est un plat rustique, savoureux, que mes invités découvrent et apprécient toujours avec étonnement. Je le fais personnellement mijoter sur la braise et c'est évidemment meilleur encore. Meilleur aussi si on le fait au printemps, avec les premières petites fèves, les jeunes oignons blancs et l'ail nouveau.

Des milliers d'années avant notre ère, chez les habitants de la Thaïlande ainsi qu'en Afghanistan et au pied de l'Himalaya, on faisait déjà des... cassoulets de fèves. Plus tard, les Grecs les dégustèrent vertes en leur cosse.

Il m'arrive de les accommoder ainsi lorsqu'elles sont toutes jeunes, avec du bon jambon de campagne haché grossièrement et quelques gouttes d'huile d'olive. Essayez. Ça n'est pas cher, c'est très facile et délicieux.

*Il faut faire ce plat pour 6 à 8 convives.*
*S'il en reste, ce sera meilleur réchauffé le lendemain.*
**6 à 8 morceaux de confit de canard**
**(achetez-le en boîte ou vous pouvez le faire vous-même,**
**je vous dis comment au chapitre des conserves)**
**150 g de couenne de porc**
**3 kg de fèves nouvelles dans leur cosse**
**2 tranches de jambon de campagne**
**1 queue de veau**
**4 échalotes**
**10 petits oignons blancs**
**6 belles gousses d'ail doux (nouveau)**
**2 gousses d'ail vieux**
**1 citron**
**1 bouquet garni**
**2 cuillerées à soupe d'huile d'olive**
**poivre noir au moulin**
**ne salez pas. Le confit et le jambon le sont déjà**

*Préparation :*
Mettez les couennes à pocher 10 minutes dans de l'eau bouillante citronnée.

Puis, avec un couteau et un rasoir, dégraissez-les et rasez-les s'il y reste encore des poils.

Découpez-les en morceaux comme des timbres-poste.

Découpez les tranches de jambon aux mêmes dimensions, et la queue de veau en tronçons.

Écossez les 3/4 des fèves. Laissez les plus jeunes (donc les plus tendres) dans leur cosse.

Lavez-les bien.

Coupez-les en deux après avoir ôté les fils.

Dans une grande terrine posée sur une plaque d'amiante ou à défaut dans une cocotte en fonte à couvercle creux, mettez les confits de canard à dégraisser doucement sur le feu ainsi que les tronçons de queue de veau que vous badigeonnez de graisse de confit.

Au bout de 10 minutes, ôtez-les.

Réservez-les dans un plat.

Ôtez la graisse de la cocotte en y laissant au fond la valeur d'une cuillerée à laquelle vous ajoutez l'huile d'olive. Dans cette huile chaude, faites revenir les oignons blancs entiers ainsi que les échalotes hachées.

Faites prendre couleur.

Ajoutez les couennes et le jambon découpés, les gousses d'ail nouveau partagées en deux, et l'ail vieux haché.

Laissez cuire à feu doux 5 à 6 minutes en remuant bien le tout à la cuillère de bois.

Mettez ensuite toutes les fèves par-dessus (écossées et entières) et recouvrez le tout d'eau d'Évian ou de Volvic. L'eau doit à peine dépasser le niveau des fèves.

Ajoutez le bouquet garni, 6 tours de moulin à poivre, mélangez bien le tout et laissez cuire sans couvrir à feu moyen jusqu'à ce que l'eau ne soit plus qu'au niveau des fèves. Il faut 20 minutes environ.

fin de la recette page suivante

Avec une louche, enlevez la moitié des fèves cuites que vous mettez dans un récipient quelconque.

Disposez alors les morceaux de confits et de queue de veau sur la moitié des fèves restant dans la cocotte et recouvrez-les en vidant par-dessus la première moitié que vous venez d'enlever.

Rajoutez un verre d'eau pour recouvrir les fèves si nécessaire.

Couvrez. Mettez aussi de l'eau dans le creux du couvercle de la cocotte et laissez cuire sur le feu doux (à défaut de braise) pendant 45 minutes.

C'est génial ! comme disent mes neveux.

*Il faut au moins la puissance d'un **Domaine de Chevalier** pour affronter ce plat si on a comme moi une prédilection pour les « graves rouges ».*
*Il sent le « bois neuf » et la réglisse et sa robe est un enchantement (de quoi séduire les amateurs les plus « machos » !). J'ai laissé reposer trois jours et décanter avant de la savourer une somptueuse bouteille de 1979. Ce vin a fait l'unanimité, il a fallu déboucher une deuxième « rouille » ! (J'avais prévu le coup !)*

# Notes

# Confit de canard
# au céleri-rave caramélisé

C'est un pur délice. Encore faut-il un bon confit de canard !
Faites-le vous-même (la recette est dans ce bouquin) ou procurez-vous
quelques bonnes boîtes ou pots de cuisses chez le bon marchand.

*Pour 6 convives :*
**2 boules de céleri-rave
de 300 à 400 g chacune
6 cuisses de confit de canard
1 grosse noix de beurre
2 cuillerées à soupe d'huile de tournesol
2 cuillerées à soupe de miel
1 cuillerée à soupe de sucre roux
2 cuillerées à soupe de vinaigre
de vin de Xérès rouge
1/2 verre de vin blanc sec
sel, poivre au moulin**

*Préparation :*
Pelez les céleris-raves sur au moins 2 centimètres d'épaisseur
pour éviter une saveur âcre que la chair dégage près de la
peau.

Coupez-les en cubes d'à peu près 3 à 4 centimètres de côté.

Mettez-les à cuire 12 minutes dans votre cuiseur-vapeur.

Pendant ce temps, mettez les morceaux de confit dans un
plat à four, avec la peau en haut, et faites-les dégraisser dans
le four à chaleur douce. Il faudra les ôter du four au bout
d'une quinzaine de minutes lorsque la peau commencera à
dorer légèrement.

Dès que les céleris-raves sont cuits, mettez la moitié du
beurre et l'huile à chauffer dans une sauteuse ou une petite
poêle,

Faites-y revenir les morceaux de céleri à feu — moyen à vif
— en les tournant jusqu'à ce qu'ils commencent à prendre
couleur (7 à 8 minutes suffisent). Salez-les très légèrement.

A l'aide d'une écumoire, ôtez-les de la sauteuse. Réservez-les
dans un plat.

Jetez la graisse de la sauteuse et mettez le restant du beurre frais à chauffer tout doucement.

Ajoutez au beurre fondu le miel et le sucre en poudre. Tournez bien à la cuillère en bois et laissez réduire 1 à 2 minutes, versez ensuite la cuillerée de vinaigre. Poivrez. Avec le pinceau ou la cuillère, décollez bien tous les sucs du fond de la sauteuse. Ajoutez le vin blanc.

Faites réduire la sauce à feu très doux en la laissant se caraméliser. Au bout de 5 à 6 minutes, stoppez le feu.

Ôtez le plat du four. Ôtez les morceaux de canard et jetez la graisse.

Dans le plat à four débarrassé de matière grasse, mettez le céleri-rave en morceaux. Arrosez-les avec le jus caramélisé et posez les cuisses de confit par-dessus (avec la peau en haut).

Remettez le plat 5 minutes dans le four chaud.

Servez dans deux plats chauds.

*Un **Romanée-Saint-Vivant** (bourgogne) 1966, c'est l'un des plus merveilleux crus de La **Romanée-Conti** (à mon goût) que j'ai offerts à mes convives pour accompagner ce sacré confit de canard ! Les senteurs de ce vin sont de résine, de poivre et de café tout à la fois. Sa saveur évoque la pistache, la vanille et la trompette de la mort. C'est une symphonie inoubliable pour qui a eu de la chance de tremper un jour son « chiffon rouge * » dans un tel nectar.*

* *Note de l'éditeur = langue.*

# Oie au vin rouge

C'est ma pomme qui avait fait la croque pour l'anniversaire de nos vingt-cinq piges de marida. La famille et quelques bons amis étaient de la fête, je leur ai mitonné une oie au vin rouge.
Tout le monde s'en est léché les « francforts ».

*Pour 6 convives :*
**une oie blanche de 3 kg**
**1,200 kg de pommes de terre Roseval**
**50 g de cèpes séchés**
**4 gros oignons émincés**
**4 gousses d'ail hachées**
**1 bouquet garni**
**3 tranches de jambon de campagne**
**1 l 1/2 de fond de volaille**
**1/2 verre d'huile d'arachide**
**2 bouteilles de bon Beaujolais de Quincié**
**déjà vieux de 3 ans**
**1/2 cuillerée à dessert de poudre de noix de muscade**
**poivre au moulin**
**sel de Guérande**

*Préparation :*
Découpez l'oie en morceaux pas trop importants.

Prélevez les filets et partagez-les chacun en trois.

Réservez la carcasse pour faire une soupe (de fèves par exemple) ou mettez-la à bouillir dans 3 litres d'eau. Laissez réduire de moitié, cela vous servira de fond si vous n'en avez pas.

Épluchez les Roseval, grattez-les simplement si elles sont nouvelles.
Coupez-les en quatre.

Faites gonfler les cèpes 1/2 heure dans un grand bol d'eau tiède.

Saisissez les morceaux d'oie dans l'huile chaude de la cocotte et laissez-les colorer 10 minutes en les tournant bien. Salez légèrement.

Ôtez-les de la cocotte et réservez-les dans un plat.

Dans la même huile, faites rissoler les oignons à feu doux 10 minutes en mélangeant bien.

Ajouter l'ail 2 minutes avec le jambon.

Remettez les morceaux d'oie dans la cocotte avec le bouquet garni, tout le vin, tout le fond, l'eau des cèpes filtrée, du poivre et la muscade.

Laissez mijoter 1 h 1/2 à feu moyen.

Rajoutez les Roseval 1 heure avec l'oie sur un feu doux à couvercle mi-fermé.

Il faut que la sauce au vin arrive au niveau de l'oie et des Roseval !

Josyane (notre secrétaire modèle), qui était invitée, va en saliver sur sa machine à écrire...

*Dégustez le même vin (**Beaujolais**) légèrement frais.*

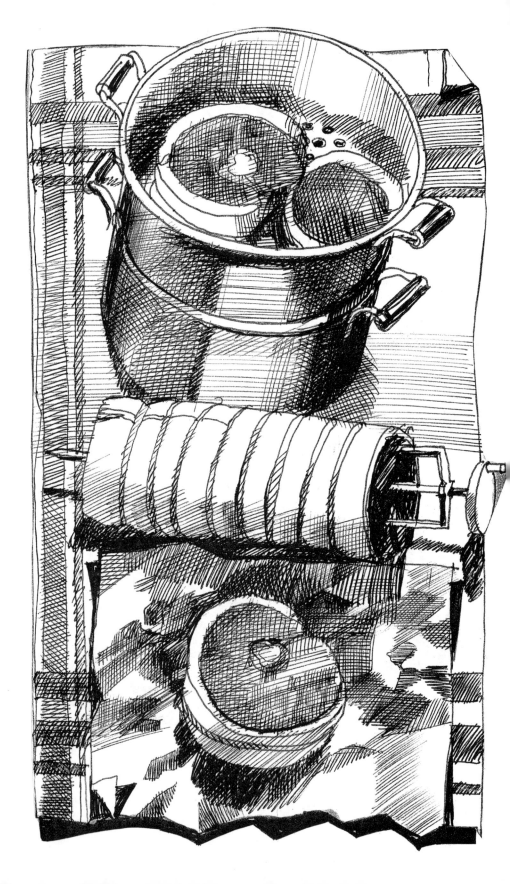

# VIANDES
## à varier...

La cuisson des viandes grillées n'est pas, selon les médecins, ce que l'on a inventé de mieux en matière culinaire. Bon nombre de chefs prestigieux savent depuis longtemps que les sympathiques braises de nos cheminées de campagne, les fours ou les barbecues de nos « ouikendes » délivrent une quantité non négligeable de goudrons et autres hydrocarbures cancérigènes.

Il y a plusieurs moyens épatants, sans risque pour la santé et bien meilleurs pour les saveurs, ce sont les cuissons à la broche (mais quel est le pourcentage de ceux qui en possèdent ?), en papillotes, et (ne hurlez pas !) à la vapeur. Mais oui ! J'ai essayé ce procédé d'après les conseils éclairés du diplômé ès vapeurs, le chef maître queux mon ami Jacques Manière, qui ne cuisine plus autrement.

On peut tout préparer à la vapeur. Son fameux *Grand Livre de cuisine à la vapeur* nous l'explique on ne peut plus clairement. Il vous y apprend en autres choses que je cite :
« Sous l'action de la vapeur, les corps invisibles fondent et tombent dans le récipient inférieur. Les sucs sapides se concentrent à l'intérieur de la viande. Celle-ci se détend, s'expanse, reste moelleuse et conserve toute sa saveur naturelle. »

Vous la préférez saisie, dorée bien sûr, comme l'ami Jacques ou moi-même. Eh bien, il nous conseille après la cuisson vapeur (très courte, n'ayez crainte) de la faire dorer quelques minutes sur le grill ou sur la grille du four. Les morceaux n'auront pas le temps suffisant pour absorber les goudrons nocifs.

Vous pourrez de cette façon « géniale » préparer sans danger et en multipliant les saveurs : la côte de bœuf à l'os, le cœur de filet ou l'entrecôte en l'accompagnant de votre sauce préférée.

Il m'arrive encore de cuire toutefois une côte de bœuf ou une entrecôte sur la braise. Je la place très haut, loin des flammes occasionnées par les chutes de graisses et ne la laisse cuire doucement que 3 à 4 minutes sur chaque face car je préfère la déguster bleue. (Je l'aime presque crue!)
Je ne la sale qu'une minute avant la fin de sa cuisson au sel fin de Guérande.

# L'entrecôte

Mes amis louchebems, Jean Bissonet et ses fils Bernard et Michou, tous trois diplômés « ès qualité viandes », sont de grands amateurs d'icelle tout comme ma pomme. Et il faut bien reconnaître que lorsque les conjonctions lunaires sont favorables et que nous avons le plaisir et la bonne fortune de nous retrouver les pieds sous la même table, deux entrecôtes épaisses « maison » de 600 grammes chacune ne nous effraient nullement.
Lorsqu'elles sont accompagnées d'un mince « paillasson » de pommes de terre dorées ou de petites patates en cubes sautées à l'ail, cela devient sublime!

## Nature (au gros sel gris)

*Pour 4 convives :*
Voici comment personnellement je préfère l'entrecôte. Cuite bleue. Dorée en y appliquant du gros sel de mer gris de Guérande. 3 minutes sur chaque face avant de la retirer du grill. Je « brosse » les grains de sel avec un pinceau dont je me sers immédiatement pour enduire l'entrecôte d'une fine pellicule de beurre frais.

# Au vin rouge

*Pour 4 convives :*
**2 belles entrecôtes épaisses.**
**(Venant des « Boucheries de Paris »,**
**« Boucheries Nivernaises »,**
**« Boucheries Lalauze »,etc. (Pub gratuite !)**

*Pour la sauce :*
**20 échalotes grises émincées**
**4 tomates**
**1 tranche de jambon de Bayonne**
**1 branche tendre de céleri**
**1 brin de thym**
**1 cuillerée à soupe d'huile d'arachide**
**1 cuillerée à soupe d'huile d'olive**
**3/4 d'une bouteille de Gigondas rouge**
**sel, poivre**

*Préparation :*
Hachez le jambon menu.

Coupez en quatre la branche de céleri.

Dans une sauteuse, mettez les huiles à chauffer et faites revenir les échalotes doucement pendant 12 minutes.

Ajoutez ensuite le céleri, les tomates épluchées, épépinées et concassées, le thym émietté, le jambon haché. Mélangez bien le tout et laissez mijoter à couvercle fermé pendant 15 minutes.

Ajoutez le vin. Mélangez.

Salez. Poivrez de quatre tours de moulin.

Laissez réduire la sauce de moitié à feu doux et à couvercle mi-fermé.

Passez-la au chinois et mettez-la en saucière quand vos entrecôtes sont cuites à votre convenance.

*Du **Gigondas** bien sûr !*

*On peut accommoder la côte de bœuf à l'os de la même façon.*

# Le cœur de filet

C'est un morceau délicieux parce qu'il est tendre mais il est loin d'avoir les riches saveurs de l'entrecôte par exemple.

*Pour 4 convives :*
**4 tranches épaisses de cœur de filet
de 200 g chacune**

*Pour la sauce :*
**4 échalotes hachées
1 gousse d'ail
4 tomates
1 brin de thym
1 cuillerée et demie à soupe de vinaigre
2 filets d'anchois à l'huile
1 morceau de sucre
1 cuillerée à soupe d'huile d'olive
1 cuillerée à soupe de crème fraîche
sel, poivre**

*Préparation :*
Plongez 4 à 5 minutes les tomates dans l'eau bouillante. Passez-les à l'eau froide. Pelez-les. Ôtez les pépins. Hachez la chair.

Écrasez les filets d'anchois au pilon avec l'ail.

Dans une sauteuse avec l'huile d'olive, faites dorer les échalotes 5 minutes à feu doux, puis ajoutez les tomates concassées, les anchois pilés, le thym émietté et le morceau de sucre.

Salez légèrement. Poivrez de huit tours de moulin. Laissez fondre le tout durant 15 minutes à feu moyen en tournant à la cuillère en bois.

Puis ajoutez le vinaigre. Mélangez et videz le tout dans une casserole à travers une passoire ou le chinois. Faites bien passer toute la « purée ».

Ajoutez la crème fraîche et mélangez. Tenez au chaud dans un bain-marie.

Placez les filets sur la grille du premier étage du cuiseur-vapeur et laissez cuire 3 minutes à partir de la première vapeur, couvercle mi-fermé si vous désirez une cuisson bleue, 4 minutes si vous aimez saignant et 5 pour les avoir à point.

Faites-les dorer ensuite 2 minutes sur chaque face à la salamandre, au grill du four ou au-dessus de la braise.

Servez et nappez de sauce si vous aimez cette préparation comme je l'aime.

*Un jeune **Mercurey rouge** 83 qui a un nez de violette et une belle longueur en bouche. Voilà un vin qui peut vous rincer agréablement les cloisons avec ce filet aux saveurs d'anchois. Il en est du très bon chez **Émile Chandesais** à Chagny.*

# Macreuse de bœuf à l'étouffée

C'est un plat d'hiver savoureux et roboratif qui nécessite une cuison très lente, il n'en est que meilleur. De plus, c'est relativement peu onéreux et facile à faire.

*Pour 6 convives :*
**1,500 kg de bœuf dans la macreuse**
**1 kg de pommes de terre Eesterling ou Bintje**
**500 g d'oignons émincés**
**6 échalotes émincées**
**5 gousses d'ail**
**6 baies de genièvre**
**2 clous de girofle**
**2 feuilles de laurier**
**6 brins de thym**
**1 bouteille de Macon blanc**
**1/2 verre d'huile d'olive**
**1 grand morceau de couenne de porc dégraissée**
**de la dimension du fond de votre cocotte**
**sel, poivre**

*Préparation :*
Mettez le four à chauffer.

Si vous avez un grand poêlon en terre, c'est préférable. Sinon munissez-vous d'une grande cocotte en fonte.

Demandez à votre boucher de vous débiter la macreuse en fines lamelles (comme d'épaisses tranches de jambon). Vous les recouperez en 2 ou en 4 par la suite.

Épluchez les pommes de terre. Découpez-les selon le même principe en lamelles fines, comme pour des chips.

Huilez au pinceau tout l'intérieur de la cocotte.

Disposez d'abord au fond de la cocotte la couenne de porc taillée à la même dimension.

Étalez par-dessus une couche de pommes de terre, puis une couche d'oignons et échalotes mélangés, puis une couche de viande, un peu d'ail pressé, émiettez un peu de toutes les herbes.

Répandez par-dessus une dizaine de petits dés de beurre ainsi qu'un peu d'huile.

Superposez les différentes couches successivement, en terminant par une couche de pommes de terre.

Rajoutez le thym, laurier, genièvre, girofle et beurre qui vous restent par-dessus.

Salez. Poivrez et mouillez de vin blanc jusqu'au 3/4 de la hauteur totale de la cocotte.

Placez la cocotte dans un bain-marie dont l'eau arrivera aux 3/4 des bords. Chauffez le four à thermostat 8 et laissez cuire 2 h 1/2 au four. Si le plat a tendance à se dessécher à la surface, mouillez d'un peu de vin blanc coupé d'eau. 1 verre ou 2.

Un poêlon en terre posé à même la table a fière allure et de plus garde sa chaleur.

*On peut boire un **Côtes-du-rhône blanc ou rouge,** à votre convenance.*
*J'ai pour ma part savouré ce plat avec un magnifique **Châteauneuf-du-pape.** Voilà pourquoi...*

# Tendron de veau à la coriandre et aux blancs de poireaux

La viande de veau s'accommode fort bien de la coriandre et pour ceux qui en aiment le goût, c'est un plat qui rend très gourmand.

*Pour 6 convives :*
**1,500 kg de tendron de veau**
**500 g de carottes**
**1 kg de blancs de poireaux**
**2 gros oignons**
**2 cuillerées à soupe d'huile d'arachide**
**3 cuillerées d'huile d'olive**
**le jus d'1 citron**
**1/2 verre de vin blanc sec**
**1 cuillerée à soupe de graines de coriandre**
**1 bouquet de coriandre fraîche (ou persil chinois)**
**1 verre de bouillon (ou d'eau à défaut !)**
**sel, poivre**

*Préparation :*
Dans une cocotte, mettez à chauffer toute l'huile et faites dorer les morceaux de veau en les tournant de temps en temps à la cuillère en bois sur feu moyen.

Pendant ce temps, pelez les carottes et les oignons et découpez-les en rondelles.

Émincez les blancs de poireaux après les avoir bien lavés.

Quand la viande est dorée, ôtez-la de la cocotte et mettez à la place les légumes à rissoler pendant une dizaine de minutes en les mélangeant bien.

Remettez alors la viande en cocotte en y ajoutant les graines de coriandre, le vin blanc, le bouillon et le jus de citron.

Salez. Poivrez au moulin et laissez cuire doucement à couvercle mi-fermé pendant 1 h 1/2.

Au moment de servir bien chaud, répandez par-dessus la coriandre fraîche hachée menu.

Un **Château-Lyonnat rouge** *79 de chez* **Jean Milhade.** *Nous avons tété avec délice une paire de betteraves de ce noble sang de la terre. Émus et silencieux, ils étaient mes convives en le dégustant. Même José Artur s'est arrêté de causer. C'est dire !... Jean Milhade, Galgon.*

# Épaule d'agneau roulée farcie aux cèpes

Je me suis laissé dire que les lecteurs et les lectrices d'un livre de cuisine ne confectionnaient guère que trois ou quatre recettes données par celui-ci, toujours les mêmes !

J'espère qu'au moins celle-ci fera partie de votre choix, parce qu'elle est vraiment choucarde !

*Pour 6 convives d'appétit :*
1 épaule d'agneau désossée de 1 kg
200 g de chair d'agneau maigre
200 g d'échine de porc (gras et maigre)
250 g de cèpes frais
(hors saison on peut faire avec 100 g de cèpes secs,
gonflés 1 heure avant dans l'eau tiède
Ça ne vaut pas les frais !)
2 jaunes d'œufs
5 échalotes hachées
2 gousses d'ail
1 boule de mie de pain rassis
(un peu plus grosse qu'un œuf)
1 botte de ciboulette hachée
1 botte de persil simple hachée
1/2 cuillerée à café de « quatre-épices »
3 cuillerées à soupe de crème fraîche
2 cuillerées à soupe d'huile d'olive
1 petite noix de beurre
sel, poivre au moulin

*Préparation :*
Faites chauffer le four.

Découpez en lanières la chair d'agneau et l'échine de porc et passez-les dans un hachoir à main (pour la farce).

Mettez ce hachis dans un récipient avec la crème fraîche, le sel, le poivre, les quatre-épices, les jaunes d'œufs et le pain émietté. Mélangez bien. Réservez.

Hachez menu la moitié des cèpes après les avoir nettoyés sans les laver.

Réservez l'autre moitié. Partagez les queues en quatre et

coupez les têtes en lamelles de 2 centimètres de largeur.

Dans une sauteuse, mettez 1 cuillerée d'huile et un peu de beurre à chauffer. Faites revenir les échalotes et les cèpes 3 minutes à feu vif en les remuant bien, puis le persil et la ciboulette 1 minute, pendant laquelle vous mélangez encore.

Ôtez cela de la sauteuse avec l'écumoire et mettez dans un plat.

Étalez l'épaule d'agneau sur la table et disposez dans la longueur centrale la farce de viande imbibée de crème fraîche et œufs ainsi que la farce de cèpes et échalotes. Disposez bien les bâtonnets de cèpes dans le sens de la longueur. Nappez avec la crème fraîche de la farce s'il en reste.

Roulez l'épaule comme un gros saucisson et ficelez-la bien serré afin que la farce ne s'échappe pas.

Pelez l'ail et taillez-le, lui aussi, en bâtonnets (partagez-le en quatre ou six longueurs).

Faites des « boutonnières » verticales dans l'épaule avec un petit couteau pointu et introduisez l'ail tous les 5 ou 6 centimètres sur toute la surface.

Enduisez l'épaule d'huile d'olive et, après l'avoir légèrement salée et poivrée, mettez-la dans un grand poêlon en terre ou un plat à four légèrement huilé.

Laissez-la cuire 30 minutes dans le four chaud en la tournant au bout des 15 premières minutes. Puis baissez le thermostat à 5 et laissez-la cuire doucement 1 heure de plus.

Arrosez-la. Badigeonnez-la souvent au pinceau si vous ne voulez pas qu'elle se dessèche.

*Deux rouilles de **Santenay rouge** 69 me restaient couchées et bien cachées dans la cave. Débusquées à l'occasion de cette épaule roulée, elles étaient fraîches comme des communiantes et parfumées comme des duchesses.*
*La **maison Fleurot** avait une fois de plus bien fait les choses.*

# Sauté d'épaule d'agneau aux aubergines

D'aucuns auront subtilement constaté que je suis friand (le mot me semble faible) d'aubergines.
Si vous partagez cet engouement, voici l'un des meilleurs sautés d'agneau de la planète... enfin il est très bon, quoi !

*Pour 4 à 6 convives :*
**1 épaule d'agneau de 800 g à 1 kg**
**(désossée et dégraissée)**
**5 aubergines pas trop grosses**
**1 oignon**
**3 échalotes hachées**
**5 belles gousses d'ail hachées**
**10 tomates**
**1 beau bouquet de persil simple haché**
**3 brins de thym**
**1 feuille de laurier**
**1/2 verre de vin blanc**
**1 morceau de sucre**
**2 cuillerées à soupe d'huile d'olive**
**sel, poivre, paprika**

*Préparation :*
Pelez et découpez les aubergines en petits cubes.

Pochez les tomates dans l'eau bouillante. Passez-les sous l'eau froide. Pelez-les. Enlevez les pépins et hachez-les grossièrement.

Mettez l'huile à chauffer au fond d'une cocotte que vous posez sur un feu moyen.

Faites revenir l'épaule d'agneau découpée en morceaux d'environ 5 centimètres de côté durant 15 minutes, en tournant à la cuillère en bois.

Ôtez les morceaux que vous réservez dans un plat.
Dans le même fond d'huile, faites revenir les oignons et les échalotes hachés durant 10 minutes en les mélangeant sans arrêt.

Ajoutez les aubergines et l'ail que vous laissez cuire pendant 10 minutes.

Ôtez le tout de la cocotte, ajoutez-le dans le plat avec l'agneau. Jetez les 3/4 de l'huile de la cocotte.

Versez le vin blanc et le sucre au fond de la cocotte et frottez le fond au pinceau afin de le déglacer. Puis laissez frémir une minute et ajoutez : les tomates concassées, les morceaux d'agneau, l'oignon, l'ail, le laurier, le thym émietté et le persil. Salez, poivrez de six tours de moulin.

Couvrez la cocotte et laissez étuver à feu doux pendant 20 minutes, puis 10 minutes encore à feu très doux (réglé au minimum) avec le couvercle entrouvert.

*Mon épouse nous avait concocté cet odorant sauté d'agneau. Nous l'avons dégusté avec mon pote Neggio au retour d'une abondante cueillette de cèpes avec lesquels nous nous sommes d'abord aiguisé la menteuse. J'ai débouché un **Saint-Émilion** jeune (**Château-Patris** 81), mais déjà bien équilibré en bouche et singulièrement épicé au nez. Il m'est arrivé d'avoir des initiatives moins heureuses !*

# Noisettes d'agneau en papillotes au piment frais de Martinique avec son gratin de chrystophines

Si un commerçant de fruits et légumes exotiques vous vend des piments frais de Martinique, il aura aussi forcément des chrystophines. Si vous n'en trouvez pas, prenez du céleri-rave pour le gratin. Ce sera différent mais très goûteux tout de même.

*Pour 4 convives :*
**8 noisettes d'agneau (ou 12 si elles sont petites)**
**600 g de chrystophines**
**(qui se présentent sous la forme de tubercules)**
**ou 500 g de céleri-rave**
**100 g de beurre**
**2 cuillerées d'huile d'olive**
**1 pincée de noix de muscade**
**2 petits piments verts de Martinique hachés**
**(sans les pépins ni le pédoncule)**
**1 cuillerée à soupe de crème fraîche**
**50 g de parmesan râpé**
**sel, poivre**

*Préparation :*
Mettez le four à chauffer au thermostat 8.

Hachez menu les 2 piments. (Attention aux yeux !)

Répandez-en la moitié bien étalée au fond d'un plat. Posez les noisettes d'agneau par-dessus et étalez la deuxième moitié sur la surface des noisettes.

Appuyez dessus à l'aide d'une spatule afin de bien les imprégner du suc des piments. Réservez-les.

Pendant ce temps vous aurez mis les chrystophines 20 minutes (ou le céleri-rave 30 minutes) à cuire avec leur peau (lavez-les bien avant) à la vapeur.

Pelez-les, saupoudrez de noix de muscade, salez-les, poivrez-les et passez-les au mixer pour en faire une purée.

Mettez la purée dans un plat à four bien beurré.

Parsemez des petites noisettes de beurre également sur toute la surface.

Dans un bol, mélangez le parmesan râpé à la crème fraîche et étalez-le bien à la cuillère sur toute la surface de la purée.

Mettez le plat sur la grille dans le four chaud (baissez le four au thermostat 6).

Pendant la cuisson...
Piquez à la fourchette chaque noisette d'agneau et débarrassez-la de tous les petits morceaux de piment. Salez légèrement.

Dans une casserole, faites chauffer doucement le beurre restant avec l'huile d'olive et enduisez les noisettes au pinceau avec ce mélange.

Enfermez-les par deux ou trois (côte à côte) dans une papillote en papier sulfurisé (ou en alu).

Après 20 minutes de cuisson du gratin, mettez le plat au fond du four (en bas), posez les papillotes sur la grille et n'allumez que les feux du gril (donc en haut).

Les noisettes cuiront en tout 15 minutes. 7 à 8 minutes sur chaque face. Moins, si vous les préférez rosées...

Placez ensuite les noisettes en bas du four (afin qu'elles se tiennent au chaud) pendant que vous repasserez le gratin à l'étage supérieur afin qu'il se gratine et dore bien les 5 dernières minutes. Ce qui vous permettra de servir tout chaud et en même temps.

*C'est mon pote Gilou, mon accordéoniste (et chef d'orchestre), qui venait « boire un p'tit coup à la maison », qui a choisi lui-même à la cave un **Givry rouge de la Côte châlonnaise**. Si j'en juge la suite, c'était un vin de « bonne humeur » !*

# Le sauté d'agneau aux haricots en grains à la tomate et au safran

Dès les premiers haricots en grains dans mon jardin, je fais ce plat. Avant même de penser au cassoulet que j'aime tant, mais que je préfère déguster en automne ou en hiver.

On peut le faire avec des cocos nains, des soissons, des lingots, des tarbais, bref! un jeune haricot en grain à fine peau bien, beurré, est un délice avec la chair de l'agneau en sauté.

*Pour 6 convives :*
**400 g de collet et 800 g d'épaule d'agneau découpés en morceaux**
**2 kg à 2,200 kg de haricots nouveaux à écosser**
**5 belles tomates mûres**
**2 gros oignons blancs nouveaux hachés**
**6 gousses d'ail nouveau (ou 4 de vieux haché)**
**1 beau bouquet garni**
**1 cuillerée à café de poudre de safran**
**6 cuillerées à soupe d'huile d'olive fruitée**
**sel, poivre**

*Préparation :*
Mettez à pocher les tomates 3 minutes dans l'eau bouillante pour mieux les peler.

Écossez les haricots.

Dans une cocotte en terre (ou en fonte) contenant 4 cuillerées d'huile d'olive, mettez les morceaux d'agneau à saisir et faites-leur prendre couleur sur toutes les faces. Salez-les.

Au bout de 10 minutes de cuisson, ôtez-les. Réservez-les.

Ajoutez les 2 cuillerées d'huile qui restent dans la cocotte et faites blondir les oignons. Au bout de 5 minutes, ajoutez l'ail qui cuira 2 minutes.

Après les avoir pelées, pressez les tomates pour en ôter les pépins et hachez la chair, répandez-la sur les oignons. Ajoutez le bouquet garni, puis tous les morceaux d'agneau sautés, saupoudrez avec le safran et mélangez bien.

Laissez cuire 15 minutes à feu moyen avec le couvercle.

Ajoutez ensuite les haricots en grains dans la cocotte, mélangez et recouvrez d'eau de deux à trois centimètres.

Laissez cuire à feu moyen pendant 35 minutes avec le couvercle mi-fermé. Servez le tout dans un grand plat.

*Idéal, un **Côte-Rotie rouge** un peu frais ! J'ai débouché un 78 généreux, aux arômes un peu sauvages. Tout le monde a craqué ! Il venait de la sérieuse maison **Drevon**, La Roche-Ampuis à Condrieu.*

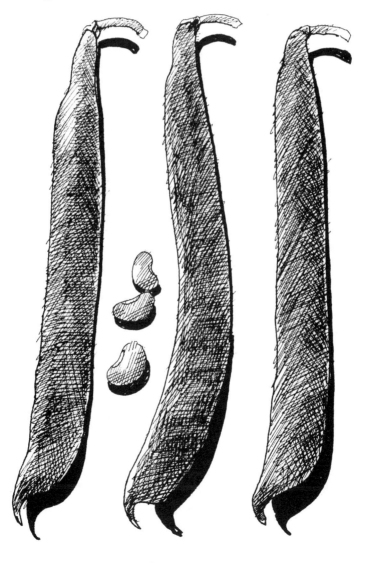

# Flanchet de veau
# au vinaigre et au miel

Demandez à votre boucher un flanchet d'1 kg à 1,200 kg pour quatre à six convives.

Mon copain Jean Bissonet et ses lardons Bernard ou Michou m'en fourguent un sous le bras chaque fois que j'entreprends un pot au rif. Mais essayez cette recette que j'ai concoctée un jour de grande faim au retour d'une pêche au brochet... (infructueuse !).

*Pour 6 convives :*
**1,200 kg de flanchet coupé en morceaux**
**4 cuillerées à soupe d'huile d'arachide**
**2 cuillerées à soupe d'huile d'olive**
**600 g d'oignons (violets sucrés si possible) hachés**
**1 bouquet garni**
**1 cuillerée à soupe de miel**
**1/2 verre de bon vinaigre de vin vieux**
**gros sel moulu, poivre**

*Préparation :*
Dans une cocotte, faites bien dorer les morceaux dans les huiles mélangées durant 10 bonnes minutes à feu moyen.

Tournez les morceaux à la spatule en bois.

Retirez-les dorés de la cocotte et réservez-les dans un plat.

Mettez alors les oignons dans la même cocotte (rajoutez une cuillerée d'huile si nécessaire), salez, mouillez d'une ou deux cuillerées d'eau, baissez le feu, laissez doucement étuver une douzaine de minutes à couvercle fermé.

Après quoi, ajoutez la viande dans la cocotte ainsi que le miel, le vinaigre, le bouquet garni et le poivre.

Rajoutez de l'eau (ou mieux du bouillon) jusqu'à hauteur des morceaux de viande.

Laissez cuire à petit feu une heure couvercle entrouvert.

Des pommes de terre nouvelles rissolées doucement à l'huile et au beurre, salées au sel de mer, poivrées et terminées par une pluie de persil simple haché, accommoderont fort bien ce flanchet aux oignons.

*A la cave coopérative de **Fronton,** dans mon Sud-Ouest natal, ils font un vin rouge plein d'arômes fruités. Sa robe est couleur de géranium. Il est généreux en bouche et doux au porte-monnaie. C'est « **La Carte Noire** », le 83 est aux œufs. Mes potes ont eu de la peine à avaler que ça n'était (servi en carafe) qu'un « petit » vin. C'est pas beau, ça ?*

# Quasi de veau aux topinambours et à l'ail doux

Plus de quarante ans après les avoir tant détestés pendant la guerre, j'ai redécouvert, par le truchement de cette manière de les accommoder, la saveur attrayante des topinambours. Il faut préciser que cuits à l'eau et bien entendu privés de « quasi » (réservé aux envahisseurs vert-de-gris!) ils avaient beaucoup moins d'attraits !

*Pour 6 convives :*
1 quasi de veau d'1 petit kg
1 kg de topinambours
18 belles gousses d'ail nouveau dans leur peau
un gros bouquet de persil haché fin
1 cuillerée à soupe d'huile d'olive
1 cuillerée à soupe de beurre
1 brin de thym
le jus d' 1/2 citron
sel, poivre

*Préparation :*
Mettez le four à chauffer.

Pelez les topinambours. Découpez-les en morceaux à peu près égaux de 3 à 4 centimètres de côté.

Écrasez très légèrement les gousses d'ail.

Mettez 2 litres d'eau au fond de votre cuiseur-vapeur et un feu vif en-dessous.

Placez sur la grille à l'étage au-dessus le quasi de veau avec l'ail et les topinambours autour.

Laissez cuire 10 minutes à la vapeur.

Laissez le quasi. Retirez les topinambours et l'ail que vous gardez au chaud.

Laissez cuire le quasi encore 25 minutes à la vapeur.

Pendant ce temps, faites fondre la noix de beurre dans une casserole. Filtrez-la au-dessus d'un bol et ajoutez l'huile d'olive.

Sortez le quasi de la grille du cuiseur-vapeur. Placez-le sur un plat à four et badigeonnez-le bien au pinceau de tout le mélange huile-beurre. Ajoutez tout autour l'ail et les topinambours. Salez et poivrez bien partout.

Mettez 10 minutes à dorer dans le four moyen (5 minutes sur chaque face).

En sortant du four, répandez le persil sur les topinambours.

Mettez le quasi dans un plat chaud avec l'ail et les topinambours autour.
Jetez la moitié de l'huile du plat à four et versez-y le jus d'1/2 citron et 1/2 verre d'eau. Posez le plat sur un feu vif et décollez les sucs au pinceau. Mettez ce déglaçage dans une saucière et servez avec le plat.

La cuisson de ces viandes à la vapeur m'a été inspirée comme je vous l'ai déjà dit par mon ami Jacques Manière, grâces t'en soient rendues, et puis qu'est-ce que c'est bon !

*Le **Château-Figeac** est pour moi le vin qui possède toutes les qualités réunies du **Saint-Émilion**. Des arômes de truffe et de vanille, une souplesse en bouche, il a vraiment tout pour lui. C'est sans doute pourquoi il a escorté le dîner tout seul comme un grand. (C'était un 81.)*

# Blanquette de veau de Maman comme on ne la fait plus beaucoup

C'est « Radio-Nostalgie » qui vous cause. Où est donc passée la blanquette de nos grands-mères ?
La voici pour les « frustrés » du temps passé. Moi, j'adore !
Hormis notre bonne copine Adrienne qui concocte de délicieux plats de ce genre au restaurant chez « La Vieille », je ne connais plus beaucoup de chefs qui mitonnent de bonnes tomates farcies ou une blanquette comme celle-ci, ça n'est pas mon pote Michou (le vrai !) ou l'ami Maurice Beaudoin qui me contrediront.

*Il vous faut demander à votre boucher :*
**6 morceaux bien maigres et sans os**
**plus quelques morceaux de « tendron » 1,500 kg en tout**
**faites-vous donner en plus quelques os qui contribueront**
**à la qualité de la sauce**
**4 échalotes hachées**
**3 carottes**
**3 blancs de poireaux**
**6 grains de poivre entiers**
**3 gousses d'ail entières**
**250 g de champignons de Paris**
**(des girolles seraient meilleures !)**
**2 jaunes d'œufs**
**2 cuillerées à soupe de fécule de pommes de terre**
**250 g de crème fraîche**
**1 cuillerée à soupe d'huile d'olive**
**le jus d'1 citron**
**1 brin de thym, 1/2 feuille de laurier,**
**1 pincée de muscade**
**1 feuille de sauge**
**1 verre de vin blanc**
**sel, poivre**

*Préparation :*

Pelez et coupez les carottes en rondelles.

Émincez les blancs de poireaux.

Hachez les champignons.

Mettez les jaunes d'œufs dans un bol.

Mettez une grande cocotte (ou faitout) à chauffer avec l'huile d'olive.

Faites rissoler les morceaux de veau découpés pendant 3 à 4 minutes en les remuant bien.

Ajoutez le vin blanc et de l'eau qui arrivent juste à recouvrir la viande avec les os, les échalotes, ainsi que tous les légumes émincés, l'ail dans sa peau, les grains de poivre entiers et les herbes aromatiques.

Amenez le feu à ébullition puis baissez-le pour laisser cuire à petits frémissements pendant 45 minutes.

Pendant ce temps, vous laverez les champignons à l'eau vinaigrée et les mettrez à cuire en sauteuse pendant 15 minutes (feu doux), ils exsuderont leur eau.

Mettez un peu d'eau (ou de bouillon) dans une terrine ou un saladier avec la fécule, les jaunes d'œufs, la crème fraîche, le jus de citron et la pointe de noix de muscade râpée.

Salez. Poivrez. Mélangez bien.
(N'oubliez pas d'ôter les os de la blanquette !)

Incorporez tout le mélange à la blanquette en le passant à travers le chinois et tenez à frémir sur le feu très doux pendant encore 5 minutes après avoir ajouté les champignons.

Servez avec du riz blanc ou quelques « rattes » cuites à la vapeur dans leur peau et présentées pelées.
C'est un « vieux plat » encore bien savoureux.


*Un **Cahors**. Un bon **Cahors rouge** 81 du **Château-de-Chambert**. Il est aromatique et élégant. Il était très agréable avec cette bonne vieille blanquette.*

# Osso-bucco accompagné de riz à la tomate et aux oignons

Voici encore un plat où tous les ingrédients doivent être moelleux lorsqu'on les savoure. C'est un régal authentique.

*Pour 4 à 6 convives :*
**faites couper en tranches 1,200 kg environ de jarret de veau**
**6 belles tomates**
**4 carottes**
**1 gousse d'ail haché**
**4 gros oignons**
**1 verre 1/2 de vin blanc sec**
**1 bouquet garni**
**1 noix de beurre**
**3 cuillerées à soupe d'huile d'arachide**
**500 g de riz**
**farine**
**sel, poivre**

*Préparation :*
Faites chauffer le four.

Pochez 3 minutes les tomates. Pelez-les. Pressez-les pour ôter les pépins. Réservez-les.

Pelez et coupez les carottes en rondelles.

Dans une cocotte, mettez à chauffer la moitié du beurre et 2 cuillerées d'huile.

Farinez légèrement les tranches de jarret sur chaque face.

Faites-les rissoler dans l'huile et le beurre chauds en les retournant pour les colorer partout, quand la viande est bien dorée, salez-la et ajoutez la moitié des tomates hachées, les carottes et la moitié des oignons.

Mettez le bouquet garni et laissez cuire doucement une quinzaine de minutes sans couvrir.

Ajoutez alors 1 verre 1/2 de vin blanc. Il faut que les rouelles de veau soient légèrement recouvertes. Rajoutez un peu d'eau au besoin.

Couvrez la cocotte et laissez mijoter une bonne heure dans le four chaud. C'est plus onctueux.

Pendant ce temps :
Faites revenir dans une marmite l'autre moitié des oignons et des tomates avec l'ail dans le restant du beurre et la cuillerée d'huile.

Au bout d'1/4 d'heure, quand tout est bien fondu, ajoutez le riz, couvrez d'eau (ou mieux de bouillon de poule si vous en avez). Mélangez bien et laissez cuire doucement jusqu'à ce que le riz vous paraisse à point.

Veillez à ce qu'il ne colle pas au fond de la marmite. Salez, poivrez de six tours de moulin et servez chaud en même temps que l'osso-bucco.

C'est bien succulent !


*Certains **Rully blancs** secs ont, paradoxalement, un goût de miel. Particulièrement le 82, aromatique et élégant. Il aura du mal à vieillir si mes copains reviennent dîner. Ils lui ont mis une sacrée claque !*
*M. **André Cheritier** à Chagny... votre vin plaît beaucoup.*

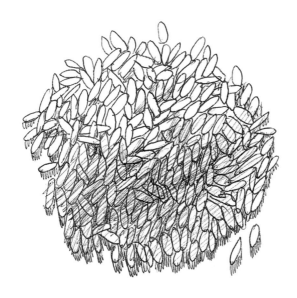

# Jarret de veau printanier

*Pour 4 à 6 convives :*
1 jarret de veau d'1 bon kilo
50 g de beurre
4 cuillerées à soupe d'huile d'arachide
thym
10 petits fonds d'artichauts tendres
environ 500 g de petites pommes de terre nouvelles
(primeurs Eesterling ou Saskia par exemple)
8 petits oignons blancs
10 petites carottes tendres
3 gousses d'ail légèrement écrasées dans leur chemise
1 cuillerée à soupe de graisse d'oie
1 cuillerée à soupe d'huile d'olive
une vingtaine de lamelles de cèpes séchés
à faire gonfler une 1/2 heure avant
dans un bol d'eau tiède et à égoutter
gros sel de mer moulu
poivre au moulin

*Préparation :*

Salez au gros sel de mer moulu et poivrez au moulin le jarret que vous aurez retiré du réfrigérateur 1 heure avant.

Faites-le saisir dans l'huile d'arachide uniquement (je ne me sers de beurre, d'huile d'olive ou de graisse d'oie que pour le goût et l'onctuosité qu'ils donnent, car leur cuisson prolongée est assez nocive) et dorer un petit 1/4 d'heure sur toutes ses faces, dans une cocotte en fonte émaillée non couverte, puis couvrez et laissez cuire 3/4 d'heure à feu modéré (thermostat de 4 à 6) tout en retournant de temps en temps votre jarret.

Mouillez-le si nécessaire d'un peu d'eau chaude ou mieux, de bouillon, ou avec un peu d'eau filtrée des cèpes.

Effeuillez les artichauts en ne gardant que les fonds.

Grattez les carottes, épluchez les pommes de terre et oignons blancs.

Rincez à l'eau froide, séchez dans un torchon.

Dans une deuxième cocotte, vous mettez ensuite à saisir tous les légumes dans l'huile chaude : les pommes de terre coupées en 2 ou en 4 selon la grosseur, les carottes en 4 bâtonnets sur leur longueur, les artichauts en 2 ou en 4, les oignons entiers, les cèpes, l'ail entier. Salez, poivrez au moulin, puis faites dorer et tournez le tout de temps en temps à la cuillère en bois.

Au bout de 20 minutes, ajoutez beurre (ou graisse d'oie) et huile d'olive et laissez cuire encore 10 minutes à feu moyen.

La cuisson du jarret et celle des légumes étant terminée, découpez sur une planche la viande en tranches que vous dressez sur un grand plat très chaud en y disposant les légumes autour. Déglacez le jus du jarret avec l'eau filtrée des cèpes que vous versez ensuite dans une saucière très chaude.

*Le **Château-Chicane** sur la table n'engendre pas pour autant les disputes chez vos convives, tout au contraire. C'est un vin de **graves rouge,** à la couleur de rubis et au nez de violette. Il plaît bien en général, comme d'ailleurs tous les graves légers et aromatiques de l'ami Costes à Langon.*

# Côtes de veau au beurre de basilic accompagnées d'aubergines frites

*Pour 6 convives :*
6 côtes de veau
1 kg d'aubergines
8 cuillerées à soupe d'huile d'olive
60 g de beurre environ
4 branches de basilic
1 gousse d'ail pas trop grosse
sel, poivre au moulin

*Préparation :*
Lavez les aubergines. Ôtez-leur le bout de la queue et essuyez-les au torchon. Inutile de les peler.

Coupez-les en cubes d'un bon centimètre de côté et mettez-les dans un grand plat creux en les salant légèrement pour les faire dégorger 1/2 heure.

Sur la grille du cuiseur-vapeur faites cuire les côtes de veau 6 minutes sur chaque face.

Pendant ce temps, dans un bol ou un mortier, malaxez le beurre à la fourchette pour le réduire en pommade. Ajoutez le basilic après l'avoir très finement haché (au tout dernier moment afin qu'il garde son parfum) et l'ail que vous pressez et mélangez bien au reste.

Vous obtenez ainsi une purée verte que vous salez et poivrez légèrement.

Saisissez les aubergines et faites-les sauter à la poêle dans l'huile d'olive pendant 1/4 d'heure à 20 minutes, à feu moyen, en les remuant bien à la cuillère en bois.

Lorsque les côtes de veau sont cuites à la vapeur, faites-les dorer 4 minutes de chaque côté au gril du four et posez sur chacune d'elles une noisette de beurre de basilic après les avoir mises dans un plat chaud.

Quand les aubergines sont bien dorées, sortez-les de la poêle avec une écumoire et placez-les dans un égouttoir sur un papier absorbant. Salez-les légèrement à mesure et servez-les bien chaudes autour des côtes de veau ou dans un plat chaud à part.

*C'est un plat frais et odorant. Il réclame un vin de même nature, un **Côte-de-Brouilly** frais, jeune et fringant nous a divinement éclaboussé les papilles.*
*Il venait de chez **André Large** à Saint-Georges-de-Reneins.*

*C'est simple et succulent !*

# Fricassée de filets de veau
# aux radis roses
# et champignons de Paris

Je ne conseille cette recette qu'à ceux qui peuvent se procurer du bon veau. Ce qui est rare à l'heure actuelle. (Moi, j'ai du bol d'avoir un bon louchebem !)

*Pour 4 à 6 convives :*
**1 kg à 1,200 kg de filets de veau**
**1 grosse botte de radis roses**
**250 g de champignons de Paris**
**(ou bien mieux de rosés des prés à la saison)**
**6 branches de persil simple**
**1 beau bouquet de ciboulette**
**2 belles gousses d'ail**
**4 échalotes grises**
**1 grosse noix de beurre**
**1/2 verre d'huile d'arachide**
**1 cuillerée à soupe de bon vinaigre rouge**
**2 cuillerées à soupe de crème fleurette**
**1 jaune d'œuf**
**1 morceau de sucre**
**gros sel moulu**
**poivre au moulin**

*Préparation :*
Faites chauffer le four.

Pendant ce temps, nettoyez les radis, les champignons, épluchez l'ail et les échalotes.

Quand le four est chaud, mettez, dans un plat, les filets entiers salés, poivrés et bien badigeonnés d'huile.

Tournez-les au bout de 5 à 6 minutes et laissez-les prendre un peu de couleur de chaque côté. 12 minutes suffisent, ôtez-les du four, réservez-les.

Déglacez le plat à four avec un verre d'eau et réservez le jus.

Hachez l'ail, les échalotes, la ciboulette et le persil.

Émincez les champignons et les radis en fines lamelles.

Émincez en fines tranches également les filets de veau qui doivent être rosés à l'intérieur.

Faites chauffer la moitié du beurre et de l'huile dans une sauteuse.

Ajoutez les échalotes et les champignons sur un feu moyen.

Laissez suer (réduire l'eau) 10 minutes environ.

Ajoutez les radis. Laissez-leur perdre l'eau 5 minutes.

Lorsque l'évaporation est complète, ôtez le tout de la cocotte. Réservez dans un plat.

Mettez à chauffer le restant de beurre et d'huile dans la même cocotte et faites revenir le veau émincé 1 minute en tournant à la cuillère en bois.

Ajoutez radis, échalotes, champignons et herbes fines. Mélangez, laissez prendre couleur 3 minutes.

Ôtez le tout avec l'écumoire. Réservez.

Déglacez les sucs collés du veau avec la crème fleurette, le vinaigre et le sucre (avec le pinceau ou la cuillère en bois).

Rajoutez veau, radis et champignons dans ce jus, salez légèrement, mélangez bien pendant 2 minutes.

Poivrez de six tours de moulin.
Servez dans un plat chaud.


*Un **Bordeaux rouge** « **Château-Bossuet** » rendra ce plat encore plus aimable.*
*Je confesse ici ma faiblesse pour les « oraisons » de ce tonneau. Ce délicat vin de messe est vendu à des tarifs très raisonnables, par **M. Yvon Dubost** à Saint-Denis-de-Pile, Gironde.*

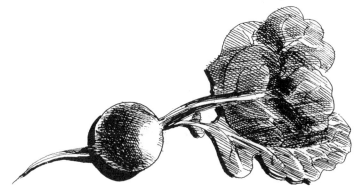

# Gigot d'agneau
# tel que le préparait la mémé
# d'une « borde »
# dans mon pays natal

Lorsque, invités à vendanger dans la « borde » de nos amis, la Mémé disait à Papa : « Et toi pitchou, qu'est-ce que tu voudrais manger demain pour dîner ? » Papa prenant un air faussement détaché, disait invariablement : « Oh ! n'importe quoi, Mémé, un gigot à l'ail par exemple avec la purée de fèves... » Et Mémé qui souriait, sachant très bien le succès qu'elle remporterait avec son fameux gigot disait : « Eh bien, comme tu voudras, je vous ferai une tourte pour le dessert... »
Et Papa salivait déjà rien qu'en imaginant...
Voici comment on peut le réussir.

*Pour 6 à 8 convives :*
**1 gigot d'agneau de 2 kg environ**
**1 bouquet garni**
**1 gros oignon**
**2 clous de girofle**
**3 cuillerées à soupe d'huile d'arachide**
**(la Mémé mettait du saindoux)**
**2 belles cuillerées à soupe d'Armagnac**
**1 bouteille de monbazillac blanc**
**6 têtes d'ail soit une quarantaine de gousses**
**sel, poivre moulu frais**

*Préparation :*
Ayez soin de mesurer la longueur de votre gigot par rapport à la taille de la cocotte. Au besoin, faites supprimer une partie du manche par votre boucher.

Dans une grande et haute marmite, faites bouillir 3 à 4 litres d'eau en y ajoutant le bouquet garni, l'oignon coupé en morceaux et piqué de clous de girofle. 15 à 20 minutes doivent suffire à donner du goût.

Lorsque l'eau parfumée arrive à ébullition, plongez-y le gigot, et retirez-le au bout de 15 minutes. Réservez l'eau qui vous servira ultérieurement.

Égouttez le gigot. Épongez-le au torchon et faites-le revenir dans la cocotte avec l'huile, à feu moyen. Salez et poivrez-le bien. Faites-le dorer sur toutes ses faces.

Arrosez-le avec l'Armagnac et faites flamber.

Quand l'Armagnac a brûlé, retirez la cocotte du feu et disposez les gousses d'ail autour du gigot. Mouillez-le alors d'un verre de bouillon dans lequel il a cuit auparavant et ajoutez la bouteille de vin blanc de monbazillac.

Fermez hermétiquement en « lutant » le couvercle.

Laissez cuire à feu doux pendant 4 heures (cuit sur la braise c'est encore meilleur).

Ôtez le gigot délicatement avec deux grandes spatules en métal ainsi que les gousses d'ail confit avec l'écumoire.

Arrosez avec le jus.

Pendant que le gigot cuit, vous aurez épluché 4 kg de fèves (il n'en restera que trente pour cent à peine) que vous aurez fait bouillir dans l'eau de cuisson du gigot.

Passez-les au mixeur après avoir ôté les peaux les plus grosses.

Ajoutez 100 g de beurre à la purée ainsi que 3 ou 4 cuillerées de jus de gigot. Salez. Poivrez.

Vous garderez un souvenir impérissable de ces deux plats réunis.


*Ce festin de roi méritait un vin à la hauteur. J'ai choisi d'offrir à mes potes deux fioles du plus beau **Saint-Julien** de ma cave. Un **Ducru-Beaucaillou** 75. Eh bien mon vieux Pierrot, t'es trop impatient. (C'est un peu la faute à ce cher James de Coquet, raffiné gastronome et homme d'esprit, qui se plaignait récemment dans l'un de ses papiers : mais pourquoi ne boit-on pas les 75 ?)*
*Il n'est pas prêt. Il sera bien meilleur dans cinq ou six ans à mon humble avis. Le 70, par contre, fut grandiose. Venez le goûter, James !*

# Épaule d'agneau frémissant au four sur le lit de rosa

*Pour 6 convives :*
1 épaule d'agneau de 2 kg (dégraissée au maximum)
1 kg de pommes de terre rosa ou roseval
6 belles gousses d'ail
2 cuillerées à soupe d'huile d'arachide
4 minces bardes de lard
2 verres de bouillon de volaille
1 verre de vin blanc sec
100 g de beurre
sel, poivre, muscade

*Préparation :*
D'abord, chauffez bien le four.

Beurrez et huilez un grand plat à four (en terre de préférence). Garnissez-le jusqu'aux 3/4 des pommes de terre pelées et coupées en tranches fines, tout en les salant et poivrant. Répandez la muscade au fur et à mesure, étalez également des noisettes de beurre ainsi que l'ail coupé en fines lamelles. Mouillez-les avec le bouillon et le vin blanc.

Sur les pommes de terre, couchez alors les bardes de lard et placez dessus l'épaule d'agneau bien badigeonnée d'huile, de beurre fondu, de sel et de poivre.

Recouvrez le tout de papier d'aluminium.

Mettez au four chaud.

Laissez cuire le plat 1 heure à feu doux, puis ôtez le papier qui le recouvre et laissez-le 1/2 heure au four (toujours à feu doux) jusqu'à ce qu'il soit bien coloré.

Le moelleux de l'épaule et les pommes de terre imprégnées de ses sucs sont tout simplement une merveille.

*Dans un seul cœur comme à l'Opéra, les copains ont déclaré ce* **Tailhas** *79 « Fa-bu-leux ». Ma pomme, je buvais du petit-lait. Enfin, j'ai goûté le* **Pomerol** *aussi. Honnêtement, mes copains ne disent pas que des choses intelligentes à table, mais là, j'avoue !...*

# Notes

# Échine de porc à la sauge avec épinards frais en branches

C'est un des morceaux les plus onctueux du porc. Je prépare parfois ce plat à la maison car on ne le sert que très rarement au restaurant.

*Pour 6 convives :*
**1 échine de porc d'1 kg à 1,200 kg**
**6 feuilles de sauge fraîche (à défaut séchée)**
**1 cuillerée à soupe de moutarde forte**
**1 cuillerée à soupe de crème fraîche**
**1 demi-cuillerée à dessert de poudre de paprika**
**1 cuillerée à soupe d'huile d'olive**
**2 cuillerées à soupe d'huile d'arachide**
**500 g d'épinards frais en branches**
**50 g de beurre**
**1 pincée de noix de muscade**
**sel, poivre**

*Préparation :*
Allumez le four. Réglez sur thermostat 8.

Mettez dans un bol la cuillerée de moutarde, la crème fraîche, la sauge hachée ou émiettée, le paprika et la cuillerée d'huile d'olive.

Mélangez bien le tout en une crème homogène.

Enduisez au pinceau l'échine de porc avec cette pommade. Salez-la sur toutes les faces.

Versez l'huile d'arachide dans un plat à four. Posez dessus l'échine de porc enduite. Mettez au four. Laissez 10 minutes à feu très chaud, puis baissez le feu (thermostat 6) et recouvrez le plat d'une feuille d'aluminium.

Laissez cuire en tout 1 h 1/4 à four moyen.

Badigeonnez de jus au pinceau de temps en temps. Remettez bien la feuille d'alu par-dessus.

Au bout d'1 heure de cuisson, ôtez le papier d'alu, badigeonnez encore au pinceau et laissez dorer les 15 dernières minutes.

Pendant la cuisson, nettoyez et lavez bien les épinards deux ou trois fois à l'eau claire.

Faites-les cuire un tout petit quart d'heure à la vapeur. Mettez-les dans un plat chaud. Répandez le beurre en copeaux par-dessus, une pincée de noix de muscade. Salez et poivrez.

Quand l'échine est cuite, ôtez le plat du four que vous éteindrez. Mettez-y le plat d'épinards recouvert de papier d'alu afin de le tenir au chaud et de bien faire fondre le beurre.

Déposez l'échine dans un grand plat chaud après l'avoir coupée en tranches.

Dégraissez le plat à four au maximum et posez-le sur un feu vif. Versez un grand verre et demi d'eau. Déglacez au pinceau afin d'avoir un bon jus pour que chacun puisse arroser les tranches d'échine et les épinards.

Servez les deux plats bien chauds et le jus en saucière.

*L'apparition d'un **Sancerre rouge** a un peu étonné puis séduit mes convives peu familiarisés avec ce vin. Il sent les fruits mûrs, cerise, mangue et développe des saveurs de cassis. Le 82 ne vieillira plus dans ma cave. C'étaient mes deux dernières boutanches !*

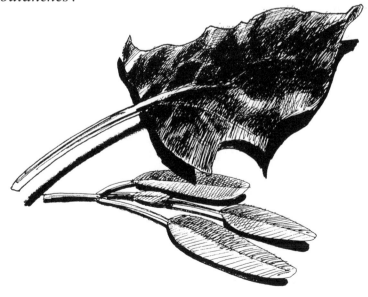

# Mon rôti de porc préféré moutarde et sauge

*Pour 6 convives :*
1 rôti de porc d'1,200 kg environ
2 fines et larges bardes de lard
4 feuilles de sauge fraîche (ou séchées à défaut)
3 cuillerées à soupe de moutarde
1 brin de romarin
1 brin de thym frais
1 pincée de noix de muscade
le jus d'1/2 citron
1 cuillerée d'huile d'olive
sel, poivre

*Préparation :*
Faites chauffer le four.

Avec un pinceau, enduisez le rôti d'huile d'olive, puis de toute la moutarde.

Collez-y toutes les herbes séchées et émiettées tout autour.

Salez légèrement, poivrez au moulin.

Entourez-le entièrement avec les fines bardes que vous ficelez.

Placez-le dans un plat huilé (avec une petite grille au fond du plat) et dans le four très chaud. Laissez saisir 3 minutes et baissez le thermostat. Laissez cuire à feu très doux pendant 50 minutes.

Ôtez les bardes et remettez 10 minutes à dorer sur toutes les faces.

Posez ensuite le rôti dans un plat très chaud.

Videz et jetez la graisse du plat à four puis ajoutez le jus de citron, un verre d'eau et déglacez le fond du plat au pinceau sur un feu vif. Servez le jus en saucière.

Délicieux, accompagné d'un gratin de céleri en branches.

Vous pouvez également cuire le rôti 50 minutes à la vapeur (avec 1 l 1/2 d'eau dans le compartiment inférieur) et le faire dorer au four 5 à 6 minutes sur chaque face avant de le servir.

Il sera aussi délicieux et plus sain.

*Un **Gaillac rouge** 85. Pas très connu, le rouge... Il est vif en bouche et fleure bon la framboise. A table, personne ne connaissait. Je leur ai filé l'adresse : **Vignobles Jean Cros,** Cahuzac-sur-Vère, Castelnau-de-Montmirail.*

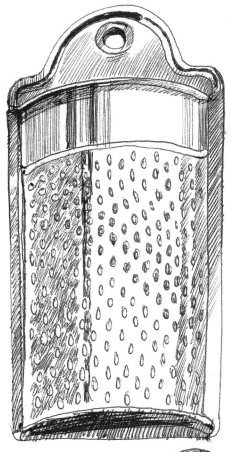

# Filet mignon de porc aux pommes de terre nouvelles rissolées et petits pois nouveaux

Louis XIV mangeait beaucoup. Trop et mal. Tout le monde s'extasia à la cour lorsqu'en 1660 son ambassadeur rapporta d'Italie le premier panier de petits pois qu'il offrit au Roi-Soleil.
Devant le succès remporté par ce petit légume, le jardinier royal la Quintinie en fit pousser dans les serres de Versailles.
Tout frais arrivé de Gênes, ce magnifique légumineux (par sa couleur et sa saveur), après un bref séjour d'accommodation dans les cuisines royales, devint tout naturellement « le petit pois... à la Française ».
Le Roi trop gourmand « en hérita de sérieuses indigestions » !

*Pour 4 à 6 convives :*
**7 à 800 g de petites pommes de terre nouvelles**
**(la qualité des roseval, belle de Fontenay,**
**ratte ou encore la rosa conviendra parfaitement)**
**1 filet mignon de porc de 4 à 500 g**
**1 kilo de petits pois dans leur cosse**
**1 branche de thym frais**
**3 échalotes hachées menu**
**100 g de beurre frais**
**1 cuillerée à soupe d'huile d'olive**
**1 cuillerée à café de sel marin moulu**
**poivre au moulin**

*Préparation :*
Grattez d'abord les pommes de terre (ne les épluchez pas, c'est bien meilleur !), gardez-les entières si elles sont petites, sinon coupez-les en quartiers.

Dans un grand poêlon en fonte ou en terre ou une sauteuse, faites fondre le beurre et l'huile d'olive sans les laisser noircir ni fumer.

Versez les pommes de terre en les remuant bien à la cuillère en bois. Le feu doit être moyen.

Au bout de 15 minutes de cuisson, ajoutez le thym, le filet mignon que vous aurez au préalable découpé en dés de 2 à

3 centimètres de côté et les échalotes.

Laissez rissoler le tout à découvert encore 15 minutes en remuant de temps en temps avec la cuillère en bois.

A l'aide d'une écumoire, ôtez les pommes de terre et les cubes de filet que vous mettez dans un plat en attendant la suite.

Dans le même poêlon, rajoutez ensuite les petits pois écossés et un bon verre d'eau.

Laissez cuire à feu très doux, couvercle mi-fermé jusqu'à ce que les petits pois soient cuits (éprouvez-en la consistance) et l'eau presque complètement évaporée.

Incorporez alors le contenu du plat (pommes de terre et filet) et remuez bien le tout derechef à la cuillère en bois pendant 2 à 3 minutes.

Salez, remuez encore un peu.

Ajoutez six tours de moulin à poivre au dernier moment.

Servez chaud.

*Un grand **Bordeaux**. Un grand **Moulis**. Un superbe*
*« **Chasse-Spleen** » 76.*
*Voilà ce que j'avais extirpé de la cave pour mes invités. Difficile de trouver plus élégant. Il a des tons de mitre d'évêque, des effluves de noisettes et de mousserons. C'est un chou-chou de certains poteaux habitués de ma table, leur récompense d'être sortis de Paris à l'heure la plus craignos.*

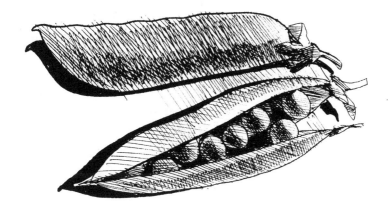

# Chevreau sauté à l'huile d'olive avec une persillade à l'ail doux

J'adore la chair rôtie d'un cabri qui ne dépasse pas six à sept kilos. Au-delà de ce poids, ça n'est plus pareil !
Je prépare la selle à la moutarde ou j'en fais des morceaux en blanquette.
Mais c'est tout tendre et sauté en persillade que je le préfère.

*Pour 6 convives :*
**2,500 kg à 3 kg de chevreau découpé en morceaux**
**le jus de 3 citrons**
**2 têtes d'ail**
**1 gros bouquet de persil simple**
**1 verre à moutarde d'huile d'olive**
**6 brins de thym**
**1 verre de montilla (ou de vin jaune du Jura)**
**sel, poivre au moulin**

*Préparation :*
A l'aide d'un pinceau, passez les morceaux de chevreau au citron 1 heure avant.

Pelez l'ail et hachez-le grossièrement.

Badigeonnez ensuite au pinceau tous les morceaux de chevreau à l'huile d'olive.

Salez et poivrez sur toutes les faces.

Dans une sauteuse ou une grande poêle, faites saisir les morceaux dans le restant d'huile d'olive en les retournant à la fourchette afin qu'ils aient partout une belle couleur, 10 à 15 minutes en tout.

Quand ils sont bien dorés, émiettez le thym et répandez l'ail dessus.
Baissez le feu et laissez cuire encore 8 à 10 minutes. Couvrez à moitié.

Redonnez trois tours de moulin à poivre et ôtez les morceaux de la poêle.

Placez-les dans un grand plat creux que vous aurez mis à chauffer au four.

Déglacez au pinceau le fond de la sauteuse avec le verre de montilla.

Répandez le jus sur les morceaux dans le plat.

*Vous aurez sans doute remarqué qu'en ce qui concerne les vins, je suis « aimanté » par certains arômes. C'est le cas pour ce superbe **Cornas rouge** 82 qui vous vaporise des senteurs de truffes fraîches dans le fer à souder. Sa saveur n'a rien à envier à son parfum. Le Cornas, il n'y en a pas des tas qui connaissent pourtant ! J'y habitue très bien mes potes. C'est une adresse que, raisonnablement, on devrait garder pour soi, « vu le rapport qualité-prix » comme dit ma bignole. **Robert Michel** à Cornas.*

*Quitte à me répéter : j'adore !*

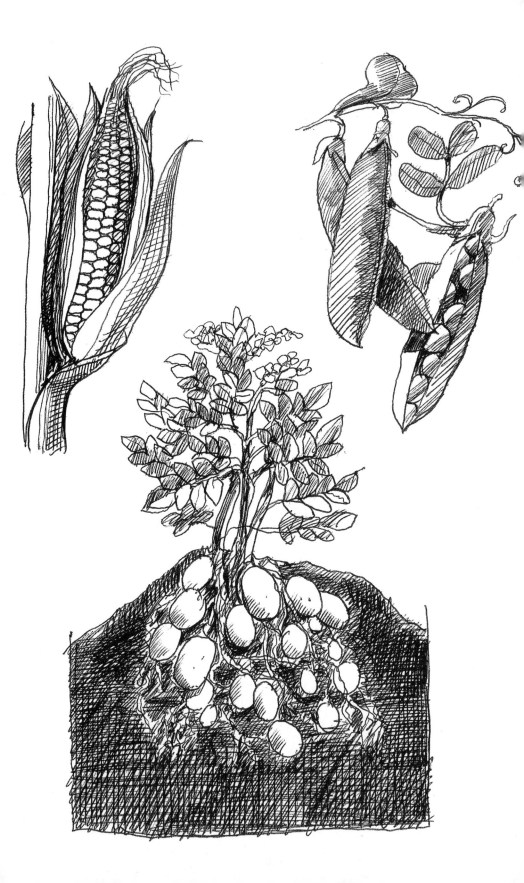

# LÉGUMES
## ... à toute vapeur

J'adore les légumes, tous les légumes. Il en est tout de même certains que je préfère. C'est surtout de ces derniers dont il sera souvent question dans mes recettes. Les aubergines par exemple, les tomates, les pommes de terre, les artichauts, les poireaux, les asperges, les haricots verts ou en grains, les carottes, petits pois, navets, le potiron et toutes les salades!...

La cuisson à la vapeur est sans doute celle qui leur convient le mieux. Il faut obtenir une cuisson « croquante » (je ne parle pas des patates bien entendu!), leur saveur, ainsi que toutes leurs vitamines en seront préservées.
Il est donc indispensable d'avoir chez soi un cuiseur-vapeur à plusieurs étages. Il servira à cuire, selon vos goûts, les légumes, poissons et même les viandes, qui conserveront de cette façon la quasi-totalité de leurs propriétés.
Vous pouvez bien sûr les accommoder ensuite de la manière qui vous plaira, en sauce, en vinaigrette, braisés, etc.

J'ai la chance d'avoir chez moi un jardin potager où sont cultivés tous les légumes que je viens d'évoquer ici, ainsi que le « carré » indispensable d'herbes fines et aromatiques sans lesquelles les plats manqueraient du « piment » qui leur est nécessaire. La symphonie de couleurs d'une « jardinière de légumes »!... En plus, c'est beau, les légumes. On décore les plats en Chine de façon tout à fait étonnante à partir de fruits et de légumes. Mes copains Chapel, Blanc, Robuchon, Girardet ou Delaveyne ont appris et appliqué cette science de la décoration avec une totale maîtrise. C'est encore plus appétissant quand c'est beau! Un petit bouquet de fleurs sur la table, une jolie vaisselle...

J'ai bêché mon premier jardinet à l'âge de six ans, dans un coin de terre d'un mètre cinquante de côté derrière la maison de mes parents. J'avais planté un pied de tomate, un pied d'artichaut et trois grains de maïs que Maman m'avait donnés.

J'avais clôturé le tout avec des roseaux cueillis au bord du ruisseau et interdit à quiconque d'y mettre les pieds. J'allais tous les étés deux mois en colonie de vacances (je me suis vengé en chanson!). A mon retour, je constatais douloureusement que « mes » tomates ainsi que « mes » artichauts avaient été engloutis honteusement par une famille sans vergogne. La mienne! Le maïs avait été dévoré, lui, par les lapins! Les adultes m'ont posé très tôt d'énormes problèmes, que des années plus tard je n'ai toujours pas complètement résolus...

# Gratin de céleri

C'est mon préféré avec le gratin d'aubergines et celui de macaronis. Maman m'en a régalé mille fois et je salive pourtant à la simple idée d'en mettre un au four...

Il est indispensable que le céleri soit très tendre.

*Pour 6 convives :*
**700 g de cœur de céleri en branches**
**50 g de gruyère râpé**
**1 cuillerée à soupe de parmesan râpé**
**2 jaunes d'œufs**
**50 g de beurre frais**
**4 cuillerées à soupe de crème fraîche fleurette**
**1 verre de jus de viande (ou 1 « cube » dissous !)**
**noix de muscade râpée**
**sel, poivre au moulin**

*Préparation :*
Mettez le four à chauffer sur thermostat 7.

Dans votre « cuiseur-vapeur », faites cuire le céleri découpé en bâtonnets pendant 10 minutes.

Répandez quelques noisettes de beurre dans le fond d'un plat à four.

Étalez dessus une couche de céleri (précuit). Salez très légèrement et saupoudrez d'un peu des 2 fromages râpés ainsi que de poudre de noix de muscade.

Versez sur cette première couche le verre de jus de viande.

Ajoutez par-dessus le restant du céleri. Salez légèrement.

Dans un petit saladier, mettez les 2 jaunes d'œufs, la crème fleurette, une pincée de poudre de muscade, un soupçon de sel, poivrez au moulin.

Ajoutez le restant des fromages râpés et battez le tout au fouet pendant 3 minutes.

Nappez-en bien la surface du plat que vous placez dans le four chaud. Baissez légèrement le feu et laissez cuire une quinzaine de minutes.

N'allumez le gril supérieur du four que les 3 ou 4 dernières minutes afin qu'il dore bien.

*Avec un gigot d'agneau ou une canette rôtie, vous oublierez sans peine le hamburger de votre déjeuner*

# Ma ratatouille préférée

Des ratatouilles, il en existe des quantités.
C'est avant tout un plat d'été. Celle-ci, ne comportant pas les ingrédients classiques, se distingue à mon goût par la saveur exquise du céleri (que j'adore) marié à la tomate et à l'aubergine. Elle est aussi délicieuse froide que chaude.

*Pour 6 convives :*
**300 g d'aubergines**
**4 tiges de céleri très tendres,**
**lavées et épluchées, sans les fils**
**1 oignon moyen haché**
**4 échalotes hachées**
**4 tomates fraîches**
**3 gousses d'ail pressées**
**1 bouquet garni**
**2 cuillerées à soupe d'huile d'olive vierge**
**3 cuillerées à soupe d'huile de tournesol**
**1 morceau de sucre roux**
**1 pointe de piment de Cayenne en poudre**
**sel, poivre**

*Préparation :*
Lavez et découpez (sans les peler) les aubergines en petits dés de deux centimètres de côté environ.

Dans une poêle, faites frire les aubergines pendant 10 minutes à l'huile de tournesol.

Lorsqu'elles ont commencé à prendre couleur, mettez-les dans un égouttoir sur du papier absorbant.

Découpez les branches de céleri en petits bâtonnets.

Pochez-les 5 à 6 minutes dans l'eau bouillante salée. Égouttez-les. Réservez-les.

Plongez les tomates dans l'eau bouillante (du céleri) pendant 3 minutes, puis pelez-les. Ôtez le maximum de pépins et découpez la chair en dés.

Dans un poêlon en terre, sur une plaque d'amiante ou dans une cocotte, mettez l'huile d'olive à chauffer (sans laisser fumer).

Faites-y revenir à feu doux les oignons et les échalotes pendant 3 minutes en mélangeant à la cuillère en bois.

Ajoutez ensuite la tomate en morceaux, le bouquet garni, l'ail, le céleri et les aubergines.

Salez. Poivrez légèrement. Ajoutez la pointe de Cayenne (très peu) et laissez cuire 45 minutes à feu doux.

J'ajoute à ce plat un morceau de sucre roux qui enlève une certaine acidité des oignons et tomates. C'est selon votre goût.

Ôtez le bouquet garni et servez chaud.
Froid, c'est également délicieux servi avec une omelette aux fines herbes, chaude !

*Un jeune vin rouge de la région de Sartène avait ajouté un rayon de soleil Corse. La dernière fois que j'ai mitonné ce plat savoureux, c'était avec nos amis André et Théa Allegre.*

# Petits soufflés
# de tomates fraîches au basilic

*Pour 6 convives :*
1 litre 1/2 de coulis de tomate
4 jaunes d'œufs
8 blancs d'œufs
1 petit bouquet d'estragon haché (frais)
2 cuillerées à soupe de basilic frais
1 noix de beurre
1 pointe de piment de Cayenne
sel, poivre

*Préparation*
Faites réduire le coulis de tomate dans une casserole jusqu'à ce qu'il n'en reste plus qu'1/3. Ôtez la casserole du feu.

Incorporez les jaunes d'œufs au coulis, mélangez bien et mettez la casserole dans un récipient contenant un peu d'eau afin de refroidir votre mélange.

Mettez les blancs d'œufs dans une terrine. Salez-les et montez-les en neige.

A l'aide d'un fouet à œufs, mélangez délicatement le coulis refroidi aux blancs montés, ajoutez les feuilles d'estragon hachées, une pincée de Cayenne, mélangez de nouveau le tout bien soigneusement.

Beurrez des petits pots qui vont au four, emplissez-les aux 3/4 de ce mélange.

Mettez à cuire à four chaud pendant 15 minutes au bain-marie.

Après avoir retiré les pots du four, versez en pluie le basilic haché (au dernier moment) sur les soufflés.

*Un vin blanc de **Gaillac** légèrement frais s'accordera bien au caractère de cette entrée printanière et colorée.*

*On peut faire de délicieux soufflés en remplaçant la tomate en coulis par une purée de légumes en quantité équivalente. L'été, les courgettes, poireaux, céleri, aubergines passés au mixer et préparés ainsi sont très appétissants et font une savoureuse introduction dans un dîner par exemple.*

# Cassolette
# de topinambours aux truffes

Ces deux saveurs m'ont paru tout à fait complémentaires. L'une sublimant l'autre. (Je parle de la truffe bien entendu.) La cuisson doit être minutieuse car il est nécessaire que les rondelles de topinambours soient bien égales en épaisseur et surtout dorées sans être trop cuites.

*Voici comment procéder*
*pour 4 convives :*
**3 truffes d'environ 150 g à elles trois**
**5 topinambours moyens**
**2 échalotes hachées menu**
**2 noix de beurre**
**1 cuillerée à soupe de bouillon de poule**
**ou de jus de volaille, et si vous en avez,**
**incorporez une cuillerée à soupe de fond de veau**
**1/2 verre (à moutarde) de vieux madère**
**1 cuillerée à soupe d'huile d'arachide**
**sel, poivre**

*Préparation :*
Pelez les topinambours et mettez-les entiers à cuire 20 minutes dans un cuiseur-vapeur.

Découpez les truffes en lamelles épaisses dans un bol.

Dans une casserole basse ou une sauteuse, mettez une noix de beurre avec les lamelles de truffes et les échalotes sur un petit feu.

Aux premiers « frémissements », mettez un couvercle sur la sauteuse et laissez ainsi encore 1 minute à feu le plus doux possible.

Ajoutez la cuillerée de fond de veau et le jus de volaille, le madère et laissez frissonner à couvert sur un feu toujours très doux pendant 5 à 6 minutes.

Lorsque la cuisson vapeur des topinambours est terminée, retirez-les.

Coupez-les en rondelles épaisses de deux centimètres, puis recoupez les rondelles en quatre morceaux chacune.

Dans une deuxième sauteuse (ou à la poêle), faites chauffer l'huile et la deuxième noix de beurre et faites dorer les topinambours en morceaux pendant 6 à 7 minutes. Salez-les en fin de cuisson. Poivrez-les. Ôtez-les avec une écumoire et posez-les sur un plat chaud.

Disposez les truffes par-dessus et arrosez le tout avec le jus très chaud à travers la passoire ou le chinois.

C'est un plat que je n'ai jamais dégusté ailleurs que chez moi. Vous pourrez l'essayer... chez vous. Bon appétit !

*J'aimerais bien connaître ces demoiselles **Robin** qui élèvent avec un soin jaloux et vendent avec grande parcimonie leur merveilleux **Pomerol** « **Château la Fleur** ». Il possède la finesse d'une robe de mariée et la saveur de son premier baiser. Il a « ennobli » ce plat.*

GRAND VIN DE BORDEAUX

*Château du Cailhas*

POMEROL

APPELLATION POMEROL CONTROLÉE

1961

MÉDAILLE VERMEIL NANTES 1886
MÉDAILLE ARGENT PARIS 1889
MÉDAILLE D'OR AMSTERDAM 1895
GRAND DIPLOME D'HONNEUR (COLLECTIF)
BORDEAUX & BRUXELLES 1910

P. NEBOUT & Fils

Propriétaires

MIS EN BOUTEILLES AU CHATEAU

# Caviar d'aubergines à ma façon

C'est une entrée froide qui aiguise l'appétit de vos invités pendant les mois d'été. L'aubergine en caviar classique me paraissant un peu fade, j'ai transformé ce plat à mon goût, voici comment.

*Pour 6 convives :*
**4 ou 5 aubergines pas trop grosses**
**(les grosses ont souvent trop de graines)**
**6 belles gousses d'ail**
**3 filets d'anchois à l'huile**
**1 douzaine d'olives noires dénoyautées**
**2 jaunes d'œufs**
**1 cuillerée à soupe de moutarde forte de Dijon**
**1 verre d'huile d'olive**
**1 pointe de couteau de piment de Cayenne en poudre**
**1/2 cuillerée à café de sel de mer fin**
**poivre**

*Préparation :*
Lavez les aubergines sans les peler. Essuyez-les.

Nettoyez l'ail mais ne le pelez pas.

Mettez les aubergines et l'ail (entier) à cuire 40 minutes à la vapeur.

Pendant ce temps, dénoyautez les olives noires.

A la fin de la cuisson vapeur, pelez les aubergines et l'ail. Coupez les aubergines en morceaux grossiers.

Mettez-les dans le mixer avec les olives, les anchois, le sel, le poivre et le Cayenne.

Versez cette purée dans une terrine ou un saladier et ajoutez les jaunes d'œufs et la moutarde.

Mélangez à la cuillère en bois puis versez doucement l'huile d'olive en l'incorporant progressivement à la purée de la même façon que pour une mayonnaise.

Lorsque le mélange est bien homogène, laissez-le au frigo en attendant de le déguster avec du pain grillé tout chaud, légèrement doré.

*J'ai choisi un **Pouilly-Vuizelles** blanc. Ce délicieux vin qui fleure un peu l'amande vous séduira aussi par sa couleur de pomme golden. Il est élégant et sa saveur est un bouquet de fleurs. Il est peu connu et mérite amplement de l'être davantage. Il est récolté par M. **René Boulay** à Soligny.*

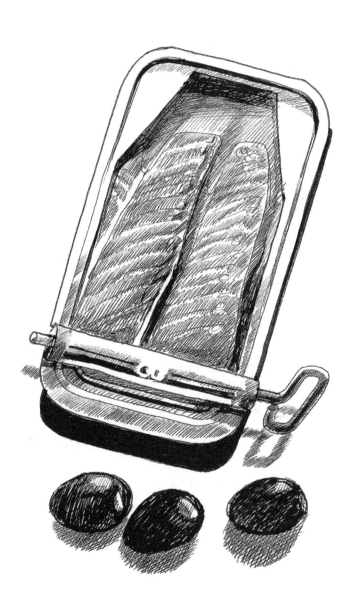

# Gratin d'aubergines

J'ai l'honneur et le grand avantage de vous présenter ici « le » gratin d'aubergines de mon épouse Rebecca. C'est le régal assuré de tous les convives dont l'œil se met à friser lorsqu'on leur annonce la « merveille » au menu.

Ne vous étonnez donc pas que j'en sois un tantinet jalmince.

*Pour 6 convives :*
**2 kg d'aubergines**
**1 kg de tomates entières pelées et épépinées**
**1/2 litre d'huile d'arachide pour la friture**
**1 cuillerée à soupe d'huile d'olive**
**5 gousses d'ail pressées**
**150 g de gruyère râpé**
**sel, poivre**

*Préparation :*
Lavez, essuyez et ôtez le pédoncule des aubergines. Coupez ces dernières dans le sens de la longueur, en tranches d'un centimètre d'épaisseur.

Dans une poêle contenant de l'huile très chaude, faites-les saisir et dorer de chaque côté.

Égouttez-les ensuite 3 à 4 heures (ou toute une nuit de préférence).

Faites réduire légèrement dans une casserole les tomates avec l'ail, le sel, le poivre et l'huile d'olive, de façon à obtenir une sauce un peu épaisse.

Dans un plat à four, disposez successivement aubergines, coulis et gruyère qui constituera la dernière couche destinée à gratiner.

Mettez au four à feu doux, 1 h 1/2.

Réchauffé ou dégusté froid, ce gratin s'améliore à chaque fois.

Un chevreau rôti, une épaule ou un gigot d'agneau seront sublimes pour accompagner ce gratin.

*Ce plat souligné par l'ail, le coulis et l'huile d'olive nécessite d'être escorté par un vin rouge aromatique, un peu sauvage. Sa couleur évoque la robe des gitanes du Midi. Sa saveur épicée de girofle est agréablement prolongée en bouche par la cerise mûre qui vous fait tressauter la menteuse de bonheur. Ce vin est un fleuron des « **Coteaux du Luberon** » (85-86). Une adresse à ne pas paumer.*
**Clos Murabeau,** *Mirabeau par Pertuis.*

# Mes tomates farcies

Il n'y en a jamais assez ! Lorsque j'en·cuisine, le plat repart toujours vide quel que soit le nombre de tomates préparées.
Vous séduiront-elles autant ?
Il vous faut d'abord et avant toute chose de la bonne chair à saucisse.
Vous allez la faire vous-même.

*Pour 6 à 8 convives :*
**800 g d'échine de bon porc**
**200 g de lard (pas de lard maigre !)**
**c'est tout ce qu'il vous faut pour obtenir**
**de la bonne chair à saucisse**
**15 à 20 belles et grosses tomates**
**2 échalotes grises hachées**
**1 bouquet de persil simple haché**
**1 boule de pain rassis de la grosseur d'une pomme**
**4 jaunes d'œufs**
**3 cuillerées à soupe d'huile d'olive**
**4 belles gousses d'ail hachées**
**1/3 de tasse de lait**
**quelques brins de thym**
**sel et poivre au moulin**

*L'un des dix plats préférés à la maison !*

*Préparation :*
Faites chauffer le four.

Mettez à gonfler la boule de pain dans la tasse de lait.

Découpez en minces bardes longues de deux à trois centimètres de côté la chair d'échine et de lard.

Passez le tout dans le hachoir électrique à travers la grille des couteaux moyens.

Recueillez la chair à saucisse dans une grande terrine.
Salez-la, poivrez-la de 18 g de sel et 4 g de poivre pour 1 kg de chair.

Mélangez bien pendant plusieurs minutes.

Mettez les échalotes, le persil, l'ail, une cuillerée d'huile, la boule de mie de pain humide et 3 des jaunes d'œufs dans la terrine.

Malaxez-les bien avec la saucisse. Salez légèrement de

nouveau et mélangez le tout jusqu'à ce que la farce soit très homogène. (Ne repoivrez pas !)

Retirez le « chapeau » des tomates après les avoir bien lavées et essuyées.

Ôtez la chair de façon à faire un « puits ».

Remplissez chaque tomate de la farce bien jusqu'en haut (sans dépasser).

Mettez le jaune d'œuf qui vous reste dans un bol et délayez-le avec un pinceau.

Badigeonnez de jaune d'œuf le sommet de la farce et recouvrez les tomates de leur « chapeau » avant de les placer dans le plat à four sur les 3 cuillerées d'huile d'olive. Mettez le plat dans le four et baissez le feu.

Elles doivent cuire 45 minutes dont 20 à feu moyen et le reste du temps à feu doux.

Ôtez les chapeaux 10 minutes avant la fin de la cuisson afin qu'elles soient bien dorées.

Recoiffez-les avant de les servir.

*Un **Bordeaux Graves rouge Château Terrefort** 83 fait l'unanimité avec ce plat goûteux. Les frères **Deloubes** mettent autant de cœur à élever et vinifier leurs vins qu'ils en avaient dans les mêlées spectaculaires de nos épiques parties de rugby ! Leur Graves rouge au tanin très souple est merveilleusement équilibré en bouche. L'arôme de noix de muscade et de girofle ne laisse pas présager sa saveur délicatement caramélisée aux accents de confiture de grand-mère.*

*Merci du cadeau, les aminches !*
*(Leur **Sauternes Château Béchereau** est aussi une petite merveille.)*

*Adresse à retenir :*
*Franck Deloubes, Château Béchereau, Bommes, Langon.*

# La patate... ma passion

J'ai la chance de pouvoir cultiver dans mon jardin (et cela depuis vingt ans) une douzaine de sortes de pommes de terre, des variétés à chair ferme telles que la belle de Fontenay, la ratte, la rosa, la roseval, la BF15, la viola à sauter, rissoler ou cuire à la vapeur, ainsi que des farineuses telles que l'Eesterling (qui se conserve mal) ou la bretonne ker pondy (qui « tient » bien plus longtemps) délicieuses pour les potages, la purée et même les frites.

Cet amour de la patate vient-il de l'Occupation ?
Durant ces années, tous ceux qui ont eu faim étaient obsédés par les pommes de terre (au fait, sur ce sujet j'ai tourné dans un film qui s'appelle *les Patates*!).

Trois malheureux ouvriers de l'usine de Castelsarrasin ont laissé leur vie à vouloir se régaler de patates (dérobées la nuit dans un champ) ; il était certes un peu fou et risqué de déguster des frites plongées dans l'huile de machine.

Il fallait les peler « fines fines » selon les recommandations de Maman. Nous les mangions souvent avec leur peau, sans beurre bien sûr, juste un peu de sel.
Quel régal ! Tout le monde aime les patates à la maison, en omelette, sarladaises, sautées, en purée, en paillasson, à « l'attachée », en salade, rissolées, en daube, accompagnant les viandes, les poissons, de cent façons les patates sont délicieuses et irremplaçables.

Mes préférées ? La roseval, la ratte et la rosa.

Voici quelques recettes des plats de patates que j'ai plaisir à cuisiner pour la famille ou pour mes potes.

Je vous propose auparavant un petit tableau édifiant en ce qui concerne leur utilisation en fonction de leurs qualités.
VIOLA se prépare en salade, sautée, en ragoût ou en robe des champs. Elle se conserve assez bien.

BF15 à rissoler, à sauter ou en ragoût. Ne se conserve pas très bien.

LA ROSA à sauter, à rissoler ou en salade.

LA CLAUDIA, faites-en des frites, idéale !

KER PONDY, frites ou en purée mais de gros calibres.

BINTJE (la plus connue), bonne pour les frites, la purée, les pommes vapeur et les potages.

LA ROSEVAL a une chair très fine, de peau rouge et de chair jaune veinée de rose. Très savoureuse à la vapeur ou sautée.

EESTERLING, mauvaise conservation ; utilisez les grosses pommes de terre pour vos purées.

LA RATTE : Ben la ratte, c'est la meilleure, ma préférée. Vous l'aviez peut-être pigé, non .

Petit tuyau utile :
Évitez pour la purée l'emploi de pommes de terre à chair trop serrée comme la « belle de Fontenay », « la BF15 », « la rosa » ou « la ratte ».

# La pomme de terre nouvelle

La truffe, le foie gras, le caviar, les ortolans sont des mets de rois appréciés différemment par d'aucuns, mais reconnus généralement comme tout à fait exceptionnels.

J'y place tout à côté, pour ma part, la pomme de terre nouvelle. Peu de plats « pauvres » de mon enfance ont si fortement réjoui mon palais. C'était, à la seule idée d'en manger, lorsque Maman les accommodait, une volupté de nabab, la délicieuse et incomparable attente d'un rendez-vous amoureux. (Ça, je ne le sus que plus tard !)

Vous qui avez la chance de la cultiver dans votre jardin, ne la cueillez ni ne la consommez trop tôt, avant sa maturité ; vous n'en auriez que des désagréments stomacaux !

Évitez également de l'accommoder en purée, en frites ou en gratin, elle n'est pas faite pour cela. Sa chair n'y est pas préparée. Ne la pelez pas non plus. La frotter d'un torchon sec un peu rugueux suffit à ôter sa fine pelure.

Les pommes nouvelles, la meilleure façon de les garder authentiques est de les cuire à la vapeur de douze à quinze minutes et de les tourner délicatement à la cuillère en bois dans une sauteuse à feu moyen dans une noix de beurre salé au sel de Guérande.

# Patates, artichauts, poulet

*Pour 4 à 6 convives :*
**12 fonds d'artichauts petits et entiers ou 6 gros coupés en 4 morceaux**
**7 à 800 g de petites pommes de terre nouvelles entières à chair ferme**
**(ratte, BF15, viola, rosa)**
**1 jeune poulet fermier d'1,500 kg dont vous ôtez toute la chair**
**que vous découpez en gros dés**
**3 oignons pelés, émincés**
**3 gousses d'ail hachées menu**

1 bouquet de thym et 1/2 feuille de laurier
au moins quatre cuillerées à soupe d'huile d'olive
une grosse noix de beurre (50 g environ)
sel, poivre

*Préparation :*
Il est indispensable que les pommes de terre soient petites, entières et d'égale grosseur. Si vous n'avez que des grosses, découpez-les en morceaux à peu près égaux.

Faites d'abord cuire les patates entières à la vapeur après les avoir grattées (et non pelées). Si elles sont nouvelles bien sûr !

Dans une sauteuse ou un poêlon en fonte (ou mieux en terre), mettez à chauffer doucement l'huile et le beurre. Une fois bien chaud sans fumer ni noircir, mettez dedans les oignons à blondir 5 minutes en les remuant.

Ajoutez les morceaux de poulet et les fonds d'artichauts découpés en quartiers, que vous tournez à la cuillère en bois avec les oignons 3 minutes encore.

Rajoutez ensuite les patates et le bouquet (sauf l'ail haché menu que vous mettez 10 minutes avant la fin de la cuisson) que vous mélangez bien.

Salez, poivrez, mettez le couvercle. Laissez cuire 5 minutes.

Tournez encore à la cuillère en bois, ajoutez l'ail ciselé. Couvrez à moitié.

La cuisson à feu doux ne dure que 20 minutes environ.

*J'ai déniché un **Canon-Fronsac** qui vous délie merveilleusement le chiffon rouge. Il est léger, rond, souple et très harmonieux en bouche.*
*Le 79 a eu les suffrages de toute une tablée de connaisseurs.*
*Son nom : **Château Junayme**. Il appartient à René de Coninck à Libourne.*

# Les fêtes de mon palais

Voici une recette de pommes de terre paraît-il « Ardéchoise » que j'ai dégustée un jour de bonheur chez une brave Mémé dans le Gers ! Repas frugal (dit-elle !) qui s'accompagnait de quelques tranches émincées de jambon d'oie.
Je vais donner ici les deux recettes qui sont faciles à faire.

# D'abord : Les patates

Après avoir épluché, lavé et séché au torchon vos patates, des rosa, râpez-les à cru sur une râpe ni trop fine ni trop grosse.

Séchez-les bien à nouveau dans le torchon.

Épluchez cinq belles gousses d'ail, et pilez-les dans un mortier en bois.

Mélangez bien l'ail, les patates râpées et saupoudrez d'une cuillerée à soupe de farine.

Salez au gros sel moulu. Poivrez légèrement.

Dans une grande poêle anti-adhésive, faites chauffer sans laisser fumer, moitié huile, moitié graisse d'oie recouvrant le fond d'un demi-centimètre.

Ajoutez les patates à l'ail que vous aplatissez en galette avec une spatule.

La cuisson dure 10 à 15 minutes de chaque côté à feu doux pour que les patates soient bien dorées.

Retournez-les dans un grand plat plat comme une omelette ou sur un grand couvercle de marmite (comme faisait la Mémé) et après avoir rajouté et chauffé de nouveau huile et graisse d'oie, replacez doucement la galette dans la poêle très chaude afin qu'elle dore des deux côtés.

# Le jambon d'oie ou de canard

Très facile à faire si vous pouvez vous procurer des filets ou des cuisses et entre-cuisses de grosse oie grise dite « Toulousaine ».

Par exemple, pour faire un jambon avec une cuisse d'oie de quatre cents grammes, il faut l'enfouir dans le sel moulu durant huit heures.

Ensuite, bien le brosser et le frotter au bon vinaigre de vin ou avec une bonne eau-de-vie, et l'essuyer dans un torchon propre.

Le recouvrir entièrement soit de poivre, soit de curry ou bien encore de piment de Cayenne.

Le laisser sécher à l'air dans une étamine ou un garde-manger.

Il faut, pour bien le déguster, attendre au moins quinze jours à trois semaines et ne découper que des tranches fines.

Ceux qui aiment le jambon fumé peuvent le suspendre sur le côté d'une cheminée où l'on fait du feu de bois, mais une seule journée tout au plus, car il est immangeable si on l'y laisse plus longtemps.

# Pommes de terre finement émincées cuites « à l'attachée » et... côte de bœuf au gros sel

Il est un plat que mes enfants m'ont toujours réclamé (et réclament encore !)
C'est ce que je nomme (après plusieurs « accidents » contrôlés) les patates « à l'attachée ». Si vous voulez marier ces deux plats simples et délicieux, il vous faut :

*Pour 4 à 6 convives :*
**700 à 800 g de pommes de terre rosa**
**ou belle de Fontenay (vous verrez, ils vont tout dévorer !)**
**6 gousses d'ail**
**3 grosses cuillerées à soupe d'huile d'arachide**
**2 grosses cuillerées à soupe d'huile d'olive**
**1 grosse cuillerée à soupe de graisse d'oie**
**1 grosse cuillerée à dessert de sel marin moulu**
**poivre**
*voilà pour les pommes de terre*

*Il vous faut aussi :*
**1 belle côte de bœuf épaisse de 800 g à 1 kg**
**2 cuillerées à soupe de gros sel de mer gris (de Guérande)**

*Préparation :*
Pelez les pommes de terre et émincez-les le plus finement et régulièrement possible (c'est le plus gros du travail !).

Dans une grande poêle (indispensable) faites chauffer ensemble l'huile d'arachide et l'huile d'olive sans qu'elles fument.

Jetez les pommes de terre dans la poêle, répartissez et aplatissez-les bien à l'aide d'une ou de deux spatules, ce qui est plus facile pour les retourner lorsqu'elles seront dorées d'un côté.

Il est indispensable que le feu ne soit pas trop fort mais

suffisant tout de même pour que les pommes de terre ne s'alourdissent pas d'huile.

Pendant que vos patates cuisent, faites chauffer le four au maximum car vous y saisirez tout à l'heure la côte de bœuf que vous préparez dès à présent comme suit :

Répandez sur chaque côté de la côte de bœuf une cuillerée à soupe de gros sel de mer (non moulu) que vous étalerez et ferez pénétrer dans la viande sans trop appuyer. Réservez dans un plat ou sur une planche à découper.

Revenons à nos patates. Après 10 minutes de cuisson, retournez les pommes de terre à la spatule et commencez d'y ajouter peu à peu la graisse d'oie.

N'hésitez pas à séparer les tranches de pommes de terre pour les faire bien dorer partout et à les décoller de la poêle si elles ont la mauvaise idée « d'attacher » (trop !), et à bien répartir le sel.

Ajoutez maintenant l'ail émincé en fines tranches lui aussi.

10 à 15 minutes avant la fin de la cuisson des patates (il faut qu'elles soient dorées, croquantes et moelleuses à la fois), à l'aide d'un couteau ou d'une petite brosse bien propre, faites tomber tout le sel qui adhère à la côte de bœuf que vous placerez sur une grille dans le four très chaud.

Vous la retournerez et la sortirez ensuite du four, bleue, à point ou bien cuite, selon vos goûts.

Découpez la viande sur la planche et placez les morceaux sur un plat très chaud.

Servez les pommes de terre dans un plat également très chaud après les avoir posées 3 secondes avec une écumoire sur une triple couche de papier absorbant dans un égouttoir.

Conseil utile : vous pouvez aussi précuire votre côte de bœuf pendant 5 minutes à la vapeur, sur chaque face, avant de la passer au gril 3 minutes de plus de chaque côté (pour une cuisson bleue) ; cette méthode est même préférable.

*Un **Bordeaux Graves** « **Châteaux Carbonnieux** » rouge peut sans nul doute réjouir votre palais.*

# Les riches pommes de terre sarladaises qu'il faut déguster au moins une fois dans sa vie

Pour faire ce plat, le récipient est important. Un pot en terre sera préférable, sinon il vous faut un moule cylindrique (en faïence à feu) avec son couvercle ou à défaut un moule en grès (haut) que vous recouvrirez d'un couvercle de même dimension ou d'une feuille de papier sulfurisé, huilé ou encore de papier d'alu huilé.

*Pour 4 à 6 convives :*
**800 g de pommes de terre**
**250 g de beurre environ (eh oui !)**
**ou 100 g de beurre et 150 g de foie gras émincé en copeaux**
**et au moins 300 g de truffes (Eh !)**
**sel, poivre**

*Préparation :*
Afin de mieux démouler après la cuisson, mettez au fond du moule une feuille ronde de papier sulfurisé bien beurré. Beurrez aussi les côtés.

Coupez les pommes de terre en lamelles bien fines, placez-en une couche au fond et répandez dessus des noisettes de beurre, des lamelles de truffes et des copeaux de foie gras. Un peu de sel (léger) et un peu de poivre au moulin, puis une couche de patates et ceci jusqu'en haut du moule en ayant soin de saler et poivrer très légèrement chaque couche.

Répandez équitablement sur chaque couche le beurre fondu jusqu'à la fin.
Lutez bien le couvercle et mettez le moule dans le four (déjà bien chaud) à feu très doux pendant une bonne heure et demie au moins.

Ce plat rustique peut très bien être dégusté sans accompagnement de viande.

Mais avec des pigeonneaux rôtis ou une épaule d'agneau, il n'en sera que meilleur.

*Nous avons dégusté, la dernière fois que j'ai mitonné ce plat, un **Château-Vieux-Certan** 76. Sa robe était cerise et son arôme de noisette et vanille. Sa saveur truffée, légèrement ponctuée de café, se mariait magnifiquement avec ce « gâteau » de patates particulièrement riche en odeur. Un grand moment !*

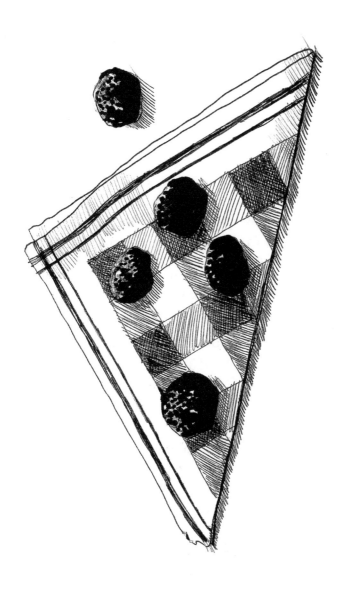

# Le gratin dauphinois

Il accompagne magnifiquement les viandes ou les volailles rôties, le poulet ou la pintade au vinaigre, etc.
Il est une manière fort simple de le rendre plus onctueux, c'est de le mettre à cuire au four dans un « bain-marie ».
Il faut de même... mais je vais vous expliquer tout ça plus loin...

*Pour 6 convives :*
**600 g de pommes de terre rosa ou roseval**
**400 g de crème fraîche épaisse**
**60 g à 70 g de gruyère râpé**
**2 gousses d'ail pressées**
**1 pincée de noix de muscade râpée**
**sel, poivre au moulin**

## Préparation :

Faites chauffer le four. Pelez, lavez et coupez les pommes de terre en rondelles très fines (comme pour des chips), rincez-les à l'eau claire. Séchez-les dans un torchon.

Au fond d'un plat à four, étalez une couche de crème fraîche puis une couche de pommes de terre ; répartissez sur chaque couche la valeur d'une grosse gousse d'ail. Salez, poivrez, ajoutez un soupçon de poudre de muscade.

Recommencez l'opération jusqu'à épuisement des patates !

Terminez par une couche de crème. Sel, poivre, muscade, gardez quatre à cinq cuillerées de crème pour la suite.

Mettez le plat à cuire à four réglé moyen durant 50 minutes.

Retirez-le.

Avec une cuillère, ôtez du plat à four toute la crème devenue beurre que vous pourrez et remettez alors sur les pommes de terre la valeur de 4 à 5 cuillerées à soupe de crème fraîche qui doit vous rester.

Intégrez-la bien aux pommes de terre avec la cuillère en bois.

Remettez le plat au four (toujours dans le bain-marie) pendant 15 minutes après l'avoir cette fois-ci saupoudré avec le gruyère râpé.

Le gruyère bien intégré à la crème va dorer doucement durant quelques minutes sans durcir, comme si vous l'aviez mis en début de cuisson.

Servez très chaud et régalez-vous. C'est le meilleur que je connaisse !

# Carré d'agneau à l'ail doux et aux petites pommes de terre nouvelles entières

Il est certes délicieux agrémenté de haricots ou des premiers petits légumes, mais avec des roseval autour, il est simplement divin.

*Pour 4 à 6 convives :*
**1 carré d'agneau de 800 g à 1 kg**
**800 g de pommes de terre roseval**
**100 g de beurre frais**
**2 cuillerées à soupe d'huile d'arachide**
**1 cuillerée à soupe d'huile d'olive**
**10 belles gousses d'ail entières dans leur chemise**
**sel, poivre, thym**

*L'agneau et la patate étaient faits pour se rencontrer*

*Préparation :*
Enduisez le carré d'agneau d'huiles d'arachide et d'olive au pinceau après l'avoir placé dans une cocotte.

Mettez-la sur le feu doux.

Ajoutez autour les pommes de terre grattées entières après les avoir bien séchées au torchon.

Salez. Poivrez. Émiettez le thym sur le carré.

Arrosez avec le beurre clarifié.

Remuez de temps en temps les patates avec la cuillère en bois.

Retournez le carré à mi-cuisson au moment où vous ajouterez l'ail légèrement écrasé dans sa chemise.

Couvrez. Surveillez bien la cuisson, 35 à 45 minutes doivent suffire.

*Il exhale des arômes de girofle, de vanille, de réglisse. Ce* **Château-la-Lagune** *75 possède encore assez de tanin pour s'épanouir davantage.*
*Nous l'avons savouré accompagnant cet agnelet, mais il sera plus charitable de déboucher la prochaine « rouille » dans cinq ans.*

# La purée de pommes de terre

Vous devez penser, acheter un bouquin sur la cuisine et nous donner la recette de la purée de patates, le Pierrot charrie !

Pas du tout mes agneaux, la purée de pommes de terre, c'est comme une omelette, il y en a souvent trop ou pas assez !

Voici une façon, en tout cas la mienne, et dont je m'accommode fort bien le dimanche.

*Pour 6 convives :*
**1 kg de pommes de terre.**
**Choisissez si vous le pouvez des grosses eesterling,**
**des ker pondy ou à la rigueur des bintje**
**200 g de beurre frais**
**2 verres de lait**
**sel**

*Préparation :*

Pelez les pommes de terre entières. Lavez-les bien et mettez-les dans une casserole émaillée (pas d'aluminium qui les rend grises).

Couvrez-les d'eau jusqu'à un doigt plus haut que leur volume.

Salez-les d'une cuillerée et demie à soupe de gros sel de Guérande (ou de sel de mer). Ce sera là leur seule façon d'être salées.

Faites-les cuire à découvert et à petite ébullition, jusqu'à ce que la pointe d'un couteau traverse facilement la chair.

Égouttez-les bien et passez-les dans le moulin à légumes par la grille la plus fine.

Incorporez le beurre coupé en morceaux et mélangez le tout vigoureusement avec la cuillère en bois, de façon qu'elle soit très homogène.

Ajoutez le lait chaud dans la purée et remélangez bien le tout jusqu'à obtenir la plus grande onctuosité.

Goûtez et rectifiez l'assaisonnement.

Servez très chaud, avec un rôti, des volailles au four ou cuites à la broche.

# La daube

J'en terminerai ici avec les pommes de terre par la recette d'un plat de mon enfance. C'est la daube. Où déguste-t-on une bonne daube aujourd'hui dans un restaurant ? Il doit bien y en avoir mais ils se font de plus en plus rares.
La pomme de terre rosa me paraît sans égale pour ce plat.

*Il faut faire d'abord :*
Un bouillon d'un litre d'eau salée en y mettant deux carottes, deux poireaux, un oignon piqué d'un clou de girofle, deux gousses d'ail partagées, un bouquet garni et un demi-pied de veau.

Faire une marinade avec un bon demi-litre de bon vin rouge (Bourgogne, Hermitage, Chinon), y ajouter deux cuillerées à soupe d'huile d'olive, deux doigts de bon cognac, du sel, du poivre, des quatre-épices et de gros cubes de bœuf (700 g environ) prélevés dans le gîte.

Laissez mariner au moins 3 à 4 heures.

*Pour 6 convives :*
500 g de pommes de terre rosa
100 g de couennes bien dégraissées,
bien lisses, coupées en petits carrés
100 g de lardons coupés en dés
3 carottes coupées en bâtonnets
2 tomates pelées, épépinées et coupées en cubes
2 oignons crus émincés
3 gousses d'ail hachées
sel, poivre

*Préparation*
Avec les couennes, tapissez le fond d'une daubière ou d'une cocotte à couvercle incurvé.

Ajoutez par-dessus les oignons, tomates, carottes, ail et les lardons. Salez et poivrez légèrement.

Ajoutez encore la viande et sa marinade.

Puis par-dessus le tout, les pommes de terre coupées en gros morceaux égaux.

Mouillez avec le bouillon jusqu'à les recouvrir.

Couvrez. Versez de l'eau froide sur le couvercle et faites cuire à feu doux pendant 3 heures au moins.

Dégustez avec la daube le même vin que celui de la marinade.

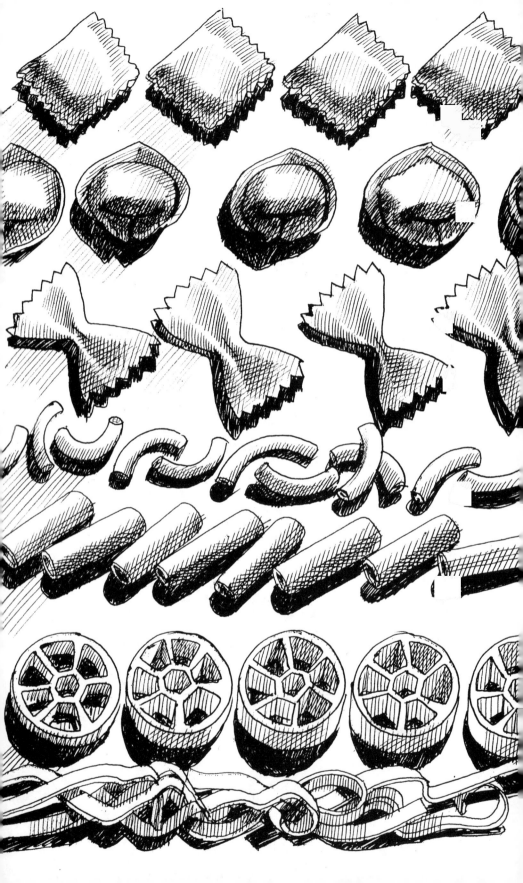

# Faites les PÂTES
## ... de velours

Comme les haricots en grains, je préfère les pâtes, fraîches.
Les pâtes, ainsi que le riz ou les pommes de terre, sont par excellence la nourriture des gens modestes.

Le plat national et quotidien du Chinois moyen est d'abord le riz. Celui du Français, la patate bouillie, sautée ou en forme de frite. Le mets adopté par les Italiens (importé de Chine par Marco Polo), ce sont les pâtes.

J'adore les pâtes, et préparées à la tomate, en gratin ou divinement parfumées de quelques truffes, elles peuvent être qualifiées de « grand plat ».

Les meilleures sont celles que l'on fait soi-même. Si vous n'avez pas le temps ni le courage de les faire, achetez-les fraîches ou sèches dans une épicerie fine italienne, c'est là qu'elles sont le mieux faites.
Si vous êtes gourmand(e) et vaillant(e), voici ce qu'il vous faut :

**500 g de belle farine de gruau**
**1 verre de semoule de blé dur**
**4 œufs**
**1 pincée de sel**
**1 grand bol d'eau tiède à portée de la main**

*Préparation de la pâte :*
Sur une table bien lisse en bois ou marbre, versez la farine en forme de dôme au sommet duquel vous faites un cratère à l'aide d'une fourchette ou de votre main.

Cassez les œufs dans le cratère.

Ajoutez une pincée de sel et la semoule de blé dur.

Avec votre fourchette, mélangez les œufs à la farine délicatement en partant de la paroi intérieure vers le centre, sans « crever » les bords et jusqu'à complète absorption des œufs par la farine.

Trempez vos doigts dans le bol d'eau tiède et commencez à pétrir la pâte en la pinçant entre le pouce et les doigts jusqu'à ce que l'homogénéité vous paraisse totale.

Trempez de nouveau vos doigts dans l'eau tiède.

Toujours en pinçant et en roulant des paumes de la main, donnez à votre pâte la forme d'un pain bâtard.

Retournez alors l'extrémité du « pain » que vous roulez en l'élargissant de façon à former un autre pain.

Pendant cette opération plusieurs fois renouvelée, trempez vos doigts de temps en temps dans le bol d'eau tiède si vous sentez que la pâte manque d'élasticité.

Au bout d'une vingtaine de minutes de ce délicat labeur, faites une boule de la pâte, et laissez-la reposer un bon quart d'heure enveloppée dans un torchon.

*Travail de la pâte :*
Ayez à votre portée un petit saladier de farine. Enfarinez
légèrement votre table sur 60 centimètres carrés environ.

Divisez votre boule de pâte en trois parties également
rondes.

Enfarinez les boules.

Appuyez sur le rouleau en mouvement de va-et-vient jusqu'à
former une galette d'1 centimètre d'épaisseur environ.

Enfarinez de nouveau la pâte des deux côtés.

Recommencez l'opération plusieurs fois jusqu'à ce que la
pâte atteigne l'épaisseur d'1 millimètre environ.

Posez alors la feuille sur un linge sec pendant 10 minutes.

*Confection des pâtes :*
Il existe deux façons de faire les pâtes :
1º à la machine,
2º à la main.

Pour la machine, préparez des boules de pâte de 150 g environ.

Passez-les au laminoir et pliez-les en deux.

Recommencez trois ou quatre fois l'opération en resserrant les cylindres jusqu'à ce que vous obteniez l'épaisseur désirée.

Pour faire vos pâtes à la main, même procédé au départ que pour la machine.
Préparez des boules de 150 g, et aplatissez-les au rouleau jusqu'à l'épaisseur désirée.

Vous pouvez découper vos pâtes à l'aide d'un couteau ou d'une roulette.

Avec une pâte épaisse d'un demi-millimètre vous ferez :
des lasagnes de 2 ou 2,5 centimètres de largeur ;
des fettucines d'1 centimètre de largeur ;
des tagliatelles, de 2 centimètres de largeur ;
des taglierinos d'1 millimètre de largeur ;
des feuilles de canellonis de 10 par 10 dans lesquelles vous placerez une farce de la grosseur d'un gros cigare.

Vous apprendrez à confectionner ainsi, si vous poussez loin une pratique raffinée, des pennes, des spaghettis, des macaronis, des gnocchis, des raviolis, des tortellis, etc.

Sinon, « l'Italien » de votre quartier se fera un plaisir de vous les procurer avec en prime quelques recettes de son pays natal.

*Précaution indispensable :*
Lorsque les pâtes sortent de la machine, les accompagner en les recueillant à plat sur la main afin de les poser délicatement sur la table pour éviter qu'elles ne s'agglutinent les unes aux autres. Ce conseil est aussi applicable pour le travail à la main. Il est indispensable, pour bien les cuire ensuite, qu'elles ne soient pas collées les unes aux autres.

*Cuisson des pâtes fraîches et des pâtes dures :*
Personnellement, à partir de 2 minutes de cuisson pour les pâtes fraîches, je « goûte » toutes les minutes afin de stopper le feu et de les égoutter aussitôt lorsqu'elles me paraissent avoir atteint le degré « al dente », c'est-à-dire très légèrement ferme sous la dent. Les fines pâtes dures cuisent de 5 à 8 minutes, les grosses de 12 à 15 minutes.

*Normalement, il faut :*
une grande marmite haute
1 litre d'eau pour 100 g de pâtes
10 g de gros sel de mer par litre
d'eau à mettre avant l'ébullition
il faut compter pour une tablée de gourmands
80 grammes de pâtes par personne
1 cuillerée à café d'huile d'olive dans l'eau

Je préfère pour ma part faire mes « pâtes gourmandes », en les plongeant à ébullition dans un grand bouillon fait de carcasse ou d'abats de vieille poule additionné d'1 poireau, 2 carottes et 1 oignon-clou de girofle, que j'ôte du bouillon bien entendu avant d'y verser les pâtes. C'est cent fois meilleur !

# Gratin de macaronis
# tel que je le préfère

Qui a convaincu mon ami Robert Franchitti, grand amateur (comme l'ami Lino) des pâtes, fleuron gastronomique de leur Italie natale.

Ce plat rappelant un goût d'enfance réveille sans aucun doute mon instinct gourmand. Vous fera-t-il saliver aussi ? Vous pouvez toujours tenter l'aventure. C'est une préparation facile et peu onéreuse.

*Il faut pour 6 convives :*
**250 g de macaronis coupés**
**1/2 litre de lait**
**6 cuillerées à soupe de crème fraîche légère fleurette**
**1 verre de jus de viande (jus « déglacé » d'un poulet**
**rôti ou mieux encore d'un gigot d'agneau au four !)**
**50 g de beurre frais**
**3 jaunes d'œufs**
**50 g de gruyère râpé**
**+ 1 cuillerée à soupe de parmesan**
**un peu de noix de muscade râpée**
**sel, poivre au moulin**

*Préparation :*
Dans une haute marmite, mettez 3 litres d'eau (ou de bouillon de poule, encore meilleur !) légèrement salée. Amenez à ébullition.

Jetez-y les macaronis que vous laissez cuire durant 3 à 4 minutes.
Ôtez-les. Mettez-les dans un égouttoir.

Faites bouillir le lait. Lorsqu'il est à ébullition, jetez-y les macaronis, baissez le feu et laissez-les cuire doucement 10 minutes encore.

Éteignez le feu et ajoutez aux macaronis 3 des 6 cuillerées à soupe de crème fraîche, ainsi que le beurre.

Mélangez doucement à la cuillère en bois après avoir salé légèrement, poivré au moulin et saupoudré de trois coups de râpe de noix de muscade.

Versez le tout dans un grand plat à gratin.

Dans un petit saladier, fouettez les 3 cuillerées de crème fraîche qui restent jusqu'à ce qu'elles deviennent mousseuses, puis ajoutez-y les jaunes d'œufs ainsi que le fromage râpé.

Mélangez doucement avec le fouet jusqu'à ce que cela soit homogène.

Nappez alors les macaronis de ce mélange et réservez au frigo si vous voulez le gratiner plus tard.

Chauffer bien le four durant 20 minutes avant d'y placer le gratin. Thermostat 7.

Mettez le gratin au four pendant 10 minutes en ayant soin d'allumer le gril durant les 3 ou 4 dernières minutes, afin de bien le dorer.

Si vous dégustez ce plat avec une simple pintade rôtie ou un gigot d'agnelet piqué d'ail, vous découvrirez qu'il est des moments de bonheur simple qu'il est parfois bien stupide de laisser passer.

*La robe chatoyante d'un **Lynch-Bages** 79 m'a laissé le souvenir ému d'une jolie fille qui vous saute au cou le premier jour du printemps. Ouaouh !*

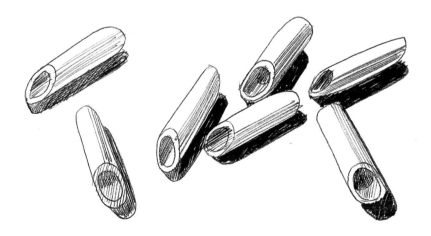

# Macaronis aux haricots

Faites ou achetez de bons macaronis rayés courts.

J'ai dégusté deux fois ce plat merveilleux. Une fois à Rome au restaurant Piccolo Mundo, lorsque j'y tournais le film « Le Juge », et la deuxième chez mon ami Lino Ventura, dont la préparation surpassait de loin la première pourtant si délectable.

*Il faut pour 6 personnes :*
**500 g de haricots blancs frais à écosser
ou si vous n'avez que des haricots secs,
faites-les tremper toute la nuit
100 g de ventrèche ou de lard maigre
1 gros oignon
5 gousses d'ail
2 branches de céleri
une quinzaine de feuilles de basilic frais
ou du basilic à l'huile
(voir recette d'huile de basilic)
200 g de couenne de porc
4 à 5 pommes de terre
la chair coupée en dés de 6 tomates
pelées et épépinées
une bonne cuillerée à soupe
de gros sel de mer moulu fin
5 ou 6 tours de moulin à poivre**

*Préparation :*

Hachez le lard, l'oignon, le céleri, l'ail, le basilic.

Épluchez et coupez vos patates en cubes d'1 centimètre.

Mettez l'huile dans une marmite en fonte ainsi que l'ail, le céleri, l'oignon, le basilic et les patates. Couvrez et laissez cuire 5 à 6 minutes à feu doux.

Après cela, découvrez et ajoutez les tomates en cube, les haricots, les couennes et au moins 2,5 litres d'eau ou, mieux, de bouillon si vous en avez.

Laissez frissonner tout cela à couvercle mi-clos au moins 2 heures, ensuite, remontez le feu très vif et jetez dans le bouillonnement les macaronis que vous laisserez cuire 7 à 8 minutes.

Goûtez-en un de temps en temps si vous les aimez « al dente ».

Servez tel quel dans la marmite ou dans une grande terrine en terre préalablement *bien* chauffée.

On peut râper 100 g de parmesan répartis dans de petits bols afin que les convives en saupoudrent leur assiette au dernier moment, si cela leur convient.

*J'ai découvert et adoré (tardivement, je le confesse !) un **Saint-Julien** aux saveurs subtiles. Le **Château Gloria**. Sa robe est superbe et le 1976 dégusté avec ces odorants macaronis nous a inondé de bonheur la boîte à sucettes.*

# Tagliatelles aux cèpes frais

*Pour six convives :*
**6 cuillerées à soupe d'huile d'olive**
**600 g de tagliatelles**
**1 kg de tomates fraîches**
**3 gousses d'ail hachées**
**500 g de cèpes frais**
**1 cuillerée à soupe de crème fraîche**
**4 branches de persil simple haché**
**6 tours de moulin à poivre**
**sel fin (1 bonne demi-cuillerée à café)**

*Plat préféré de mon copain Neggio qui est aussi fou que moi des pâtes, et des cèpes que nous avons cueillis ensemble.*

*Préparation :*

Ébouillantez les tomates. Pelez-les et passez-les au mixeur ou au moulin à légumes.

Portez à ébullition 5 litres d'eau additionnée de deux cuillerées à soupe de gros sel.

Dans une cocotte, mettez l'huile à chauffer.

Faites revenir les cèpes coupés en morceaux pendant 15 minutes, ajoutez l'ail, le persil et les tomates en purée.

Laissez mijoter le tout pendant une heure à feu doux en mélangeant souvent à la cuillère en bois.

Lorsque l'eau salée bout dans la marmite, plongez-y les tagliatelles pendant 5 à 10 minutes jusqu'à ce qu'elles vous paraissent être « al dente ». Égouttez-les, et ajoutez-les aux cèpes et aux tomates.

Mettez la cuillerée de crème fraîche. Mélangez bien.

Salez. Poivrez et servez dans un plat très chaud.

*Nous arrosons parfois les plats à base de champignons de **Madiran**, de **Côtes-de-Fronton**, de **Côtes-de-Duras** ou de **Pecharmant**. Ce dernier, né au **Château Champarel** (un 81) est plein de toutes ces qualités qui font un vin bien « réussi » au bout de 6 ou 7 ans.*

# Tagliatelles au caviar

*Pour 6 convives :*
**600 g de tagliatelles**
**300 g de crème fraîche**
**50 g de beurre**
**6 tours de moulin à poivre**
**100 g de caviar ou plus selon votre bourse**

*Préparation :*
Portez à ébullition 6 litres d'eau salée de 3 cuillerées à soupe de gros sel, en y ajoutant trois gouttes d'huile.

Plongez les tagliatelles dans l'eau bouillante 5 à 6 minutes jusqu'à obtenir la cuisson « al dente ».

Ôtez-les de l'eau bouillante. Égouttez-les bien. Mettez-les dans un poêlon en terre.

Ajoutez-y le beurre et la crème fraîche, mélangez bien à la cuillère en bois jusqu'à ce que le beurre et la crème soient bien fondus.

Laissez refroidir 2 minutes et ajoutez le caviar. Mélangez encore jusqu'à ce que le caviar soit bien réparti.

Servez dans un poêlon bien chaud. Poivrez.

*Ce plat des dieux mérite un vin des dieux. Dans le domaine de René Fleurot, il y a l'**Abbaye de Morgeot.** On y élève un généreux **Chassagne-Montrachet blanc** (et rouge d'ailleurs excellent) qui est à lui seul un bouquet d'arômes étonnant. L'amande grillée et le miel de fleurs y prédominent. Nous avons apprécié un 1978 qui aurait pu encore profiter de la vie au moins 4 ou 5 années.*

# Tagliatelles fraîches aux huîtres et leur jus

*Pour 6 convives :*
500 g de pâtes fraîches (tagliatelles)
2 douzaines d'huîtres
3 cuillerées à soupe de vinaigre de vin
1 verre de vin blanc sec
4 jaunes d'œufs
100 g de beurre
2 cuillerées à soupe de crème fraîche fleurette
2 cuillerées à soupe d'huile d'olive
1 cuillerée à café d'huile d'arachide
le jus d'1/2 citron
sel, poivre

*Préparation :*
Posez les huîtres à l'endroit sur le compartiment perforé de votre couscoussier et faites-les cuire 5 minutes à la vapeur, elles s'ouvriront toutes seules.

Détachez les huîtres de leur coquille. Mettez-les dans un plat, et récupérez le jus dans un récipient après l'avoir filtré au chinois.

Dans une casserole émaillée (ou en inox), mettez à chauffer le vinaigre et le vin blanc, poivrez de 6 tours de moulin. Laissez réduire 3 minutes à feu moyen et retirez la casserole du feu. Laissez refroidir un peu.

Sur ce même feu, mettez 3 litres d'eau salée dans une marmite haute. Ajoutez-y l'huile d'arachide, afin de préparer l'ébullition des pâtes pour plus tard.

Puis, sur un deuxième feu, faites chauffer les 2/3 du beurre (réservez le restant) et l'huile d'olive dans une autre casserole.

Pendant ce temps court, mettez les 4 jaunes d'œufs dans la première casserole et battez-les bien au fouet avec le vinaigre et le vin blanc.

Versez ensuite par-dessus le beurre très chaud en tournant toujours au fouet.

Baissez le feu et ajoutez le jus de citron, les huîtres et leur jus.

Plongez les pâtes fraîches 5 à 6 minutes dans l'eau bouillante. Vérifiez qu'elles soient « al dente ».

Égouttez-les. Mettez-les dans un plat creux chaud et versez par-dessus la sauce et les huîtres en rajoutant le reste de beurre frais et la cuillerée de crème fraîche.

Poivrez de 4 tours de moulin. Mélangez bien le tout avec des couverts à salade en bois ou en plastique.

Servez chaud.

*Chez **Bacheroy-Josselin**, leur truc c'est le **Chablis**. Mais alors, pas n'importe quel **Chablis**. Leur premier cru 78, c'est de la soie de Chine! Il vous emplit le pif d'ambre et de vanille. Il est frais au palais et onctueux comme une crème fleurette. Parfait avec ces huîtres.*

# Fricassée de joues de lapin aux pâtes fraîches

Pas cher, facile à faire, délicieux.

Bien entendu, il faut aimer les joues du lapin.

C'est pour moi, avec le foie et la cervelle, les morceaux de choix dans cet animal.

La tête du lapin fait souvent « peur » aux convives et parfois même aux cuisinières qui demandent au marchand de volailles de la séparer du lapin et en font volontiers cadeau à celui-ci : profitez-en, faites garder à ce monsieur une dizaine de têtes de lapin. Voici comment régaler vos invités.

*Pour 4 personnes :*
**12 têtes de lapin**
**300 g de pâtes fraîches**
**150 g de beurre**
**3 cuillerées à soupe de crème fraîche fleurette**
**sel, poivre**
**2 brins de thym**
**2 cuillerées d'huile d'olive**
**1 verre de vin blanc sec**

*Préparation :*

Mettez 3 à 4 litres d'eau salée à bouillir dans une marmite en y ajoutant une goutte d'huile. Pendant ce temps, placez dans une cocotte sur un feu moyen les têtes de lapin fendues en deux bien badigeonnées d'huile d'olive et d'un peu de beurre.

Salez et poivrez. Émiettez le thym dessus et fermez avec le couvercle.

Tournez de temps en temps à la cuillère en bois et mouillez à plusieurs reprises d'1/3 de verre d'eau.

La cuisson couverte durera au moins 20 minutes à feu doux.

Mettez ensuite les têtes dans un plat et videz dans le fond de la cocotte le verre de vin blanc et un demi-verre d'eau, en déglaçant à la cuillère en bois ou au pinceau.

Laissez réduire jusqu'à ce qu'il ne reste qu'1/2 verre de bon jus.

A l'aide d'un petit couteau, prélevez les joues de lapin, que vous réservez dans une assiette.

Plongez alors les pâtes fraîches 2 minutes 1/2 à 3 minutes dans l'eau bouillante selon que vous les aimez « al dente » ou plus molles.

Égouttez-les une minute.

Videz-les ensuite brûlantes dans un grand plat creux (genre saladier) bien chaud et ajoutez-y un peu de sel, le poivre, le beurre, la crème fraîche.

Faites réchauffer 30 secondes la sauce déglacée au fond de la cocotte et videz-la sur les pâtes.

Mélangez le tout en incorporant les joues de lapin.

Rectifiez l'assaisonnement si le plat est trop « doux ». Poivrez.

Ce plat est meilleur (et plus cher) si au lieu de beurre vous mettez la même quantité (même un peu plus !) de foie gras écrasé en purée et si vous y ajoutez une grosse truffe noire finement émincée.

*Il est un **Bordeaux Graves rouge** presque aussi peu connu que ma fricassée de joues de lapin, c'est le **Chateau de Fieuzal**. Il embaume les fleurs, la cire fraîche, vous en met « plein les calots » avec sa couleur rubis et vous emplit la bouche de saveurs vanillées. Nous avons « testé » un 1979. Ce jeune homme a fait très belle impression.*

347

# Les nouilles à la saucisse

Telles que je m'en régale depuis toujours !
C'est une préparation (si vous aimez les plats à la tomate) pour laquelle
il est difficile de ne pas craquer !

*Pour 6 gourmands il faut :*
**500 g de nouilles moyennes**
**400 g de bonne saucisse (faites-la,**
**la recette est dans le livre !)**
**6 tomates fraîches**
**1 cuillerée à dessert de concentré de tomate**
**5 gousses d'ail**
**3 gros oignons hachés**
**1 bouquet garni**
**1 grand verre de bouillon**
**1/2 bouteille de bon vin rouge**
**(je prends du bourgogne)**
**50 g de gruyère râpé**
**50 g de parmesan râpé**
**1 cuillerée à soupe d'huile d'olive**
**2 cuillerées à soupe d'huile d'arachide**
**2 cuillerées à soupe de crème fraîche**
**gros sel de Guérande**
**poivre, paprika**

Dans une marmite, mettez à chauffer 3 litres d'eau salée.

Piquez la saucisse fraîche et mettez-la à griller tout
doucement dans le four ou à la salamandre.

Pelez les tomates, ôtez les pépins (gardez le jus),
concassez-les.

Dans une cocotte, faites revenir les oignons dans l'huile
d'arachide, maintenez une cuisson douce pour qu'ils
blondissent sans brûler.

Ajoutez l'ail écrasé dans un presse-ail.

Au bout de 7 à 8 minutes, mettez la chair de la tomate et le
bouquet garni avec l'oignon.

Couvrez et laissez cuire 10 minutes à feu moyen.

Ajoutez le concentré de tomate, le vin rouge et le bouillon.
Recouvrez et laissez cuire à petite ébullition. Salez au gros
sel.

Surveillez la cuisson de la saucisse, si elle est cuite et dorée, ôtez-la du four et débitez-la en morceaux de 7 à 8 centimètres.

Mettez les morceaux dans la sauce de la cocotte. Recouvrez.

Plongez les nouilles dans l'eau bouillante que vous avez mise à chauffer. Faites-les cuire 5 minutes, égouttez-les bien et ajoutez-les dans la cocotte avec la sauce et la saucisse. Mélangez.

Ajoutez l'huile d'olive et laissez cuire encore 10 minutes à toute petite ébullition sans couvrir.

Incorporez la crème fraîche, le gruyère et le parmesan râpés et mélangez bien.

Laissez encore 5 minutes sur le feu doux, saupoudrez légèrement de paprika.

Poivrez de 3 tours de moulin et servez le tout ensemble dans un grand plat en porcelaine chauffé au four ou dans la cocotte.
Mettez le plat sur un chauffe-plat si vous en possédez un.

C'est, avec le gratin de macaronis, le plat de pâtes avec lequel je me régale le plus !


*Le **Domaine Mougeard-Mugueret** fait un **Vosne-Romanée** que Guerlain lui-même n'eût pas mieux parfumé. Les truffes, le cassis et le pain d'épice vous tapissent le palais de leurs saveurs et sa robe aux couleurs cuivres de chaudron à confiture est un bonheur pour les mirettes. Sans vouloir vous influencer... le 1976...*

# Macaronis aux queues de cèpes sèches et à la saucisse

*Ingrédients pour 6 convives :*
50 g de queues de cèpes séchés
400 g de saucisse fraîche (maigre)
(la recette est dans ce bouquin)
3 cuillerées à soupe d'huile d'olive
3 gousses d'ail hachées
2 oignons hachés
500 g de tomate fraîche (pelée, épépinée)
80 g de parmesan râpé
1 pincée de sel fin
4 tours de moulin à poivre
500 g de macaronis petits et lisses

Faites gonfler les cèpes dans un bol d'eau tiède.

Mettez l'huile d'olive à chauffer en cocotte (sans laisser fumer).
Sur l'huile chaude, posez la saucisse après l'avoir piquée d'une fourchette.
Laissez cuire à feu doux une quinzaine de minutes (retournez-la à mi-cuisson)

Pendant ce temps, mettez à ébullition 5 litres d'eau salée de gros sel de mer.

Ensuite, ôtez la saucisse et mettez-la dans un plat.

A la place de la saucisse cuite, faites blondir les oignons hachés à feu doux.

Lorsqu'ils sont moelleux au bout de 8 à 10 minutes, ajoutez la chair de tomate écrasée, l'ail ciselé et mélangez le tout.

Ôtez la peau de la saucisse.

Émiettez la chair à saucisse que vous ajoutez à la cocotte en mélangeant bien au reste.

Rajoutez les queues de cèpes hachées menu ainsi que le 1/2 verre d'eau filtrée dans laquelle ils ont gonflé.

Laissez mijoter le tout ensemble 10 minutes sans couvrir après avoir bien mélangé et légèrement salé.

Rajoutez à cela les macaronis « al dente » après les avoir égouttés.

Mélangez bien encore une fois. Saupoudrez le tout de parmesan. Poivrez.
Un délice !

*Si vous aimez comme moi le bon **Saumur-Champigny**, vous ne pouvez pas ignorer celui de **Paul Filliatreau**, il a toutes les qualités des vins de ce terroir. Il développe des arômes de fruits rouges, de cassis et de violette.*

*C'est chez les amis Jean-Yves Bernard, éminent chef nantais efficacement épaulé par son aimable épouse, que j'ai découvert et tant apprécié ce cru.*

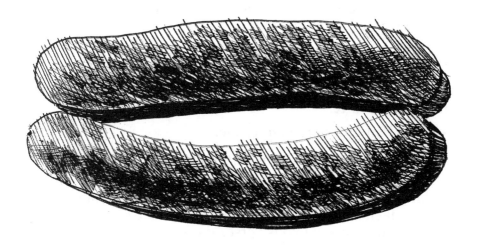

# Spaghettis aux moules et anchois

*Pour 6 personnes :*
1 kg de moules
12 filets d'anchois au sel que vous rincerez
à l'eau froide pour les débarrasser de leur sel
3 gousses d'ail
1 pincée de piment de Cayenne
1 petite cuillerée à soupe de concentré
de tomate ou 3 tomates fraîches
5 cuillerées à soupe d'huile d'olive
1 pincée de noix de muscade râpée
4 tours de moulin à poivre
500 g de spaghettis
sel, poivre

*Préparation :*
Faites ouvrir les moules en les plaçant simplement dans une marmite à feu vif, couvercle fermé (ou 5 minutes dans un « cuiseur vapeur »).

Ôtez-les au bout de 10 minutes. Décortiquez-les.

Gardez 1 verre d'eau des moules que vous filtrez à la fine passoire.

Réservez les moules dans un plat.

Mettez 2 cuillerées à soupe de gros sel dans 5 litres d'eau que vous portez à ébullition.

Dans un mortier en bois, faites une purée avec les filets d'anchois et 1 cuillerée à café d'huile d'olive. Réservez.

Mettez, à feu très doux, les 4 autres cuillerées d'huile d'olive dans une cocotte.

Ajoutez l'ail grossièrement ciselé.

Ajoutez la purée d'anchois, le piment. Laissez cuire 1 minute à feu très doux.

Mélangez la cuillerée de concentré de tomate (ou la chair à tomate hachée, et débarrassée de la peau et des pépins) à l'eau des moules que vous versez dans la cocotte.

Augmentez le feu. Laissez évaporer jusqu'à ce que le tout reste onctueux tout de même.

Ajoutez la pincée de noix de muscade et le poivre au moulin ainsi que les moules.

Faites cuire les spaghettis dans l'eau bouillante salée. Tournez et mélangez 1 minute à la cuillère en bois à feu doux. Ne couvrez jamais.

Égouttez les spaghettis s'ils vous paraissent « al dente » et mélangez-les aux moules à l'aide d'une fourchette et d'une cuillère.

Servez dans un grand plat creux très chaud.

*J'ai dégusté un **Gaillac blanc** 85 du **Domaine de Labarthe,** il sentait bon le foin coupé et l'abricot.*
*Avec ça léger comme un serment de nana.*
*Faut que je fasse goûter à mes potes.*

# Spaghettis aux filets de porc, langoustines et citronnelle

*Pour six convives :*
700 g de filet de porc
500 g de langoustines
2 cuillerées à soupe de citronnelle fraîche hachée
ou séchée et gonflée à l'eau tiède, puis égouttée
6 cuillerées à soupe d'huile d'olive
1 pincée de 5 épices (à base d'anis étoilé)
1 gros oignon finement haché
3 gousses d'ail finement hachées
1 petit piment de Cayenne écrasé
1 cuillerée à café de sel
500 g de spaghettis
poivre

Découpez d'abord le filet en petits morceaux (grosseur d'1 sucre) que vous mettez à macérer dans un grand plat, avec tous les ingrédients, hormis les langoustines et trois des 6 cuillerées d'huile d'olive.

Laissez macérer toute une nuit, sinon au moins 2 heures.

Décortiquez les langoustines et ne gardez que les queues.

Après macération, égouttez les morceaux de porc et faites-les revenir en cocotte, à feu doux, dans la moitié de l'huile d'olive (3 cuillerées à soupe) que vous aurez réservée. Laissez rissoler doucement 25 minutes environ en tournant la viande.

Pendant ce temps, portez à ébullition dans une haute marmite 3 litres d'eau salée de 3 cuillerées à soupe de gros sel. Plongez-y les spaghettis (6 à 8 minutes).

Ensuite, ajoutez les queues de langoustines avec le porc dans la cocotte, pendant encore 5 minutes, en mélangeant avec une cuillère en bois.

Sans éteindre le fourneau, ôtez de la cocotte, à l'aide d'une écumoire, porc et langoustines que vous mettez dans un plat.

Déglacez au pinceau avec 1/2 verre d'eau.

Laissez réduire deux minutes.

Remettez porc et langoustines en cocotte dans leur jus.

Égouttez les spaghettis « al dente ».

Videz-les dans la cocotte avec le porc et les langoustines ou dans un grand plat profond très chaud en mélangeant le tout.

*Sur les coteaux des **Baux-de-Provence** le vignoble des **Terres-Blanches** donne un vin rouge bouqueté.*

*C'est souvent celui que nous dégustons sous le figuier chez les amis Yvan et Françoise Audouard à Fontvieille.*
*La daube y est excellente et l'amitié au rendez-vous.*
*C'est ce très honnête et savoureux cru que j'ai débouché pour accompagner ces filets de porc, l'adresse mérite qu'on la note :*
*Noël Michelin, Terres-Blanches, à Saint-Rémy-de-Provence.*

# Appuyez-vous sur le
# CHAMPIGNON

Les champignons sont une merveille.
Leurs senteurs, leurs goûts sauvages et si différents les uns des autres en font un aliment à part dans la gastronomie. Ils ont des valeurs nutritives supérieures aux légumes (excepté les farineux), ils vont avec tout. Ils s'accommodent de poissons, de volailles, en légumes, en potage, en salade, etc.

Ils sont même assez grands pour être becquetés tout seuls !
Peu de gens savent chercher, cueillir, accommoder et apprécier les champignons. J'en connais qui se décomposent à la seule vue d'une « trompette de la mort » (le nom terrifie !) d'un « pied violet » ou d'une « russule charbonnière » au chapeau vert. Sur plus de trois mille espèces de champignons peu de gens savent qu'il n'y en a en fait que trois espèces qui sont mortelles. Seize autres sont véneneuses certes et une vingtaine à peine plutôt indigestes.

Apprenez donc à les connaître, découvrez le plaisir de les cueillir et celui de les déguster.
Mangez les champignons les plus frais possibles.
Si vous n'êtes pas sûrs de ceux que vous venez de cueillir (ou qu'on vous a offerts !), demandez conseil à votre pharmacien.

Hormis les champignons à tendance sableuse ou terreuse tels les chanterelles, les morilles, les trompettes et quelques autres (que l'on doit passer sous l'eau rapidement, rincer, égoutter et sécher aussitôt), on ne doit pas laver les champignons. On doit les brosser doucement pour ôter leur pellicule terreuse puis les frotter tout aussi délicatement avec un papier absorbant ou un linge humide, puis enfin avec un torchon bien sec. On ne doit pas (à part de rares exceptions) les peler non plus.

Voici un petit choix de champignons que vous pouvez cueillir dans les bois ou les prairies et déguster sans vous faire de mouron.

## L'ORONGE OU AMANITE DES CÉSARS
L'un des plus délicieux, à préparer dans une sauteuse en terre le plus naturellement possible.

## LE COPRIN CHEVELU
Il doit être cueilli très jeune et consommé le jour même, excellent aussi cru.

## LE CORTINAIRE VIOLET
Croquant et savoureux.

## LE MOUSSERON DE LA ST-GEORGES
L'un des premiers cueillis au printemps à l'époque des premières morilles. Arôme boisé croquant et savoureux, se trouve au bord des haies ensoleillées.

## PLEUROTE DES ORMEAUX
Parfum très particulier, supporte aisément un peu d'échalotes hachées et de crème fraîche.

## CHANTERELLE ORANGÉE (Girolle)
Un peu surestimée à mon avis. Les toutes premières de la saison (mai) sont de loin les meilleures, et accompagnent agréablement volailles et sautés de veau printaniers.

## RUSSULE VERDOYANTE
Presque sans parfum mais croquante cuite à l'étuvée dans un petit bouillon de volaille et servie légèrement crémée ou en sauce légère.

## LACTAIRE DÉLICIEUX
Le meilleur des lactaires, son lait est rouge foncé reconnaissable facilement. Meilleur en sauce.

## LE CÈPE
Il en existe des dizaines de sortes.
Tous plus ou moins excellents (hormis le bolet de Satan), le « tête-de-nègre » jeune est pour moi le meilleur. Émincé en lamelles d'un demi-centimètre, bien saisi dans l'huile, il doit cuire quinze à vingt-cinq minutes avec un petit rajout d'une noisette de beurre en fin de cuisson. Très légèrement aillé. Sel et poivre, un délice.

LE PIED DE MOUTON (Hydne Sinue)
Très digeste, délicieux accommodé avec une sauce légère au curry (fines herbes hachées, vin blanc, échalotes et bouillon, cuits à l'étuvée avec les champignons).

CLAVAIRE JAUNE (barbe de capucin)
Les jeunes sont excellentes. La clavaire chou-fleur ponctuée d'un goût de noisette est encore meilleure. Peut faire une délicieuse salade avec des lamelles de coquille Saint-Jacques et une vinaigrette à l'huile de noix.

LE LYCOPERDON GIGANTEUM (vesse de loup géante)
(Il en pousse tous les ans dans mon jardin à la fin de l'été.) On en fait de larges escalopes. Délicieux avec fines herbes hachées et coulis de tomate.

LA MORILLE
Doit être dégustée très fraîche. Cuite au moins une demi-heure avec un demi-verre de vin jaune du Jura, quelques échalotes hachées et un peu de crème fraîche qui la rend plus onctueuse. Un régal.

LE PIED BLEU (ou violet)
Parfumé et croquant. Il ne peut se confondre avec aucun autre à ma connaissance. Un délice préparé en sauce légèrement citronnée.

LA COULEMELLE (lepiota procera)
Le chapeau est excellent (jetez le pied) cuit doucement au beurrre ou dans une cuillerée de crème fleurette.

LE ROSÉ DES PRÉS
L'un de mes préférés avec le cèpe et la morille. Poêlé dix minutes avec une très légère persillade c'est un plat de chef d'État. Devenez chef d'État !

LA TROMPETTE DE LA MORT (craterellus cornucopioides)
On la trouve aux pieds des charmes après les pluies de septembre. Elle embaume l'humus en cuisant. Il faut la faire suer de son eau et la faire saisir ensuite dans très peu d'huile et de beurre mélangés. Crémer très légèrement en y ajoutant le jus d'une volaille.

A présent, futurs mycologues et gourmets, à vos paniers, à vos fourchettes.

# Cuisson des champignons

Ne les faites pas cuire au contact direct du métal. Ils ont tendance à noircir et leur saveur en est altérée. Les poêles émaillées à fond épais, les plats à four de faïence ou les poêlons en terre vernissée sont de loin préférables pour garantir toutes les qualités du champignon.

Les temps de cuisson sont variables en fonction de la nature des champignons. Des rosés des prés cuiront en dix minutes alors qu'il faut vingt minutes à une demi-heure pour cuire des cèpes jeunes et fermes après les avoir fait saisir dans l'huile. Dans le cas de mijotage ou de cuisson à l'étuvée, il faut parfois compter deux heures sur un feu très doux. (Voir plus loin la daube de cèpes par exemple.)

Les truffes fraîches doivent être brossées délicatement, gardées entières pour la cuisson ou découpées en épaisses lamelles. Elles ne doivent cuire qu'à feu très doux et couvertes, à l'étuvée pas trop longtemps (quinze à vingt minutes) afin d'éviter qu'elles ne durcissent.

Par pitié ne noyez pas vos champignons sous de monstrueux hachis d'ail, d'échalotes, fines herbes, épices, etc., le goût nature d'un cèpe et son parfum (avec une infime pointe d'ail), salé, poivré suffit amplement à régaler un honnête homme.

# Cèpes rôtis au four

C'est encore une des meilleures façons (à mon goût) de conserver l'authenticité totale du parfum et le croquant du cèpe.

*Pour 4 à 6 convives qui adorent les cèpes :*
**1,500 à 2 kg de cèpes bien fermes**
**1 bouquet de persil simple finement haché**
**1 verre d'huile d'olive**
**gros sel de mer moulu (de Guérande)**
**poivre au moulin**

*Préparation :*
Faites chauffer le four au maximum.

Nettoyez les cèpes en les essuyant au torchon, ne jamais les laver.

Séparez les queues des têtes.

Partagez les queues en 2 ou 3 (selon leur grosseur) dans le sens de la longueur.

Gardez les têtes entières ou partagez-les en 4 si elles sont trop grosses.
Badigeonnez d'huile au pinceau le fond du plat à four et les champignons.

Placez les têtes (chapeau en haut) et les queues réparties dans le plat.
Salez légèrement.

Mettez à four très chaud pendant 15 minutes.

Ôtez le plat du four. A la fourchette, retournez chaque tête de cèpe (chapeau en bas) ainsi que les morceaux de queues afin de bien les colorer de chaque côté et salez légèrement.
Répandez dessus le persil.

Remettez le plat au four 10 minutes encore.

Poivrez au moulin au moment de servir.

*Un grand **Saint-Émilion,** racé et puissant aux arômes délicatement boisés a emballé la tablée. Sa couleur était grenat et lumineuse, ses saveurs finement bouquetées ont ponctué le parfum des cèpes sans en affecter le goût. C'était un **Château-Figeac** 78. Ce fut un « assassinat » précoce car il aurait pu vivre encore cinq années pour notre plus grand bonheur.*
*Il faut que je planque ses petites sœurs dans la cave pour ne pas être tenté !*

# Truffes fraîches

Pour 6 convives :
800 g de truffes fraîches
200 g de foie gras
1 verre de bon champagne brut
1 verre à liqueur de vieux madère
1 verre de fond de veau fait à la maison
(voir comment au début du livre au chapitre « sauce »)
1 noix de beurre
1 cuillerée à soupe de crème fraîche
1 pincée de gros sel de mer moulu
4 tours de moulin de poivre gris

*Plat royal et fort onéreux
Voici ma façon la plus succulente de les accommoder*

*Préparation :*
Coupez les truffes en lamelles épaisses.

Placez-les sur le feu dans un poêlon en terre contenant une grosse noix de beurre.

Recouvrez-les entièrement du foie gras coupé en fins copeaux (ne sortir le foie gras du frigo qu'au moment de l'utiliser, ça facilite l'opération).

Laissez fondre sur feu moyen les copeaux de foie gras sur les truffes pendant 3 minutes.

Ajoutez le champagne, le verre de fond de veau et le madère.

Salez légèrement.

Laissez frémir le tout un bon 1/4 d'heure bien couvert (sans bouillir).
Ôtez le couvercle du poêlon. Poivrez.

Incorporez 1 grande cuillerée de crème fraîche, tournez doucement pour mélanger à la cuillère en bois durant 3 à 4 minutes.

Goûtez, rectifiez l'assaisonnement ou la consistance s'il y a lieu.

Posez le poêlon sur la table au milieu de vos invités et servez-les dans des petits poêlons en terre chauds.

*Ce plat unique mérite un **Château-Pétrus**. Eh !*

# Truffes

Voici une recette de mon ami le docteur René Mante, fin gastronome et ami de tous les arts.

*Pour 6 convives :*
**6 truffes (au moins !), leur nombre sera bien entendu en fonction de vos éconocroques.**
**Faites un fond de sauce avec 1/2 jarret de veau et des légumes (voir au chapitre « fonds »)**
**1 verre de vin blanc ou de champagne**
**1 verre d'eau**
**1 verre de sauce tomate fraîche (coulis)**

*Préparation :*
Laissez épaissir le tout en cocotte 20 minutes à feu doux.

A part, faites suer les truffes au beurre 20 minutes à feu doux dans une sauteuse à bord bas proportionnelle au volume des truffes.

Gardez le jus des truffes et ajoutez-le au fond de sauce. 1 minute avant de servir, mélangez le tout.

*Si comme moi vous choisissez un bon **Pomerol** pour accompagner un plat de truffes, vous ne vous « mouillerez » pas des masses ! Encore moins si vous choisissez un **Château-la-Conseillante** 81. Il fleure bon le champignon, et il est plus long en bouche que le tunnel sous la Manche ! Un grand vin qui sait se faire regretter... comme la femme qu'on aime.*

# Terrine de cèpes
# de mon ami Bernard Gaillard

Les champignons sont notre passion commune, ce sont eux, voici trente ans déjà, qui ont scellé notre amitié. Enfin, il n'y a pas que les cèpes bien sûr, une rusticité commune dirons-nous qui nous fait aimer les bois, le vin, la table, la convivialité et tant d'autres choses mal définissables...

Bernard « tenait » de main de maître le restaurant « l'Enclos de Ninon », à Paris, qui fut l'une de mes « cantines préférées » !

Cette terrine de cèpes, nous la dégustons encore parfois dans une clairière d'ombre et de soleil précisément les jours où nous cherchons les petits frères de ceux que nous dégustons. Je peux déjà vous dire que le « château Marquis d'Aligre » est royal avec la terrine.
C'est pourquoi il n'est pas rare que l'on débouche une bouteille supplémentaire pour se rendre compte si elle est réellement aussi délicieuse que la précédente. Voilà... « des plaisirs démodés » ! comme dit mon ami Aznavour qui aime bien les cèpes lui aussi d'ailleurs.

Voici les ingrédients nécessaires pour faire la terrine de cèpes de Bernard.

*Pour une terrine d'1 l 1/2 environ :*
**300 g de veau maigre**
**300 g d'échine de porc**
**900 g de cèpes bien fermes**
**4 fines bardes de lard de la dimension de la terrine**
**(pour le fond, les côtés et le dessus)**
**ou une crépinette de porc assez grande**
**pour tapisser l'intérieur et le dessus**
**4 échalotes grises hachées**
**1 gousse d'ail hachée**
**1 bouquet garni**
**4 feuilles de gélatine**
**1 fond de veau et de volaille**
**2 verres de vin blanc**
**1/2 verre de madère**
**1 petit verre à liqueur d'armagnac**
**sel, poivre**

*Préparation :*
D'abord la farce :
Passez au hachoir le veau et l'échine de porc, mixez grossièrement sans réduire en purée.

Mettez dans un saladier ou un poêlon, toute la viande hachée, l'ail, les échalotes, le madère, le vin blanc, l'armagnac, le bouquet garni, le sel et le poivre. Laissez mariner une nuit.

Le lendemain, ôtez le bouquet garni.

Mettez les feuilles de gélatine à ramollir dans l'eau tiède, puis fondre en casserole sur un feu moyen, dans une cuillerée à soupe d'eau.

Nettoyez les cèpes sans les laver au torchon ou au papier absorbant. Séparez toutes les queues des têtes. Épluchez les queues.

Gardez la moitié des têtes les plus belles.

Découpez grossièrement le reste et passez-le au mixeur.

Ajoutez les cèpes mixés et la gélatine tiède à la farce à laquelle vous devez l'incorporer.

Remixez bien le tout.

Mettez un lit de farce de 4 centimètres au fond de la terrine bardée, puis une couche de têtes de cèpes par-dessus que vous couperez au besoin et assaisonnerez de sel et de poivre légèrement.

Mettez des couches successives de farce et de têtes de cèpes de façon à finir par le restant de la farce sur le dessus de la terrine que vous « fermerez » en ramenant les bords de la crépine.

Il serait bon d'arroser le pâté de 3 cuillerées à soupe de fond de veau ou de volaille. Faites-en un peu si vous n'en avez pas ou... achetez-en tout fait !

Mettez la terrine à cuire 1 h 1/2 au bain-marie dans le four, laissez refroidir et passez-la au frigo.

*Froide, c'est un délice,
à bientôt,
merci Bernard !*

# Poulet aux girolles et petits légumes

*Pour 4 à 6 convives :*
1 beau jeune poulet d'1,500 kg environ
6 fonds d'artichauts frais
1 kg de petites patates nouvelles
300 g de girolles fraîches
12 grosses gousses d'ail en leur chemise
2 cuillerées à soupe d'huile d'arachide
et 2 d'huile d'olive
50 g de beurre frais
thym frais
1/2 feuille de laurier
100 g de jambon de campagne
2 larges bardes de lard
sel de mer, poivre au moulin

*On s'en lèchera les salsifis !*

## Préparation :

Ôtez le foie et le gésier du poulet qui, en principe, sera déjà vidé par le marchand (vérifiez tout de même !).

Nettoyez le gésier s'il ne l'est déjà, et débarrassez-vous délicatement du fiel qui adhère au foie.

Réservez foie et gésier.

Flambez le poulet s'il y reste quelques duvets.

Introduisez dans sa carcasse 1 branche de thym frais.
Salez et poivrez-le avant de placer les 2 bardes de lard sur les 2 côtés. Vous les ficelez bien.

Faites chauffer la moitié du beurre avec 1 cuillerée d'huile d'arachide et 1 cuillerée d'huile d'olive dans une cocotte en fonte dans laquelle vous placerez le poulet.

Laissez-le cuire de chaque côté pendant 20 à 25 minutes en tout, sans couvercle bien sûr, puis ôtez les bardes.

Surveillez constamment la cuisson du poulet, arrosez-le de son jus ou badigeonnez-le au pinceau. Faites-le dorer 5 minutes sur chaque face.

N'ajoutez le gésier que 3 minutes avant la fin de la cuisson, puis le foie à peine 2 petites minutes précédant l'arrêt du fourneau. Salez-le au dernier moment.

Grattez, pendant ce temps, les pommes de terre nouvelles. Rincez-les à l'eau fraîche et séchez-les aussitôt dans un torchon.

Pochez (ou ébouillantez si vous le préférez) les fonds d'artichauts 3 minutes dans de l'eau additionnée du jus d'1/2 citron afin d'éviter qu'ils noircissent.

Égouttez-les.

Écrasez à peine les gousses d'ail sans les peler !

Coupez en dés, gras et maigre de la tranche de jambon.

Mettez ensuite à chauffer le beurre restant, avec 1 cuillerée de chaque huile dans une deuxième cocotte.

Jetez-y ensemble : les pommes de terre, l'ail, le thym, le laurier, puis, seulement à la dernière minute, le jambon.

Laissez cuire à feu moyen en remuant souvent une quinzaine de minutes après lesquelles vous pourrez ajouter alors les girolles et les fonds d'artichauts pendant 10 minutes. Salez légèrement. Il faut, durant la cuisson, tourner de temps en temps à la spatule ou à la cuillère en bois.

Arrêtez votre fourneau.

A l'aide d'une écumoire, mettez vos pommes de terre, girolles, etc., dans un égouttoir que vous videz ensuite dans la première cocotte qui contient le poulet.

Laissez cuire alors ensemble le tout une bonne dizaine de minutes couvercle mi-fermé.

Après avoir découpé et placé le poulet dans un plat très chaud, disposez légumes et champignons dans un autre plat aussi chaud. Poivrez.

Vous pouvez servir.

*Avec ce plat de printemps, j'ai choisi un bon vin rouge du Bordelais, léger et charnu à la fois, de la région des **Graves**, c'est le **Château-Carbonnieux** (il existe aussi d'excellents vins blancs).*
*Nous avons testé un 79 qui, de l'avis général, nous a semblé prêt et « bien dans sa peau ». Il n'en fallut pas davantage pour nous sentir bien dans la nôtre.*

# Russules charbonnières aux huîtres

On trouve facilement dans la forêt aux mois de juin, d'octobre et novembre un champignon souvent délaissé car il n'inspire guère confiance, nommé Russula Cyanoxantha, c'est-à-dire la russule charbonnière. Son chapeau supérieur est vert, le dessous strié blanc.

*Pour 6 convives :*
**1 kg de russules charbonnières nettoyées**
**5 douzaines de grosses huîtres**
**1/2 verre à moutarde de persil simple haché fin**
**4 échalotes grises hachées menu**
**1 cuillerée à soupe de jus de citron**
**1 cuillerée à soupe d'huile d'olive**
**2 cuillerées à soupe d'huile d'arachide**
**2 cuillerées à soupe de crème fraîche**
**4 tours de moulin à poivre**
**1 toute petite pincée de sel**
**(à cause du sel des huîtres)**

*Préparation :*
Allumez un feu vif sous un cuiseur-vapeur contenant les huîtres, 4 minutes de cuisson suffisent à les ouvrir.

Ôtez les huîtres de leurs coquilles lorsque celles-ci sont entrebâillées et réservez-les dans un plat.

Filtrez l'eau des huîtres, gardez-la dans un bol.

Faites chauffer 2 cuillerées à soupe d'huile d'arachide dans une sauteuse et jetez-y les échalotes. Salez légèrement.

Tournez à la cuillère en bois. Faites-les revenir 5 à 10 minutes à feu moyen avant d'y joindre les champignons, découpés en lamelles d'un centimètre, qui cuiront encore 15 minutes.

Ajoutez ensuite les huîtres, la cuillerée à soupe de citron, celle d'huile d'olive, 1 verre à moutarde plein d'eau filtrée et le persil haché.

Laissez frémir le tout à feu doux pendant 10 minutes.

Incorporez les 2 cuillerées de crème fraîche, poivrez.

Mélangez et servez dans un plat chaud.

Cette recette, à défaut de russules, peut très bien s'accommoder de mousserons ou de rosés des prés, ou en dernier recours... de champignons de Paris.

*Un jeune **Jurançon sec** 83, aux arômes fruités, c'est pas très courant ! Eh bien, lorsque j'ai improvisé ce plat au retour de ma cueillette de russules, c'est justement celui-ci que j'ai débouché. Il était frais, plein de saveurs rustiques et mes convives claquaient goulûment la menteuse dans le bec comme un paysan après avoir bu sa « goutte » du matin. Quel meilleur compliment ? L'adresse vaut la peine d'être notée : M. Raymond Dubois, **Clos Mirabel**, à Jurançon.*

*Elles sont délicieuses. Voilà une façon de s'en régaler.*

# Pintadeaux aux cèpes frais

*Pour 6 à 8 convives :*
2 pintadeaux de 700 g environ
1 kg de cèpes frais et fermes
6 cuillerées à soupe d'huile d'olive
1 cuillerée à soupe de graisse d'oie
Le jus de 8 citrons
10 belles gousses d'ail jeune
1 cuillerée à café de sel
4 à 5 tours de poivre au moulin

*Préparation :*
Deux heures avant de cuisiner le plat : coupez chaque pintadeau en une dizaine de morceaux. Placez-les au fond d'un large plat. Recouvrez-les du jus des 8 citrons. Salez-les. Au bout d'une heure, retournez-les.

Une heure plus tard, retirez les morceaux du plat, séchez-les dans un torchon. Réservez le citron. Dans une cocotte en terre (sinon en fonte), faites revenir les morceaux de pintadeaux 20 minutes à feu moyen dans 4 cuillerées d'huile d'olive en les tournant à la cuillère en bois.

Ôtez les morceaux et leur jus, et réservez dans un plat.

Mettez les deux autres cuillerées à soupe d'huile d'olive et celle de graisse d'oie à chauffer dans la cocotte. Faites-y revenir pendant 20 minutes les cèpes nettoyés et coupés en lamelles pas trop grosses, plus les 10 gousses d'ail entières dans leur chemise légèrement écrasées du manche du couteau.

Ôtez les cèpes et l'ail à l'aide de l'écumoire.

Jetez la graisse de la cocotte.
Déglacez au pinceau avec 2 cuillerées à soupe du jus de citron dans lequel ont mariné les morceaux.

Remettez les cèpes dans le jus et les morceaux de pintadeaux par-dessus.

Laissez cuire doucement encore 3 minutes sans couvrir.

Poivrez de 4 tours de moulin. Servez chaud.

**Domaine de Gaillat** *83 (Graves rouge).*
*Il fleure le noyau de cerise et la bonne humeur. C'est un vin aromatique gai, équilibré et bien « présent en bouche ». Il provient de la sérieuse et compétente maison Costes, spécialiste des* **Graves rouges** *(entre autres) fruités et charmeurs. Moi, ça me botte ! Apparemment, mes invités itou.*
*Je vous note l'adresse car les tarifs sont très abordables et les « tauliers » sympas.* **Costes et fils,** *26, rue de la Poste, à Langon.*

# Pieds de mouton aux lapereaux et culs d'artichauts

*Pour 4 convives :*
600 g de pieds de moutons
4 fonds d'artichauts
1 lapereau d'1 kg à 1,500 kg
1 pincée de noix de muscade râpée
4 cuillerées à soupe d'huile d'olive fruitée
3 petites noix de beurre
10 petits oignons nouveaux
le jus d'1 citron
1 branche de thym frais
1 cuillerée à café de sel
4 tours de moulin à poivre

*Préparation :*
Jetez dans l'eau bouillante mêlée au jus d'1/2 citron, 4 fonds d'artichauts crus.

Laissez-les pocher 10 minutes. Retirez-les, égouttez-les, réservez-les.

Désossez le lapereau et découpez la chair en cubes de la grosseur d'un morceau de sucre. Réservez-la.

Après les avoir nettoyés, poêlez les pieds de moutons dans deux cuillerées à soupe d'huile d'olive mêlées à une noix de beurre, durant 1/4 d'heure à feu moyen, en tournant les morceaux à la cuillère en bois.

Ôtez-les de la poêle à l'aide d'une écumoire.

Réservez le jus des champignons dans un bol.

Versez de nouveau dans la poêle les deux autres cuillerées d'huile d'olive et la deuxième noix de beurre que vous faites chauffer avant d'y mettre les morceaux de lapin, vous les ferez rissoler pendant 10 minutes en les remuant. Réservez-les dans un plat.

Dans l'huile du lapin, faites revenir les petits oignons entiers à feu très doux pendant 1/4 d'heure en les tournant à la cuillère en bois. Ôtez la poêle du feu.

Mettez à sa place une cocotte en terre (à défaut en fonte) avec au fond la troisième noix de beurre.

Ajoutez alors les morceaux de lapin, les fonds d'artichauts que vous aurez coupés en 4 puis en bâtonnets d'1 centimètre d'épaisseur, les champignons, les oignons et la pincée de noix de muscade.

Salez, poivrez. Émiettez dessus la branche de thym.

Mouillez avec la moitié du jus des champignons.

Laissez mijoter très doucement (sans bouillir) pendant 10 minutes en mélangeant le tout à la cuillère en bois.

Servez dans un plat très chaud.

*Ce sont mes amis Bastiais André et Théa qui m'ont fait déguster les premiers ce vin rouge corse. Il est dommage que ces crus soient trop peu connus (et bus) sur le « continent ». Celui-ci, le **Comte Péraldi** fleure bon les herbes de la garrigue et la fraise des bois. Il est souple, d'une jolie couleur assez claire et sera mieux apprécié légèrement frais au sortir de la cave.*
***Comte de Poix, domaine Péraldi,***
*Chemin du Stiletto,*
*à Mezzavia (Corse).*

# La daube de cèpes
# de Francis Darroze

Voici une des plus succulentes façons de préparer les cèpes.
Ce sont mes amis Darroze à Villeneuve-de-Marsan qui m'en ont
enseigné la manière !
Tout comme pour le cassoulet, plus le plat est réchauffé, et meilleur il
s'avère !

*Pour 6 convives :*
**2 kg de cèpes bien fermes**
**2 échalotes grises hachées finement**
**2 oignons hachés grossièrement**
**2 gousses d'ail hachées grossièrement**
**3 tomates**
**1 bouquet garni**
**3/4 de litre de bouillon de poule**
**2 cuillerées à soupe d'huile d'olive**
**2 cuillerées à soupe d'huile d'arachide**
**3 verres de vin blanc moelleux**
**100 g de jambon de campagne haché menu**
**sel, poivre**

*Préparation :*
Nettoyez bien les cèpes, ne les lavez pas, essuyez-les au
torchon. Séparez les têtes des queues.

Découpez chaque tête en 8 ou 10 morceaux pas plus gros
que la moitié d'un sucre.

Hachez très finement les queues en tout petits morceaux
gros comme des grains de maïs.

Pelez (après les avoir ébouillantées une minute), épépinez et
découpez les tomates en morceaux. Réservez-les.

Mettez les huiles mélangées dans une sauteuse, chauffez-les
sans les laisser fumer et jetez-y les cèpes hachés que vous
laissez colorer 1 minute.

Ôtez les cèpes. Réservez-les.

Dans la même huile, faites revenir les échalotes, l'ail et
l'oignon pendant 3 minutes à feu doux.

Ajoutez la chair des tomates, le bouquet garni, le vin blanc et le bouillon. Salez. Poivrez. Mélangez bien et laissez cuire 1/4 d'heure à feu moyen.

Dans un grand pot ou une marmite en terre (ou en fonte), videz le contenu de la sauteuse et mettez les cèpes par-dessus. Placez la marmite sur le feu à la place de la sauteuse et laissez cuire le tout à feu très doux pendant 3 heures.

De temps en temps, mélangez bien à la cuillère en bois. Retirez le bouquet garni et servez dans le pot de la cuisson.

Je précise que ce plat ainsi préparé est succulent mais que, mijoté au coin d'un feu de braise, il est tout simplement fabuleux !

*Les séduisants cèpes de l'ami Francis furent accompagnés au coude à coude par ce merveilleux **Saint-Émilion** qu'est le **Grand Barrail Lamarzelle-Figeac.** Le 70 était royal, finement épicé au nez, subtilement vanillé en bouche, il a tellement botté à mes potes à table que nous avons achevé nos agapes « en beauté » avec un 61 du même cru. Soigneusement décanté en carafe, je ne suis pas certain qu'il ait eu pleinement le temps de s'épanouir convenablement !*
*Encore un grand moment !*

# GIBIER
# (sans potence)

Au début du XVIIe siècle on avait sans doute les produits naturels, encore faut-il voir l'usage qu'on en faisait. J'ai relevé pour vous cette peinture affligeante que Boileau nous donne d'un festin giboyeux de l'époque. Le « Tord-Boyaux » existait-il déjà ?...

*« Sur un lièvre flanqué de six poulets étiques !*
*S'élevaient trois lapins, animaux domestiques*
*Qui, dès leur tendre enfance élevés à Paris*
*Sentaient encore le chou dont ils furent nourris.*
*Autour de cet amas de viandes entassées*
*Régnait un long cordon d'alouettes pressées*
*Et sur le bord du plat six pigeons étalés*
*Présentaient pour renfort leurs squelettes brûlés. »*

A vous filer des frissons dans le dos !

Le gibier n'est plus ce qu'il était, Dieu me parfume !
Où sont donc passées les cailles grassouillettes qui transhumaient dès le printemps par dizaines de milliers, picorant le blé après les moissons ou les graines de « sarrail » ou encore les grasses luzernes de mon Sud-Ouest natal ?
Où sont passés les garennes qui pullulaient dans les bois et les garrigues ?

Je confesse ici ma faiblesse pour ces gibiers naturels. Les plus tendres passaient par la poêle de Maman bien accommodés d'une simple persillade.
Les plus chanceux finissaient en gibelotte ou en civet avec petits oignons blancs, croûtons dorés aillés et petits mousserons des prés, à la tomate, au vin blanc, au vin rouge, « à la crapaudine » telle que Papa préférait s'en lécher les « badigoinces ». Il ne reste que très peu de gibiers naturels.

Les traitements des sols et des récoltes n'y sont pas étrangers...
Ne subsistent dans certaines régions que quelques garennes
(régulièrement décimés par la mixomatose), quelques rares cailles, des
perdrix (d'élevage pour la plupart!), quelques palombes, bécasses,
lièvres, chevreuils, marcassins.
Je ne parle même pas des faisans lorsque j'évoque du gibier sauvage!
Voici donc comment je mitonne les quelques rares spécimens naturels
lorsqu'il m'est possible de m'en procurer, chez quelques potes un peu
bracos!

# Épaule de marcassin à ma manière

*Pour 6 à 8 convives :*
1 épaule de marcassin de 2,500 kg environ
500 g de pois chiches
50 g de couennes
3 cuillerées à soupe d'huile d'arachide
1 douzaine de figues sèches
8 petits oignons blancs
(en piquer 2 d'1 clou de girofle)
3 gousses d'ail
1/2 litre de bouillon
1 bouquet garni
3 feuilles de sauge
1 branche de céleri hachée
3/4 de bouteille de bon bourgogne rouge
1 grand verre de vieux porto
1/2 verre de vinaigre de vin
sel, poivre

*Préparation :*
La veille :
Faites gonfler les pois chiches dans l'eau froide pendant au
moins 10 heures.

Dans le même temps, dans un grand plat rectangulaire
creux, mettez l'épaule du marcassin à mariner dans le
bourgogne avec les couennes, le sel, le poivre, le céleri, la
sauge, le bouquet garni, l'ail, les oignons et le vinaigre.

En casserole couverte, faites bouillir doucement les figues

dans le porto pendant 10 minutes. Stoppez le feu et laissez-les gonfler dedans.

Le lendemain :
Faites chauffer le four.

Ôtez l'épaule de la marinade. Séchez-la. Désossez-la. Découpez-la en morceaux.

Mettez une grande cocotte en fonte à couvercle creux sur le feu moyen avec l'huile d'arachide et faites revenir et dorer les morceaux d'épaule pendant 10 minutes en les retournant à la cuillère en bois.

Ajoutez le bouquet garni, les oignons, le céleri, l'ail.

Mélangez le tout. Laissez cuire 5 minutes encore.

Mettez ensuite dans la cocotte les couennes coupées en carrés, les pois chiches, les figues et le porto, le bouillon et la marinade, le sel et le poivre.

Couvrez la cocotte, mettez de l'eau froide dans le creux du couvercle et laissez cuire à feu très doux 2, 3 ou même 4 heures, jusqu'à ce que les pois chiches et les figues aient absorbé presque tout le bouillon et le vin.

Ce plat, mijoté sur la braise d'un feu de bois, est absolument incomparable !

*Un **Santenay rouge** de chez M. **René Fleurot** le rendra encore meilleur !*

# Perdreaux aux choux

*Pour 6 convives :*
6 perdreaux
3 cœurs de choux Milan bien pommés qui ne pèseront
pas plus d'1,500 kg à eux trois une fois épluchés
200 g de poitrine de porc bien maigre coupée en dés
600 g de saucisse coupée en morceaux
150 g de jambon cru coupé en dés
3 carottes coupées en bâtonnets
2 navets coupés en gros dés
3 gros oignons émincés
1 clou de girofle
1 bouquet garni
1 litre de bouillon fait avec une carcasse de poule
ou quelques os de veau, ou les deux
1 belle cuillerée à soupe de graisse d'oie ou,
à défaut, de beurre ou de saindoux
100 g de beurre
1 cuillerée à soupe d'huile d'arachide
150 g de couenne de porc
bien dégraissée coupée en timbres-poste
2 verres de bon vin blanc (monbazillac ou sauternes)
2 morceaux de sucre
gardez 3 ou 4 feuilles de vos choux (les plus grosses)
quand vous les éplucherez pour en recouvrir
votre plat lorsqu'il sera au four
vous les ôterez au moment de servir
2 cuillerées à soupe de gros sel de mer
1 cuillerée à café de poivre moulu

*Préparation :*
Mettez votre four à chauffer.

Coupez les choux en deux après les avoir bien nettoyés.
Faites-les cuire 10 minutes à la vapeur. Réservez-les.

Faites revenir en cocotte, dans la graisse d'oie et l'huile, feu
réglé entre doux et moyen : les oignons, le jambon, la
poitrine de porc, la saucisse, la couenne de porc, les carottes,
les navets, le clou de girofle et le bouquet garni.

Mélangez de temps en temps à la spatule en bois. Le tout
doit être semi-étuvé pendant 15 minutes, couvercle à demi
fermé. Vers la fin, mouillez d'un demi-verre de bouillon.

Poivrez et salez légèrement les perdreaux après les avoir
badigeonnés d'huile et y avoir introduit une noix de beurre à

l'intérieur. Placez-les dans un grand plat à four huilé et beurré.

Laissez-les cuire ainsi 1/4 d'heure (thermostat 5) dans le four. Réservez-les.

Mouillez alors d'1 verre de bouillon afin de déglacer le jus des perdreaux à l'aide de votre spatule. Réservez ce jus dans un récipient.

Votre plat à four à présent vide, placez au fond une épaisseur de 3 ou 4 feuilles de choux sur toute la surface. Placez dessus les perdreaux entiers.

Répartissez alors sur les choux et les perdreaux tout le contenu de la cocotte. Ajoutez un verre de vin de sauternes (ou de blanc sec avec deux sucres de canne).

Versez également le jus des perdreaux.

Couvrez le tout avec le restant des choux.

Remplissez le plat de bouillon jusqu'au niveau des choux.

Recouvrez enfin le plat des trois ou quatre grosses feuilles de chou cru que vous avez gardées pour servir de couvercle et que vous ôterez avant de servir.

Faites mijoter ce plat au four au moins 2 heures à feu très doux.

Laissez refroidir, puis de nouveau mettez à frémir (sur un feu de braise ce serait le paradis !) 1/2 heure avant de servir, vous ne le regretterez pas ! L'idéal est que le chou ait absorbé tous les sucs pour ne plus laisser dans le plat la moindre trace de jus.

*Il a une parure dorée, on dirait un miel d'acacia, il en a la saveur, c'est un **Château-Monbazillac**, prestigieux cru de mon Sud-Ouest, que je fais souvent découvrir à mes potes. Ils ne connaissent parfois que le muscadet ! Toute une éducation à refaire !*
*Le 82 est déjà parfait, il peut vieillir encore un peu si vous lui en laissez le temps. On peut se le procurer à la **Cave coopérative de Monbazillac**.*

# Cuisses et filets
# de perdrix aux truffes

*Pour 4 convives :*
2 belles perdrix de l'année
(prélevez les cuisses et entrecuisses d'un seul tenant,
ainsi que les filets entiers)
2 belles truffes
1/3 de verre de vieux madère
1 bouquet garni
1 os de veau
1 oignon piqué d'1 clou de girofle
1 carotte
1 poireau
50 g de beurre
1 cuillerée à soupe d'huile d'arachide
1 cuillerée à soupe de gros sel
sel, poivre

*Préparation :*
Demandez un os de veau à votre boucher qui se fera un
plaisir de vous l'offrir.

Dans une marmite, mettez 1 litre d'eau ainsi que le bouquet
garni, l'os de veau, l'oignon, la carotte, le poireau, les
carcasses et les ailes de perdrix, 1 cuillerée à soupe de gros
sel et du poivre.

Couvrez et laissez réduire le bouillon à feu moyen jusqu'à ce
qu'il n'en reste plus qu'un grand verre. Cette opération
prendra 1 heure environ ; au bout d'1/2 heure de cuisson de
ce petit « pot-au-feu », préparez le reste.

Dans une sauteuse, mettez la moitié du beurre et l'huile sur
un feu moyen, lorsqu'ils commencent à grésiller doucement,
placez les morceaux de filets et les cuisses bien à plat.

Salez et poivrez-les, baissez le feu, couvrez et laissez cuire 5
à 6 minutes sur chaque face.

Après quoi, vous les retirez de la sauteuse et les réservez au
four tiède dans un grand plat chaud recouvert de papier
aluminium.

Jetez le beurre cuit, versez le madère et le fond réduit de
« pot-au-feu de perdrix » à travers un chinois

progressivement en déglaçant. Ajoutez le restant du beurre frais à ce jus avec les lamelles de truffe.

Laissez réduire 5 minutes à feu très doux, goûtez la sauce, rectifiez au besoin et versez ce jus sur les perdrix dans leur plat chaud. Répartissez les lamelles de truffes sur le dessus.

Un petit gratin de cardons ou de macaronis dans des petits plats émaillés ou en porcelaine individuels peut accompagner les perdrix, mais ce plat est tellement exceptionnel qu'il peut très bien s'en passer également.

Il est nécessaire que le plat soit à la hauteur du vin lorsqu'il s'agit d'un cru tel que celui-ci.

*J'ai mis debout, pour mes poteaux, deux boutanches de* **Chambolle-Musigny** *78 (vin de soie et de dentelle !). Il a des arômes très divers tels que framboise et cassis, mais il fleure bon aussi le sous-bois et la fumée. Ses saveurs sont évocatrices de morille et de clou de girofle. Ce fut un grand bonheur que de voir les convives déguster cette merveille en faisant des trilles subtils de la menteuse dans la boîte à sucettes ! \**

* Note de l'Éditeur : Pierre Perret a voulu dire, dans son langage imagé : savourer à petits coups de langue dans la bouche !

# Cul de jeune lièvre rôti avec purée de pois cassés

Le lièvre, lorsqu'il est tendre, c'est rôti qu'il est le meilleur. La seule véritable règle à ne pas négliger est l'arrosage de sa chair, opération qu'il ne faut pas craindre de faire une bonne dizaine de fois. Voici comment je le prépare.

*Pour 4 convives :*
**1 train de lièvre (râble et cuisses d'un seul tenant)**
**8 gousses d'ail dans leur chemise**
**100 g de beurre**
**1 cuillerée à soupe d'huile d'olive**
**2 fines et larges bardes de lard**
**300 g de pois cassés**
**1 petit bouquet garni**
**petits croûtons légèrement grillés**
**frottés d'ail et découpés en dés**
**3 brins de thym**
**sel, poivre**

*Qui peut ne pas adorer le lièvre dans ces conditions ?*

*Préparation :*
Faites fondre la moitié du beurre doucement dans une casserole. Mélangez avec la cuillerée d'huile et enduisez-en le lièvre sur toutes les faces à l'aide d'un pinceau.

Salez, poivrez-le et émiettez le thym par-dessus.

Placez les bardes autour des cuisses et du râble et ficelez.

Mettez le lièvre sur la grille d'un plat à four.

Placez-le dans le four déjà bien chaud (thermostat 7) et laissez-le cuire pendant 25 minutes. A la moitié de la cuisson, baissez la chaleur du four (à thermostat 5) et retournez-le.

Dans les dernières minutes avant la fin de la cuisson, ajoutez l'ail en gousses légèrement écrasées et ôtez les bardes afin qu'il colore bien. Retournez-le encore une fois dans le plat et arrosez-le souvent.

Pendant la cuisson du lièvre, vous aurez fait bouillir les pois cassés dans une casserole avec un petit bouquet garni. 1/2 heure de cuisson suffit s'ils ne sont pas trop vieux.

Égouttez-les et passez-les au mixeur pour en faire une purée. Salez-la. Ajoutez le reste du beurre et un peu de jus de lièvre que vous aurez déglacé au fond du plat après sa cuisson. Mélangez bien et assaisonnez.

Servez avec les croûtons grillés aillés et le restant du jus en saucière.

*Nous avons « assis » ce cul de lièvre sur un **Pommard-Épenots** somptueux de 64. (Vous n'en dégoterez sans doute que des plus récents chez le négociant), c'est ce fameux 64 que mon épouse évoque lorsqu'elle me dit : Ouvre-nous une bouteille de ce bourgogne qui a un goût de fumée ! » Il a une couleur de velours grenat lumineux et c'est vrai qu'il a des saveurs de fumée, de sous-bois, de champignons et de vanille.*
*Vous risquez de trouver des années plus récentes chez M. **Jean Monnier** à Meursault (Côte-d'Or).*

# Gigot de chevreuil avec purée de haricots blancs frais

Le chevreuil, principalement le gigot, le meilleur morceau avec les carrés, est un délice si la marinade est bien faite et la cuisson bien précise. C'est pourquoi je suis très attentif à tout cela et, lorsque je fais cette préparation, je n'apprécie pas beaucoup les bavards au bigophone.

Il faut au moins huit convives lorsqu'on prépare un gigot de deux kilos environ. Il faut donc en tout et pour tout :

**1 gigot de 2 kg**
**2 grandes bardes de lard**
**4 cuillerées à soupe d'huile d'arachide**
**1 kg de haricots blancs frais**
**4 gousses d'ail écrasées dans leur chemise**
**50 g de beurre**
**2 cuillerées à soupe d'huile de noix**
**confiture d'airelles**
**sel, poivre**

*Pour la marinade :*
**4 carottes**
**3 gros oignons hachés**
**1 verre de vin blanc sec**
**2 verres de bon bourgogne rouge**
**1/2 verre de bon vinaigre de vin**
**4 échalotes hachées**
**3 branches de céleri**
**1 bouquet garni**
**3 cuillerées à soupe d'huile d'olive**
**sel et 10 tours de moulin à poivre**

*Préparation :*
Si les haricots sont secs, mettez-les à tremper la veille.

Placez le gigot dans un grand plat creux et mettez tout autour les carottes en rondelles, les oignons et échalotes, le céleri coupé, le bouquet garni, le sel, le poivre, le vinaigre, le vin blanc, le rouge et l'huile.

Laissez mariner le gigot 24 heures en le retournant 5 à 6 fois.

Lorsqu'il a bien mariné, faites chauffer le four, sortez le gigot du plat, mettez-le quelques minutes dans un égouttoir et séchez-le bien dans un torchon ou dans un papier absorbant.

A l'aide d'un pinceau, enduisez-le d'huile. Salez-le légèrement, poivrez-le de six tours de moulin sur toutes ses faces.

Placez les deux bardes côte à côte autour du gigot et ficelez-les bien.

Versez le restant d'huile au fond du plat à four avant d'y placer le gigot.

Mettez-le dans le four déjà très chaud (thermostat 7).

Au bout de 15 minutes, baissez le feu et ajoutez l'ail écrasé dans sa peau.

La cuisson dure 25 minutes.

10 minutes avant de stopper le feu, ôtez les bardes pour laisser le gigot se colorer 5 minutes sur chaque face.

N'hésitez pas à l'enduire de jus avec le pinceau et à l'arroser de temps en temps d'1 ou 2 cuillerées de marinade.

En fin de cuisson, sortez-le du plat à four et transférez-le dans un grand plat chaud.

Déglacez alors le plat à four avec une louchée de marinade en frottant le fond avec le pinceau. Cela constituera le jus de gigot que vous mettrez en saucière.

Pendant la cuisson du gigot, faites bouillir les haricots blancs frais (tarbais ou lingots. Pas de « coco » qui ont la peau trop épaisse) dans 2 litres d'eau avec un bouquet garni.

20 minutes d'ébullition suffisent (1 heure s'ils sont vieux).

Passez-les au mixeur, pour en faire une purée, ajoutez le beurre et la cuillerée d'huile de noix.

Salez, poivrez.

Ces deux plats sont délicieux ensemble. Le gigot doit être légèrement rosé.

Je le sers avec sa sauce très chaude et de la confiture d'airelles.

fin de la recette page suivante

Les haricots doivent être très onctueux mélangés au jus du gigot.

Bon appétit !


*Il est élégant par sa couleur pourpre foncé, ses senteurs, elles, évoquent subtilement le poivre et la réglisse. Il a une saveur prédominante de truffe qui a conquis les plus difficiles de mes poteaux, plus axés généralement sur le **bourgogne** avec ce genre de plat. Je ne me suis pas planté !*
*C'est un **Saint-Joseph rouge** 83 élevé par les **Vignerons Ardéchois,** à Chaussy.*
*A vous de jouer !*

# Notes

# Salmis de palombes à ma façon

*Pour 6 convives :*
**6 palombes**
**4 poireaux (gardez les blancs uniquement)**
**12 petits oignons blancs**
**3 gousses d'ail hachées**
**50 g de couenne de porc dégraissée**
**1 litre de bouillon**
**2 tomates bien mûres**
**1 bouquet garni**
**1 grand verre de bourgogne rouge**
**1 noix de beurre**
**2 cuillerées à soupe d'huile d'arachide**
**1 cuillerée à soupe d'huile d'olive**
**6 tranches de pain grillé doré**
**sel, poivre au moulin**

*Préparation :*
Mettez le four à chauffer.

Désossez les palombes. Ne gardez entières que les cuisses et les ailes. Prélevez les filets de la poitrine, réservez-les.

Après les avoir rasées et dégraissées, faites bouillir les couennes 15 minutes dans de l'eau citronnée. Réservez-les.

Pendant ce temps...
Concassez les carcasses de palombes (brisez les os).

Avec un pinceau, enduisez-les d'huile et de beurre et mettez-les dans un plat à dorer 15 minutes au four.

Ôtez-les du plat après la cuisson. Réservez-les.

Pelez les oignons blancs, gardez-les entiers.

Découpez les couennes bouillies en tout petits carrés d'un centimètre.

Pelez les tomates. Ôtez les pépins. Hachez-les.

Nettoyez et lavez les blancs de poireaux. Fendez-les en deux dans la longueur.

Mettez les carcasses rôties dans une cocotte en fonte. Elles doivent cuire dans le bouillon pendant 1/2 heure à four moyen, couvercle fermé.

Passez le bouillon réduit au chinois. Jetez les carcasses.

Réservez le bouillon.

Dans la même cocotte, faites chauffer le restant d'huile et de beurre. Faites-y revenir les petits oignons pendant 5 minutes, puis la tomate, l'ail, le bouquet garni et les couennes découpées. Laissez cuire 15 minutes à feu moyen, couvercle fermé.

Ajoutez ensuite les blancs de poireaux, les morceaux de palombes, le bouillon et le vin rouge. Mélangez bien. Salez légèrement. Poivrez de 6 tours de moulin et laissez cuire 1 h 1/2 à feu très doux.

La moitié de la cuisson doit s'effectuer à couvercle fermé, l'autre moitié à couvercle mi-fermé. 5 minutes avant la fin de la cuisson, mettez les tranches de pain à griller.

Si vous pouvez ajouter des mousserons ou des rosés des prés dans la sauce, ce sera encore meilleur.

A la fin de la cuisson, ôtez les morceaux de palombe que vous dressez dans un plat chaud (avec des champignons s'il y en a !).

Frottez légèrement d'ail le pain grillé doré et mettez-le autour des morceaux.

Passez la sauce à travers le chinois et nappez-en bien tout votre plat — croûtons y compris.

C'est un vrai délice... et encore meilleur si la cocotte a mijoté au-dessus de la braise.

*Cet **Échezeaux** 79 rouge de chez Desvignes (le bien nommé) s'avéra une pure merveille. Tout enrichi des arômes de poivre et de cuir, il avait aussi des saveurs rustiques et à la fois bien élégantes, ça vous met la menteuse en goguette !*

# Canettes sauvages
# aux petits navets caramélisés

J'ai tant goûté et tant aimé les pigeonneaux et les canetons durant mon voyage en Chine (principalement dans la province de Canton où la gastronomie était d'un raffinement inoubliable !) que j'en ai un souvenir encore très vivace qui me donne envie (entre autres raisons !) d'y revenir très vite. Voici un plat dont la cuisson est très inspirée de la façon chinoise, à laquelle j'ai ajouté des petits navets qui poussent mieux chez nous que là-bas !

*Pour 4 à 6 convives :*
**2 canettes bien tendres (800 g chacune environ)**
**12 petits navets ronds**
**4 pieds de petits « oignons-pays » genre cives**
**1 cuillerée à soupe de soja**
**2 cuillerées à soupe d'eau**
**1 cuillerée à café de vinaigre de vin rouge**
**1 cuillerée à soupe de sucre en poudre**
**1 pincée de piment de Cayenne en poudre (ou de piment frais de Martinique haché menu)**
**1/2 verre d'huile d'arachide**
**1/2 verre d'huile d'olive**
**1 belle noix de beurre (30 à 40 g environ)**
**pincée de sel**
**poivre**

*Préparation :*
Dans une sauteuse, faites chauffer l'huile d'olive et d'arachide et mettez-y les canettes entières.

Faites-les dorer sur toutes les faces. Salez-les très légèrement, poivrez-les et ôtez-les du feu au bout de 15 minutes. Rosées, car elles recuiront.

Découpez-les, réservez-les dans un plat très chaud et ôtez la moitié de l'huile. Ajoutez le beurre dans la sauteuse, laissez chauffer et incorporez les navets coupés en 4.

Faites-les bien dorer 5 à 6 minutes après avoir répandu le sucre en poudre dessus. Ajoutez les « oignons-pays » hachés une minute et ôtez le tout de la sauteuse avec une écumoire.

Ôtez l'huile et le beurre de la sauteuse en n'en laissant au fond que la valeur d'une petite cuillerée à soupe.

Versez alors la sauce soja, le vinaigre, la pincée de piment de Cayenne et l'eau et déglacez en décollant bien les sucs du fond de la sauteuse.

Rajoutez alors les morceaux de navets et faites-leur bien prendre la sauce pendant 2 minutes environ.

Ajoutez par-dessus les morceaux de canettes. Laissez encore 5 minutes sur le feu doux (en couvrant la sauteuse avec un couvercle) et servez les canettes dans un plat chaud avec les navets autour.

*Ces demoiselles canettes ont été copieusement arrosées d'un bel* **Hermitage** *à la robe grenat de 79. Les épices vanillées vous sautent dans le « fer à souder » ! Le point d'orgue à ses saveurs subtiles est le bois de santal. Étonnantes « rouilles » ! Nous n'avons pas changé de vin au cours du dîner pour ne pas risquer de prendre un bide avec le cru suivant.*
*« Il » vient de chez le* **Père Anselme** *à Châteauneuf-du-Pape.*

# Perdrix au vinaigre

Je les ai préparées ainsi, un jour en Andalousie, dans une cuisine équipée d'ustensiles rudimentaires et avec les moyens du bord.
Mon épouse, qui n'apprécie guère le gibier, en conserve un souvenir ému !

*Pour 4 convives :*
**2 belles perdrix (je préfère les rouges aux grises)**
**3 carottes**
**3 oignons moyens hachés**
**3 tomates**
**6 belles gousses d'ail**
**1 bouquet garni**
**1 cuillerée à soupe d'huile d'arachide**
**2 cuillerées à soupe d'huile d'olive**
**3 cuillerées à soupe de bon vinaigre de vin**
**1 verre de vin blanc doux**
**1 petit piment de Cayenne**
**1 cuillerée à dessert de sucre en poudre**
**sel, poivre au moulin**

*Préparation :*
Flambez, videz et nettoyez les perdrix. Coupez-les en deux dans la longueur.

Pelez les tomates (après les avoir ébouillantées), coupez-les en 4.
Épépinez et hachez-les.

Faites chauffer l'huile à feu moyen dans une cocotte et faites colorer les 4 moitiés de perdrix en les retournant 5 à 6 minutes.

Retirez-les de la cocotte. Réservez-les sur un plat.

Mettez ensuite dans la cocotte l'ail entier légèrement écrasé (sans l'avoir épluché), les carottes, les oignons, le bouquet garni et le piment pilé au mortier après avoir ôté la queue et les graines. Mélangez bien le tout. Décollez le fond.

Laissez suer doucement durant 5 minutes.

Augmentez un peu le feu. Versez le vinaigre, puis le vin blanc et le sucre en poudre. Mélangez.

Remettez les morceaux de perdrix dans la cocotte et recouvrez-les de tomates concassées.

Mettez le couvercle et laissez cuire à feu très doux au moins 1/2 heure à 3/4 d'heure en fonction de l'âge et de la qualité de vos oiseaux.

*Nous avions dégusté ce jour-là un **Marquès de Cacéres** (espagnol) qui était fort honorable.*
*Certains Rioja sont du reste remarquables par leur qualité et leur vinification.*
*Un **Saint-Pérey** rouge 83 peut aussi très bien faire face.*

# Prenez plaisir à faire des
# SALADES

Une bonne salade suivie d'un délicieux plateau de fromages, cela peut suffire à faire un bon petit dîner léger.

On peut inventer mille sortes de salades, c'est par excellence le plat pour lequel on peut laisser gambader son imagination.

De multiples combinaisons sont possibles, on peut y marier le sucre et le sel, le doux et l'amer, les herbes fines aux échalotes, la ciboulette au cerfeuil, les pommes fruits aux betteraves rouges, l'ail au piment, les œufs durs aux harengs, etc.

Votre palais et votre esprit inventif seuls en décideront.

# La salade

La salade est l'accompagnement indispensable d'un bon dîner. Il faut davantage que pour tout autre produit culinaire qu'elle soit d'une extrême fraîcheur, voire d'une extrême jeunesse ! Elle doit être tendre et craquante à la fois, douce et ponctuée d'une légère amertume. Ma préférence va aux chicorées amères, frisées, au pourpier (fade mais craquant à mélanger aux autres salades), à la roquette, à la trévise jeune, la dent de lion, la scarole, le pissenlit et la romaine qui fut, paraît-il, importée d'Italie par le gourmand Rabelais.

La qualité et le choix de l'huile, du vinaigre, du sel et du poivre sont aussi très importants et, bien sûr, les proportions ! et aussi l'ordre dans lequel ces ingrédients sont placés dans le saladier.

On peut marier mille ingrédients avec une salade : des fromages, des herbes fines de toutes sortes, du blanc de céleri, des champignons et surtout — exquise trouvaille dont tant de nos aînés gourmands se sont régalés — des croûtons à l'ail ! les fameux chapons ! pourquoi appelés « chapons » d'ailleurs, je confesse publiquement ma totale ignorance à ce sujet.

Après l'énumération de mes salades chéries, je vais vous faire une petite liste de tout ce que j'ai cru bon d'avoir dans mon potager, du moins en ce qui concerne les herbes fines et aromatiques.
On se procure du reste aisément « presque » tout cela sur les marchés de légumes à Paris et partout en France. (Valable pour ceux qui ne possèdent pas de potager !)

# Les aromates

Il faut : du persil simple, c'est le meilleur ! du cerfeuil, de la ciboule, ciboulette, estragon, thym, laurier sauce, pimprenelle, menthe, citronnelle, basilic, romarin et marjolaine, aneth, coriandre (persil chinois). Ce sont là les principales herbes qui font de sublimes salades.

L'HUILE
Les huiles dont je me sers le plus sont :
l'huile d'arachide (cuisine)
l'huile de tournesol (cuisine, salade)
l'huile d'olive (cuisine, salade)
l'huile de noix (salade uniquement)
l'huile de pépins de raisin (cuisine et salade, très fine !)
et enfin l'huile d'argane, merveille de saveur unique qui me fait bigophoner à tous mes amis qui peuvent m'en rapporter du Maroc quand je n'y vais pas moi-même.

LE VINAIGRE
Un mauvais vinaigre vous « bousille » une salade en deux coups les gros !
Faites-le vous-même, c'est pas compliqué ! ou bien achetez chez un bon marchand :
du bon vinaigre de vin rouge,
du bon vinaigre de xérès.

LE POIVRE
Le poivre doit, lui aussi, être de première qualité, le blanc ou le gris sont meilleurs que le noir, il en existe aussi du rose qui convient très bien au poisson.
On a tout intérêt, dans la majorité des cas, à le moudre au-dessus des aliments qu'au dernier moment, afin de bénéficier de tout son arôme et de toute sa saveur (tout comme le café !).

LE SEL
Moi je préfère le sel de mer, le gros, le gris de Guérande (on en vend partout) ; je le conserve dans un grand pot de grès dans lequel je place des pastilles absorbant l'humidité. Pour obtenir du fin, je mouds le gros !

# La vinaigrette

(Voir « la vinaigrette » au chapitre des SAUCES.)

# Les condiments

L'ail, l'oignon, l'échalote (indispensable), la câpre, la ciboule et ciboulette, le cornichon, la moutarde.
Rares sont les plats dans lesquels l'un ou l'autre de ces condiments n'entre pas !
Les « condiments », hormis la moutarde (que je ne fais point) et la câpre, tout pousse dans mon jardin, de même que les aromates. Tout cela se cultive aisément sans soin particulier et dans un coin de potager de dix mètres carrés tout au plus ! Donc ceux qui ont la chance de posséder un petit bout de terrain n'ont aucune excuse de présenter des plats ou des salades « fades » à leurs convives !
A moins de les acheter, bien sûr, ce qui va plus vite. Mais c'est tellement moins bon !

# Les épices principales

Le poivre, le clou de girofle, la cannelle, la noix de muscade, le gingembre, le safran, la cardamome et le piment.

# La mayonnaise

Et puis il y a aussi la divine, indispensable salvatrice dans bien des cas, mayonnaise.

J'ignore si le type qui a inventé la bombe atomique a déjà (ou aura un jour) sa première statue mais s'il ne tenait qu'à moi, le génial gourmand qui « monta » sa première mayonnaise aurait déjà la sienne !

La mayonnaise est la « sauce mère » de dizaines de préparations.

Tout en les « montant », la fourchette à la main, nos mères, qui ont tant transpiré avec suspense à la clé (se demandant toujours au milieu de sa confection si elle n'allait pas « tomber »), s'en font aujourd'hui un cache-col avec le mixer électrique !

Hop, en trente secondes, jaunes d'œufs (après avoir ôté le germe), sel, huile d'olive et le tout est joué !

Et ça vous dépanne pour agrémenter, sauver même des tas de plats !

Car si on n'a pas eu le temps d'élaborer davantage la recette d'un saumon, de morue, la mayonnaise « modifiée » vient tout de suite à votre secours !

Elle peut devenir, en deux coups de cuillère à pot :

SAUCE VERTE : pour agrémenter une salade avec du cerfeuil, de l'estragon et de la pimprenelle hachés.

Avec une purée de tomates, elle devient tout de suite SAUCE PORTUGAISE.

Avec des tomates, quelques poivrons passés au four tels quels et pelés et une pointe de paprika, elle devient SAUCE ANDALOUSE.

Avec des truffes hachées, elle fait une superbe SAUCE DEMI-DEUIL.

Toujours avec de la purée de tomates et de la poudre de curry, vous aurez une SAUCE INDIENNE.

Une mayonnaise avec du caviar devient une SAUCE RUSSE.

Avec le corail de la langouste écrasé et passé au tamis, additionné au jus des « coffres » (carcasses) pilés ou passés au mixer et cuits avec une réduction d'échalotes et vin blanc, on obtient une SAUCE CARDINALE.

Des languettes d'oursins passées au mixer avec de la tomate, puis au tamis et ajoutées à du beurre d'anchois, on obtient une SAUCE CORSE.

Et, en montant votre mayonnaise dans le mortier où vous venez de piler dix gousses d'ail, vous aurez réussi le plantureux, l'appétissant et célèbre : AIOLI.

La fameuse SAUCE RÉMOULADE est aussi « dérivée » de la mayonnaise puisqu'on y ajoute la moutarde, des cornichons hachés, de l'estragon, cerfeuil, pimprenelle hachée et enfin la purée d'anchois ! Et votre rémoulade est faite !

# Le céleri rémoulade

C'est le même phénomène que la crème caramel. On n'en trouve guère chez nos aubergistes. Alors faisons-le à la maison, poil au nez !

*Pour 4 à 6 convives :*
**1 gros pied de céleri-rave tendre
1 cuillerée à dessert de câpres
3 cornichons moyens
1 bouquet d'estragon, 1 de cerfeuil et 1 de pimprenelle
3 échalotes grises
1 bonne cuillerée à soupe de moutarde de Dijon
1 pointe de piment séché de Cayenne**

*Préparation :*
Râpez le pied de céleri avec une râpe à grille moyenne dans un saladier.

Sur une planche, ou dans le mixer, hachez ensemble le plus menu possible tous les ingrédients (sauf la moutarde !).

Montez 1/2 bol de mayonnaise à l'huile d'olive (que vous salerez) pourquoi pas au mixer. (Je ne vous ferai pas l'injure de vous donner la recette !)

Ajoutez-y tous les ingrédients pulvérisés, ainsi que la cuillerée de moutarde.

Mixez le tout quelques secondes.

Goûtez et rectifiez s'il manque du sel.

Mélangez bien alors dans le saladier la sauce rémoulade et le céleri râpé.

Mettez 15 minutes au frigo avant de consommer, c'est encore meilleur !

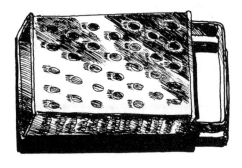

# Salade de fonds d'artichauts et betteraves rouges

*Il faut simplement, pour 6 convives :*
**2 belles betteraves rouges**
**3 fonds d'artichauts cuits**
**4 filets d'anchois à l'huile**
**2 œufs**
**1 belle gousse d'ail**
**1 cuillerée à dessert de moutarde forte**
**1 1/2 cuillerée à soupe de vinaigre de vin.**
**4 cuillerées d'huile de noix (ou d'olive à défaut !)**
**1 bouquet de persil simple**
**sel, poivre**

*Cette salade bien relevée met en appétit les convives les moins affamés*

*Préparation :*

Dans votre cuiseur-vapeur rempli de 2 litres d'eau, faites cuire les artichauts entiers durant 25 minutes.

Les betteraves rouges sont souvent achetées déjà cuites. Sinon, cuisez-les aussi à la vapeur ou au four.

Pendant la cuisson des artichauts, vous pouvez ajouter dans le cuiseur les deux œufs qui seront durs en 12 minutes.

Ôtez-les, et enlevez la coquille.

Sortez les jaunes entiers, mettez-les dans un mortier, avec l'ail coupé en quatre, la moutarde et les filets d'anchois coupés en morceaux.

Réduisez le tout en pommade.

Lavez et hachez menu-menu le bouquet de persil simple.

Hachez menu les blancs d'œufs durs.

Au fond du saladier, mettez un légère pincée de sel (à cause des anchois), faites-le dissoudre à la cuillère en bois avec le vinaigre. Ajoutez l'huile et fouettez bien.
Ajoutez aussi la pommade d'anchois, fouettez encore.

Après avoir ôté les feuilles et le foin des artichauts, découpez les fonds et les betteraves en cubes de 2 centimètres environ.

Mettez-les dans le saladier. Poivrez de 10 tours de moulin et mélangez bien avec des couverts en bois.

# Salade de haricots blancs frais tièdes à l'huile de noix et filet de vinaigre

C'est un rare moment, encore faut-il que l'huile de noix ne soit pas vieille, mais de très bonne qualité comme celle de Tonton Jacques qui m'envoie le premier jus tous les ans.

*C'est tout simple à faire,*
*pour 6 convives :*
**1,200 kg de cocos blancs frais dans leurs cosses**
**1 verre à moutarde d'huile de noix**
**1 1/2 cuillerée à soupe de bon vinaigre de vin rouge**
**du sel fin et du poivre au moulin à votre convenance**

*Préparation :*
Égrenez les haricots et faites-les cuire à la vapeur 20 minutes.

Égouttez-les 5 minutes.

Mettez-les tièdes dans un saladier avec l'huile, le sel et le poivre.

Mélangez bien le tout avec des couverts en bois.

Répandez alors dessus le vinaigre.

Mélangez bien derechef et dégustez tiède.


*Un **Bourgogne rouge** et jeune s'accorde bien avec ces « cocos ». J'ai fait déguster à mes beaux-frères Daniel et Félix un **Savigny-lès-Beaune** bouqueté et aromatique de 1984. La robe est légèrement pourprée et son nez est fruité avec une prédominance vanillée.*
*Séduits, ils ont dû l'être, puisqu'ils m'ont dit : « Peut-on avoir l'adresse ? »*
*Je peux vous l'indiquer aussi :*
*Monsieur **Robert Rampeau et fils**,*
*Meursault.*

# La salade habituelle de notre jardin

Nos amis venaient dîner chez nous alors...
« J'ai descendu dans mon jardin... »
et j'ai ramené dans mon panier :
**de la roquette**
**de la trévise**
**de la feuille de chêne**
**du pourpier**
**2 branches tendres de céleri**
**de la ciboulette et du cerfeuil**

Puis, dans ma cuisine j'ai trouvé :
**2 gousses d'ail**
**4 anchois à l'huile**
**6 œufs**
**de l'huile d'olive**
**du bon vinaigre de vin rouge**
**1 cuillerée à dessert de moutarde forte**
**du sel et du poivre**

Voici donc comment préparer la salade habituelle de « votre » jardin.

Vous pelez les gousses d'ail.

Écrasez-les dans un pilon avec les anchois et faites-en une purée.

Au fond d'un saladier, faites une vinaigrette classique selon l'importance de la salade (je donne les proportions dans ce livre).

Ajoutez la moutarde et la purée d'anchois.
Mélangez bien de façon homogène.

Défaites les feuilles. Lavez-les à l'eau fraîche. Essorez-les bien, c'est très important. Réservez-les dans un torchon.

Hachez finement le céleri, la ciboulette et le cerfeuil. Réservez-les.

Mettez à bouillir 1 litre d'eau additionnée d'1/2 verre de vinaigre de vin.

Cassez les 6 œufs dans 6 tasses ou 6 bols (un dans chaque) et, en tenant la tasse par son anse, approchez le bord le plus près possible de l'eau bouillante pour y faire glisser l'œuf dedans sans le casser. Ainsi il n'y a pas d'attente pour les pocher tous ensemble.

Laissez pocher les œufs 3 minutes.

Pendant ce temps, mettez la salade dans le saladier.

Fatiguez-la au dernier moment, répandez par-dessus les fines herbes hachées en pluie au moment de servir.

Ôtez les œufs un par un avec l'écumoire au bout de 3 minutes et posez-les délicatement sur la salade.

Cette salade est encore meilleure avec de belles tranches de pain de campagne dorées au four, que vous servez en même temps toutes chaudes.

# Salade de langues d'agneau aux endives à l'huile de noix et vinaigre de xérès

Faites ce plat en entrée d'un repas léger car c'est déjà une entrée consistante pour qui apprécie les abats (et l'huile de noix). Cette façon de rehausser la fadeur des endives est tout à fait probante, du moins pour mon palais !

*Pour 4 convives :*
**4 langues d'agneau**
**(que vous mettez tout de suite à dégorger**
**dans un récipient avec de l'eau claire et du vinaigre)**
**3 belles endives**
**2 cornichons**
**5 à 6 câpres**
**3 cuillerées à soupe d'huile de noix**
**1 cuillerée à soupe d'huile d'arachide**
**1 cuillerée à soupe de vinaigre de xérès**
**ou de bon vinaigre de vin**
**1/2 cuillerée à dessert de moutarde forte**
**sel, poivre**

*Préparation :*
Après avoir fait dégorger les langues, faites-les cuire à la vapeur (avec 1 litre d'eau dans le cuiseur) pendant 10 à 12 minutes à couvercle fermé.

Pendant ce temps, nettoyez les endives. Débitez-les en morceaux carrés de 3 à 4 centimètres de côté.

Hachez menu les cornichons après les avoir séchés au torchon.

Rincez les câpres à l'eau claire. Séchez-les.

Lorsque les langues sont cuites, pelez-les. Débitez-les en lamelles d'1/2 centimètre d'épaisseur.

Préparez une vinaigrette au fond du saladier en faisant d'abord dissoudre le sel dans le vinaigre. Ajoutez la moutarde. Mélangez.

Ajoutez l'huile. Poivrez de 6 tours de moulin, battez le tout à la fourchette.

Incorporez les câpres, les cornichons et les morceaux de langue. Mélangez bien.

Bon appétit !

*Le **Mâcon rouge** 83 possède la rusticité et l'élégance qui conviennent pour affronter ce plat riche de saveurs. Particulièrement celui de **Thomas Bassot** à Nuits-Saint-Georges.*

# Œufs en salade d'été

**vinaigrette**
**œufs durs**
**anchois**
**câpres**
**fenouil**
**betterave rouge**
**cerfeuil**
**ciboulette**
**gruyère**
**noix**
**sel, poivre**

*Préparation :*
Dans un grand saladier mettez, avec une bonne vinaigrette au vinaigre de vin et à l'huile d'olive :

Des œufs durs coupés en long et en deux.

Des petits bouts d'anchois à votre convenance.

Des câpres, du fenouil en dés, de la betterave rouge en dés, du cerfeuil, de la ciboulette hachée, du gruyère en dés, du sel, du poivre et des noix. Ça vous fait une bonne salade !

Quand il fait chaud l'été, on mange cette salade et un fruit, le repas est bien suffisant.

# Œufs en salade d'hiver

Voici un plat simple qui m'a souvent régalé à la campagne après une longue marche dans les bois.

**pommes de terre**
**œufs**
**2 cuillerées d'huile d'arachide**
**échalotes**
**1 noix de beurre**
**1/2 verre de bon vinaigre de vin**
**1/2 sucre**
**sel, poivre**

Pelez et coupez en tranches des pommes de terre bouillies dans l'eau salée.

Faites durcir les œufs dans la même eau (moins longtemps que les patates bien sûr).

Épluchez-les, coupez-les en deux. Tenez le tout dans un plat au chaud.

Par ailleurs, dans une poêle, faites sauter dans 2 cuillerées d'huile d'arachide des échalotes hachées menu que vous laissez dorer un peu avant de les saler, poivrez et ajoutez à la fin une noix de beurre qui fondra sans vraiment cuire. Augmentez alors le feu en mettant 1/2 verre de bon vinaigre de vin et 1/2 sucre. Laissez bouillir 3 minutes. Versez tout ce jus, passé au chinois, sur votre plat contenant œufs et pommes de terre tenus chauds.

*J'ai choisi de boire un léger **Côtes-du-Rhône rouge** avec des épices odorantes, souple et équilibré en bouche. J'ai bien aimé le 81 qui est déjà tout prêt à affronter une dégustation. Je me suis dévoué !*
*Il vient de **Valréas**.*

# Salade de pieds de porc

C'est un souvenir d'enfance et, plus récemment, d'un séjour au Gabon où, avec mes amis Bissonet, nous nous régalions d'une salade de pieds de potamochères (cochons sauvages) que nous préparait dans la case notre chère amie Anne-Marie.

Voici comment je la fais depuis toujours.

*Il faut, pour 6 convives :*
6 à 8 pieds de porc (8 si ce sont des porcelets)
10 échalotes hachées menu
1 oignon piqué d'un clou de girofle
2 feuilles de sauge fraîche hachée
1 bouquet de ciboulette gros
comme le pouce d'un honnête homme, hachée menu
3 cuillerées à soupe d'huile d'olive
3 cuillerées à soupe d'huile de tournesol
2 cuillerées à soupe de vinaigre de vin rouge
1/2 verre de vin blanc sec
le jus d'un citron
2 carottes
2 poireaux
1 cuillerée à café de moutarde forte
1 bouquet garni
6 cornichons
3 cuillerées à soupe de chapelure
sel, poivre, paprika

*Préparation :*
Nettoyez et fendez les pieds de porc en deux dans le sens de la longueur.

Sur un feu vif, mettez une marmite contenant 3 litres d'eau avec l'oignon, le jus de citron, le bouquet garni, les carottes, les poireaux et les pieds de porc. Salez légèrement. Poivrez.

Faites cuire 3 heures au moins après la première ébullition, ou en cocotte-minute si vous manquez de temps.

Ôtez les pieds de la marmite quand ils sont cuits. Laissez-les refroidir dans un égouttoir.

Décortiquez-les. Ôtez tous les osselets et découpez la couenne et la chair en morceaux pas trop gros.

Dans un petit saladier, mettez le sel, le vinaigre, la moutarde, le vin blanc, un peu de poivre moulu et une pointe de paprika. Travaillez bien le tout à la cuillère en bois.

Lorsque le mélange est fait, ajoutez les deux sortes d'huiles et battez au fouet ou à la fourchette pour homogénéiser la sauce.

Mettez alors les pieds de porc dans le saladier. Ajoutez les cornichons hachés, les échalotes, la ciboulette et la sauge.

Mélangez bien avec des couverts en bois ou en plastique et passez le tout dans un grand plat creux.

Saupoudrez le tout de chapelure et servez.

C'est encore meilleur servi avec des tranches de pain grillé légèrement doré.

*Un **graves blanc sec** « **Les Terreforts** » de chez les amis Deloubes a fort bien tenu compagnie à ce plat rustique et si goûteux !*

# Gambas en salade avec pourpier et feuilles de menthe fraîche

Des gambas fraîches c'est génial, comme dit mon neveu David !
Oui mais voilà, on trouve plus facilement du surgelé que du bien frais aujourd'hui, bonnes gens !... Enfin, sur les côtes... l'été au bord de la mer, dans les petits marchés, vous arriverez bien à en dénicher quelque part. Il y en a même parfois... à Paris !

Je les préfère avant tout « à la plancha » telles que savent les préparer les Espagnols.
Ça n'est pas difficile. Il faut des gambas bien fraîches, de la bonne huile d'olive, et les griller doucement en les enduisant d'huile, de sel et de poivre, et ainsi, c'est un pur délice.

Mais... tout le monde connaît !...

Voici une autre façon dont je les accommode parfois « pour changer ». L'été ou l'automne, c'est une salade croquante et très parfumée. La voici :

*Pour 6 convives :*
**3 douzaines de gambas**
**300 g de pourpier**
**1 belle petite botte de ciboulette hachée menu**
**8 feuilles de menthe fraîche**
**5 cuillerées à soupe d'huile d'olive**
**2 cuillerées à soupe de vinaigre de vin dont une de xérès**
**1 pointe de couteau de cayenne**
**sel, poivre**

*Préparation :*
Mettez vos gambas sur la grille de votre cuiseur-vapeur avec 1 litre d'eau en dessous et faites-les cuire 10 minutes à la vapeur.

Décortiquez-les. Ne gardez que les queues. (Le reste pilé peut vous faire un délicieux fumet de poisson, avec deux carottes, un oignon piqué et un poireau).

Nettoyez la salade. Lavez-la et essorez-la surtout bien.
Coupez les tiges en 2 ou 3 morceaux.

Dans le saladier, faites une bonne vinaigrette avec les proportions données. Assaisonnez.

Ajoutez-y le pourpier et les gambas par-dessus.

Répandez la ciboulette et les feuilles de menthe hachées grossièrement.

Tournez et mélangez consciencieusement la salade.
Dans de grandes assiettes blanches individuelles, servez le pourpier au milieu avec les gambas autour.

*Messieurs **André et Pierre Perret**, sommes-nous parents ?*
*En tout cas, votre sublime **Condrieu** nous rapproche assurément. Ses arômes de mangue et de banane mûre ne sont pas faits pour me laisser indifférent.*
*Pas plus que mes convives étonnés et séduits par ce « délicieux vin blanc » dont ils n'avaient jamais entendu parler. Voilà qui est fait !*

# Les deux salades de pommes de terre à l'huile que je préfère

La viola, la ratte ou la rosa conviennent le mieux
700 g de pommes de terre non pelées cuites à la vapeur
3 œufs durs hachés
1 cuillerée à café de moutarde forte de Dijon
1 cuillerée à café de vinaigre de vin
1 verre de vin blanc de Gaillac
6 cuillerées à soupe d'huile d'olive
3 jeunes oignons finement émincés
4 à 5 filets de harengs macérés auparavant 4 ou 5 heures
dans du lait et ensuite épongés sur du papier absorbant
très peu de sel, poivre

*Première recette :*
Dans le fond du saladier, à l'aide de la cuillère en bois, faites une purée avec les œufs, la moutarde, le vinaigre, le sel et le poivre.

Ajoutez l'huile et mêlez bien le tout avec une fourchette.

Pelez les pommes de terre encore chaudes et coupez-les en tranches épaisses dans un deuxième saladier ou un grand plat. Arrosez-les avec le vin blanc. Mélangez.

Puis, versez-les ainsi bien mouillées dans le premier saladier.

Ajoutez les oignons émincés ainsi que les morceaux de harengs.

Mélangez le tout avec des couverts en bois et dégustez ce plat tiède, c'est un délice !

*Deuxième recette :*
Cuisez les pommes de terre à la vapeur.

Pilez au mortier deux gousses d'ail.

Faites une purée au fond du saladier avec quatre jaunes d'œufs durs et l'ail. Ajoutez-y :

1 cuillerée à soupe de vinaigre de vin de xérès.

6 cuillerées à soupe d'huile de noix

1 pincée de safran

1 petite pluie de coriandre frais haché menu.

sel, poivre.

Après les avoir pelées et coupées en tranches épaisses, mélangez bien les patates dans le saladier. A déguster également tiède.

*Le **Sancerre blanc du Domaine d'Aulny** a des saveurs de girofle. Il vous emplit l'olfactif de tout un bouquet de printemps lorsqu'on promène son « piège à effluves » au-dessus du verre qui prend la couleur de maïs tendre.*
*Moi, je le « marie » à des salades et « ils » s'accordent très bien !*

# Salade de brocolis
# à la pommade d'anchois

C'est une salade très agréable à déguster encore un peu tiède ou froide. L'été c'est un bonheur dans l'assiette.

*Pour 4 convives :*
**500 g environ de brocolis**
**1 œuf**
**1 belle gousse d'ail**
**3 filets d'anchois à l'huile d'olive**
**1 petit bouquet de ciboulette hachée menu**
**4 cuillerées à soupe d'huile d'olive vierge**
**1 1/2 cuillerée à soupe de vinaigre de vin de xérès**
**1 noisette de moutarde**

*Préparation :*
Au-dessus d'1 litre d'eau, faites cuire les brocolis une douzaine de minutes à la vapeur (couvercle fermé) après les avoir lavés et partagés en deux. (Il faut qu'ils soient légèrement croquants.)

Mettez l'œuf à durcir avec les brocolis (même temps de cuisson).

Pressez la gousse d'ail dans un mortier. Ajoutez-y le jaune d'œuf, les filets d'anchois et la moutarde. Écrasez bien le tout et réduisez en pommade.

Faites la vinaigrette au fond du saladier et incorporez-y la pommade. Mélangez bien.

Coupez les brocolis en morceaux grossiers et mélangez-les à la vinaigrette.

Ajoutez la ciboulette et le blanc de l'œuf haché menu.

Servez tiède ou froid selon votre goût.

# Notes

Maman, mon frère et son fils fabricant
de la bonne saucisse à... Atlanta

# Un, deux, trois, PÂTÉS !

De tout temps nous avons « tué le cochon » à la maison, même et surtout pendant la guerre ! Ce qui n'était pas spécialement facile, mais cela donnait tout de même un petit air de fête.

Derrière le café qu'ils tenaient, mes parents élevaient deux ou trois cochons dans une petite porcherie relativement bien dissimulée aux yeux de l'occupant. Alimenter la famille pour survivre n'était déjà pas une mince affaire, nourrir trois cochons relevait du miracle ! Betteraves, topinembours, rutabagas, tout y passait.

Ils eurent même droit parfois à des patates ! Rarement bien sûr, mais ainsi que le disait Mémé sentencieusement : « On n'engraisse pas les cochons avec de l'eau claire ! »
Engraisser des porcs était donc plutôt coton. Les tuer encore une tout autre musique !
A propos de musique, j'étais régulièrement sollicité par Papa lors de cette délicate opération qui consistait à envoyer ad patres nos bruyants engloutisseurs de topinembours.
Papa qui m'avait (déjà) fait apprendre à jouer du saxophone (j'avais neuf ans) m'invitait à souffler à pleins poumons dans l'instrument pendant qu'on égorgeait les malheureux bestiaux afin d'en atténuer les hurlements !

Mémé s'occupait du boudin, faisait la « fricassée » avec poumons, rate et autres abats...
Maman faisait le pâté, tranchait le lard, pesait les foies.
Papa tournait la manivelle de la machine à faire la saucisse... pesait le sel, le poivre.
Moi... je goûtais ! Je testais les degrés de salaison, la saveur du boudin parfumé des « quatre épices »...

C'est là que j'ai observé et appris à mettre au saloir les jambons, à préparer les saucissons, saucisses, boudins, ventrêches, pâtés, frissons, etc.

Maman a toujours fait cela, sans compter les conserves, les confits d'oies, de canards, de poules, de lapins, de dindes. Toutes ces gourmandes pratiques s'effectuèrent évidemment après la guerre.

Je prépare encore chaque année mes jambons, saucissons, saucisses, boudins et pâtés ! Aidé par l'ami Bernard Gaillard, Pierrot le Mataf, Roger le chef, mon pote Neggio et notre brave Jacinthe, deux journées suffisent pour venir à bout de deux cochons de quatre cents livres chacun.

Et cela en vaut la peine. Car nos jambons, sauciflards et pâtés sont incomparables !
Nos amis Henri Pescarolo ou José Artur ne me contrediront pas !

Je vous livre ici toutes ces petites pratiques familiales. Si la qualité de vos produits est irréprochable, les saveurs que vous découvrirez à déguster une simple saucisse (celle que j'utilise dans mon cassoulet) seront les mêmes que celles de mon enfance.

*Je donne plus loin la recette du pâté truffé de porc.*
*On peut faire également des pâtés de foie de marcassin, de lièvre, de chevreuil.*
*Les proportions en sont les mêmes.*
*Seul bien sûr, le foie change*

# Le foie gras

Voici, pour ceux qui auront la chance de pouvoir acheter des foies d'oie ou de canard frais, la recette la plus simple pour en faire des foies gras.

La première condition pour ne pas les louper, c'est qu'ils soient de toute première qualité. Achetez à un petit paysan qui n'en aura que 5, 10 ou 20 à vendre. Les foies « industriels » d'Israël, de Hongrie, etc., ne valent pas un coup de cidre !... Et ceux vendus en boîte, encore moins !

Donc, si votre foie est d'acier, mettez-le à dégorger de son sang dix minutes dans de l'eau claire. Ôtez la fine peau et les nerfs. Séchez-le bien au torchon.

Salez-le sur toutes ses faces.

Mettez-le dans un bocal à sa dimension.

Posez deux ou trois fines lamelles de truffe sur le dessus et fermez le bocal avec un caoutchouc neuf. (La truffe n'est pas du tout indispensable si le foie est de qualité.)

Placez vos bocaux dans le stérilisateur et laissez-les stériliser 2 h 1/2 à partir de l'ébullition à 100 °C (il vaut mieux préparer plusieurs bocaux pour en avoir d'avance et les laisser vieillir deux, trois ou cinq ans dans l'obscurité).

Ça vous fait des foies de compétition !

*Pour accompagner le foie gras, il faut un bon Sauternes. C'est ma fille Julie qui, généralement, est investie de cette glandilleuse mission : choisir le meilleur ! Comme les **La Reyne-Vignault**, **La Tour Blanche**, **Sigalas-Rabaud** ou **Château d'Yquem** font partie des fleurons de la cave, elle a (apparemment) beaucoup de mal à se décider. Il n'est pas rare qu'elle tombe en piqué sur sa rouille de prédilection : une **Doisy-Daëne 1949** qui lui fait dire : « Tu vois, Papa, j'ai été raisonnable ! »*

*Heureusement que nos lardons nous ramènent quelquefois à la raison...*

# Confits de lapin

Découpez les lapins en morceaux, saupoudrez-les légèrement de sel fin, sur chaque face.

Laissez-les 8 heures dans le sel.

Essuyez ensuite chaque morceau et enlevez bien tout le sel à la brosse, puis frottez-les bien au torchon.

Laissez-les dorer 5 à 6 minutes de chaque côté dans une poêle huilée.

Mettez les morceaux de lapin dans les bocaux (on peut faire des bocaux avec les cuisses et pattes avant uniquement, et d'autres avec les râbles).

Complétez avec l'huile d'arachide jusqu'à recouvrir les morceaux.

Fermez le bocal.

Stérilisez 2 h 1/2 à partir de l'ébullition à 100 ºC.

*Pour la consommation :*
Égouttez les confits, gardez la gelée qui servira à faire réchauffer les morceaux au four, en ayant soin de recouvrir d'un papier d'aluminium pour éviter le déssèchement.

Le confit peut aussi être servi froid, avec de la salade, je le préfère ainsi.

*Pour changer le goût :*
On peut aussi, avant de fermer les bocaux, ajouter 2 ou 3 gousses d'ail entières.

On peut aussi rajouter de la graisse d'oie fondue (à la place de l'huile) jusqu'à recouvrir les morceaux.

# Confits de filets de porc

Cette recette, tout comme celle du lapin, du canard, de l'oie, de la dinde ou de la poule, est facile à exécuter et savoureuse. Ces confits se dégustent froids avec une salade verte et quelques pommes de terre sautées par exemple. Idéal pour recevoir des amis à l'improviste.
Voici la manière exacte dont maman a toujours réussi ses confits.

Procurez-vous des bocaux où vous pourrez faire tenir un morceau entier de filet de porc. Contenance 1 litre ou 1 kg selon vos besoins.

Faites chauffer le four à feu très chaud.

Mettez vos filets dans un plat à four huilé de 6 à 8 cuillerées d'huile d'arachide (ou plus si la quantité de filets est supérieure).

Faites des « boutonnières » dans les filets (3 ou 4 par filet) et introduisez des gousses d'ail pelées bien enfoncées dans la chair. (Pour ceux qui aiment l'ail bien sûr !)

Salez sur toutes les faces.
Poivrez au poivre noir frais moulu.

Tournez bien les filets dans l'huile avant de mettre le plat au four.

Les filets de porc saisis doivent bien dorer sur toutes les faces (couleur : roux foncé), minimum 1/4 d'heure.
Il ne faut surtout pas que les filets soient cuits à cœur.

Tant qu'ils sont encore chauds, placez chaque morceau de filet dans un bocal.

Versez le jus du rôti jusqu'en haut du bocal. Rajoutez de l'huile au besoin jusqu'à recouvrir les filets.

Fermez bien vos bocaux avec des caoutchoucs neufs stérilisés.

Stérilisez vos bocaux pendant 3 heures, pour ceux de 1 kg.
2 h 1/2 suffisent pour les bocaux d'1 livre.

# Ballottine de dinde

Prenez une dinde d'environ 4 ou 5 kg, tuez-la, plumez-la à sec, videz-la, flambez-la (ce qui consiste à brûler tous les duvets autour de la dinde), ouvrez-la entièrement comme un livre, puis désossez-la et dénervez-la complètement. Prélevez des filets de chair de 3 à 4 centimètres environ, en gardant la peau si possible. Salez et poivrez légèrement.

Tapissez les côtés et le fond d'un bocal de 500 g, avec les filets de dinde, la peau à l'extérieur. Garnissez l'intérieur avec du foie gras frais légèrement salé. Recouvrez d'un morceau de dinde.

Fermez bien les bocaux et stérilisez 2 h 1/2.

Cette ballottine savoureuse se déguste froide.

Elle est délicieuse entourée de petites pommes de terre nouvelles entières sautées doucement au beurre (préalablement cuites à la vapeur) et accompagnée d'une tendre salade frisée aux croûtons légèrement frottés d'ail.

*Version légèrement différente :*
Au lieu du foie gras vous pouvez garnir l'intérieur des filets avec de la bonne saucisse (vous connaissez maintenant la recette).
Vous vous en lécherez aussi les francforts.

# Gelée pour terrines et pâtés

Voici une façon de réussir une bonne gelée qui « tient » bien !

**100 g de carottes**
**1 cœur de céleri**
**2 litres de bon bouillon de bœuf ou de poule**
**1 pied de veau**
**300 g de couenne de porc**
**2 blancs de poireaux**
**3 blancs d'œufs**

Mettez le tout ensemble à cuire dans une grande marmite jusqu'à ce que tout soit fondu en une bonne gelée.

# Pâté de foie de volaille en terrine

5 bardes de lard
500 g de foie de volailles (poulet)
450 g de lard de cochon
(surtout pas de lard maigre !)
100 g de lait non bouilli
17 g de sel
3 g de poivre

Bardez avec quatre des fines tranches de lard l'intérieur d'une terrine.

Hachez finement le foie et le lard ensemble. Ajoutez le lait, le sel et le poivre. Malaxez bien.

Emplissez la terrine et recouvrez-la dans sa longueur de la dernière barde de lard de 3 à 4 centimètres de largeur.

Faites cuire au four moyen pendant une heure environ sans oublier de mettre le couvercle sur la terrine.

Ôtez la terrine du four.

Laissez refroidir, puis coulez dessus la gelée liquide (que vous aurez fait chauffer dans une casserole).

Laissez refroidir de nouveau et mettez-la au réfrigérateur avant de vous en délecter.

# Terrine de lièvre

*Prenez :*
750 g de jambon gras et maigre
ou de pointe d'épaule de porc frais
750 g de jarret de veau
45 g de fine champagne ou d'armagnac
1 lièvre pouvant fournir 1 kg environ
de chair désossée
1 morceau carré de couenne
de 2 décimètres de côté
1 échalote hachée
1 oignon,
1 carotte
bardes de lard
vin blanc sec
bouquet garni
thym
laurier
persil
sel, poivre

Désossez le lièvre, coupez la chair en dés ; mettez-la dans un saladier avec du sel, du poivre, l'échalote, du persil, un peu de thym et de laurier hachés fin ; ajoutez la fine champagne ou l'armagnac et du vin blanc en quantité suffisante pour couvrir la viande ; laissez mariner 48 heures. Au bout de ce temps, ajoutez le porc et le jambon également coupés en dés ; mélangez.

Préparez un bon fond avec le jarret de veau, les os écrasés du lièvre, la couenne, l'oignon, la carotte, un bouquet garni, de l'eau, du sel et du poivre ; passez-le ; réservez-le.

Tapissez l'intérieur d'une terrine avec des bardes de lard, remplissez-la avec le mélange lièvre et porc, mouillez avec la marinade et une partie du fond réservé, couvrez de bardes de lard, lutez la terrine et faites cuire doucement au four pendant 3 heures. Si, à ce moment, il reste encore du liquide, achevez-en l'évaporation en terrine découverte.

Sortez la terrine du four, versez dedans le reste du fond ; laissez prendre en gelée.

Laissez refroidir. Mettez au réfrigérateur.

On pourra préparer de même les terrines de lapin.

# Le pâté truffé

**450 g de lard**
**500 g de foie de porc**
**100 g de lait non bouilli par kilo**
**au moment de la mise en bocaux**
**3 g de poivre moulu par kilo**
**1 truffe hachée menu**
**18 g de sel moulu par kilo**
**stérilisation 2 h 1/2**

Découpez le lard en filets ou en bardes avant de le passer à la machine à travers le couteau le plus fin.

Découpez le foie en filets. Passez-le à la machine.

Recueillez le tout dans un grand récipient.

Salez et poivrez en répartissant bien l'assaisonnement

Ajoutez le lait mesuré à la proportion du poids total.

Malaxez et mélangez bien longuement le tout.
Ajoutez la truffe.

Mettez dans des bocaux. Tassez bien et stérilisez 2 h 1/2.

Si vous êtes de ceux pour qui les vingt-cinq derniers jours constituent une fin de mois difficile, vous pouvez supprimer la truffe qui est évidemment l'ingrédient le plus onéreux de cette recette toute simple.

*mais même « sans » truffe ce pâté est « Génial » !*

# La saucisse

18 g de sel moulu
4 g de poivre moulu par kilo
3 kg de chair maigre dans l'épaule
700 g de lard
boyaux de porc en conséquence

La saucisse, le saucisson ou le pâté sont d'une simplicité enfantine à préparer.

Pour la saucisse, découpez l'épaule en longs filets de 3 à 4 centimètres de côté.
Ôtez le maximum de nerfs et de peau que vous trouverez avant de les passer à la machine à hacher (à travers la grille des gros couteaux).

Découpez le lard en filets également. Recueillez le tout dans un grand récipient en terre ou en inox.

Salez et poivrez en répartissant bien l'assaisonnement, et mélangez longuement et minutieusement le tout.

Mettez la chair à saucisse assaisonnée dans les boyaux avec la machine à entonnoir.
Tassez bien la chair à mesure afin de ne pas laisser de poches d'air. Obturez-la bien à chaque extrémité avec une ficelle fine. Piquez-la ensuite de quelques coups d'épingle.

Suspendez-la autour de barres dans un endroit abrité et aéré si vous voulez la faire sécher ou dégustez-la fraîche en la gardant au réfrigérateur, ou bien au congélateur, elle s'y conserve très bien.

Vous pouvez aussi la faire dorer légèrement dans l'huile à la poêle et la mettre en bocaux à stériliser 2 h 1/2.

# Jambon

Pour faire chez soi un jambon dit « de campagne », il vaut mieux d'abord habiter la campagne — ou tout au moins pouvoir se procurer chez un petit paysan ou petit éleveur « sérieux » de la viande de porc de toute première qualité (c'est-à-dire exempte d'hormones et de toutes les saloperies qu'on ajoute industriellement à ce genre de produit), un porc qui n'a mangé « que » de bonnes choses.

**Pour un cuissot de porc de 10 kg
il vous faut 20 kg de gros sel de mer**

Mettez dans un saloir en bois ou dans une grande caisse une couche de gros sel de 4 à 5 centimètres. Posez la cuisse de porc sur le sel en ayant soin de laisser le côté couenne sur le dessus. Parsemez toute la surface de sel de façon à la recouvrir complètement.

Posez une planche de bois sur le cuissot recouvert de sel et mettez un poids de 10 kg par-dessus afin de bien faire dégorger l'eau de la chair.
Il faut compter un jour de saloir par livre (500 g) de viande, c'est-à-dire un cuissot de 10 kg, vous le laisserez 20 jours dans le sel.

Ôtez-le ensuite du sel. Brossez-le bien de son sel. Frottez-le énergiquement sur toute sa surface avec du vinaigre de vin ou de l'eau-de-vie. Séchez-le soigneusement au torchon. Enduisez-le de poivre frais moulu sur toute la surface charnue (poivrer la couenne est inutile) en faisant bien pénétrer le poivre à l'intérieur autour de l'os.

Suspendez-le à l'air (à l'abri) dans une étamine ou un garde-manger grillagé.
Il doit y passer 4 à 5 mois avant d'être sec.
Le temps de séchage sera proportionnel à son poids.

Vous dégusterez un excellent et authentique jambon tel qu'on ne le voit plus dans le « commerce » !

# Notes

# Le boudin

2 l 1/2 environ de sang de porc frais
1 tête de porc, laissez la langue,
le collier qui est le prolongement de la tête
2 carottes
2 navets
2 oignons
2 poireaux
1 branche de céleri
1 bouquet garni
18 g de sel
5 g de poivre
1 cuillerée à café de « 4 épices »

*Cuisson :*
Faites un bouillon avec beaucoup de légumes : carottes, navets, oignons, poireaux, céleri, et un bouquet garni.

Mettez la tête et le collier à cuire 2 h dans le bouillon.

Désossez la tête cuite et passez toute la viande à la machine à travers un couteau assez gros.

Mélangez bien en y ajoutant le sang, salez et poivrez : 18 g de sel et 5 g de poivre par kilo, ajoutez une cuillerée à café de « 4 épices » que l'on trouve facilement dans le commerce.

Mélanger à nouveau consciencieusement.
Avec cette préparation, remplissez les boyaux, attachez-les à chaque extrémité et plongez-les dans de l'eau bouillante que vous laisserez à la limite d'ébullition environ 20 ou 30 minutes selon la grosseur.
Laissez refroidir. Avant que l'eau ne soit totalement froide (tiède), retirez le boudin et pendez-le. Vous pouvez également le stériliser en boîte ou en bocaux.
Mettez alors un papier sulfurisé sur le boudin avant de fermer le bocal et stérilisez 2 heures 1/2.

*Important :*
Il ne faut pas trop tasser le boudin dans les boyaux car ceux-ci éclatent facilement dans l'eau bouillante.

Il est important que l'eau soit très chaude sans atteindre l'ébullition.

A l'apparition des premières bulles, plongez les boudins dedans et maintenez-les sous l'eau avec une écumoire car ils remontent à la surface et ne cuisent pas sur toutes les faces.

Il faut les piquer de quelques trous d'aiguille à la fin de la cuisson et les mettre à égoutter sur de la paille ou sur des claies afin qu'ils soient bien secs avant de les suspendre le lendemain dans un endroit abrité mais aéré.

# Thon mariné à l'huile

Bien sûr, vous pouvez en acheter en boîte. Mais celui de la maison est toujours bien meilleur. Et c'est si vite fait ! et si délicieux accompagné de rattes à la vapeur avec du beurre salé !

Achetez des tranches de thon (blanc de préférence) d'environ 3 centimètres d'épaisseur.

Lavez-les à l'eau froide. Séchez-les au torchon.

Mettez-les dans le compartiment de votre cuiseur-vapeur et faites-les cuire 15 à 18 minutes, jusqu'à ce que l'arête commence à se « décoller » de la chair.

Mettez vos tranches dans un égouttoir et laissez-les refroidir.

Ôtez ensuite la peau et les arêtes et mettez le thon dans une terrine ovale légèrement plus grande que la dimension des tranches. Couvrez entièrement d'huile d'olive. Fermez votre terrine en utilisant un double papier d'aluminium en guise de couvercle. Maintenez-le avec une ficelle serrée autour des bords de la terrine.

A four chaud, laissez cuire dans le bain-marie pendant 1 heure à petite ébullition.

Ôtez la terrine du bain-marie et laissez refroidir.
Vous pouvez garder ce thon à l'huile préparé ainsi pendant des semaines au réfrigérateur.

# Cerises au naturel

Faites un sirop de sucre (500 g de sucre pour 1 litre d'eau).

Lavez les cerises, égouttez-les, retirez les queues.

Jetez-les ensuite dans le sirop bouillant jusqu'à nouvelle ébullition, emplissez rapidement les bocaux de cerises, et complétez avec le sirop très chaud jusqu'à la limite de remplissage.

Faites chauffer de l'eau-de-vie dans une casserole, versez-en une cuillerée à soupe sur les cerises, flambez immédiatement et refermez très vite le bocal (en ayant bien soin d'avoir mis un caoutchouc neuf au préalable).

Ce procédé permet de conserver les cerises sans les stériliser et de leur garder toute leur fermeté. (Il est préférable de choisir des fruits fermes, certaines variétés se prêtent mieux pour cette recette.)

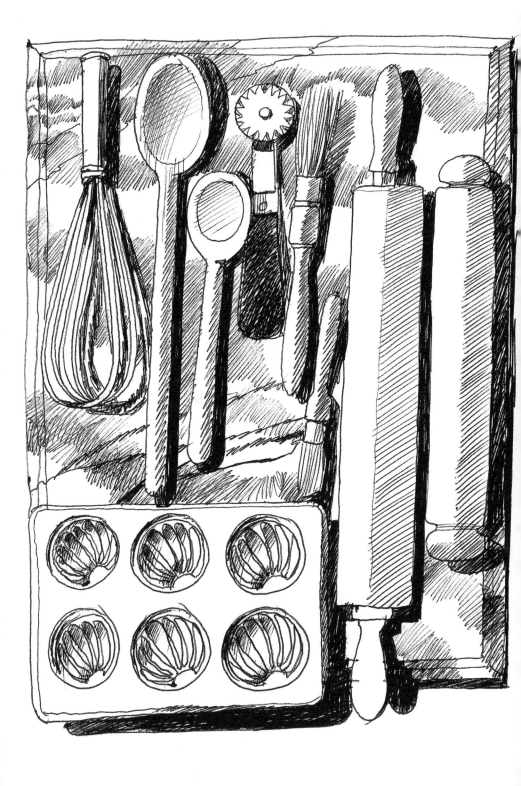

# DESSERTS
## purs de la campagne

J'aime la pâtisserie, la bonne, la rustique ou la délicate, mais celle qui a du goût.
Une crème anglaise réussie, une tarte aux pommes, une crème au caramel, un gâteau de riz ou le millefeuille de mon ami Alain Chapel à Mionnay me font « baver » à tous les coups.

Je ne suis pas très pâtissier de nature, la pâtisserie est un art un peu trop mathématique à mon goût. Je préfère préparer la cuisine qui laisse la bride sur le cou à l'imagination. La pâtisserie ne souffre pas d' « à peu près ».
Quand les proportions exactes des ingrédients sont données faut s'y tenir, les mecs !
L'improvisation, la fantaisie ont peu de succès en pâtisserie. On peut « interpréter » une sauce, un plat cuisiné, c'est impossible pour une pâtisserie, un rien d'écart et c'est la Bérézina ! moi, je fais, je sais faire les pâtisseries que j'aime le mieux. Les autres, je les achète chez Daloyau, chez Lenôtre, ou chez Hellegouarch, chacun son métier ! En tout cas, les recettes que je donne ici sont pas dégueu ! J'espère qu'elles vous botteront aussi !

# Pâte à tarte

Je vous en livre ici quelques recettes que nous faisons parfois à la maison, toutes différentes et toutes aussi délicieuses. Mon épouse a épisodiquement la rage de la tarte. Elle peut en faire jusqu'à quatre ou cinq pendant le week-end.
A la rhubarbe, aux pommes, Tatin, aux poires, etc.

Voici une pâte demi-feuilletée.

*Pour 8 convives :*
**500 g de farine**
**200 g de beurre**
**4 cuillerées (environ) à soupe de crème de lait bouilli**
**2 belles cuillerées à soupe de sucre semoule**
**1/2 cuillerée à café (petite) de sel**

*Préparation :*
Mettez la crème de lait et le beurre ramolli coupé en morceaux dans une terrine.

Versez-y progressivement le sel, la farine et le sucre par-dessus et pétrissez au fur et à mesure doucement avec les doigts, sans trop travailler le mélange.

Continuez sur la planche à pâtisserie, abaissez-la 2 ou 3 fois au rouleau. Faites-en une boule et mettez-la à reposer au frigo dans un torchon 1 heure ou 2 avant de vous en servir.

# Pâte sablée

*Lorsque vous faites une tarte pour 6 convives :*
250 g de farine
150 g de beurre ramolli
150 g de sucre glace
3 jaunes d'œufs
1 gousse de vanille
50 g de poudre d'amande
1 cuillerée à soupe de rhum ambré
1 pincée de sel

*Préparation :*
Dans une terrine, mettez le beurre en morceaux, la moitié du sucre glace et la pincée de sel.

Pétrissez bien le tout du bout des doigts.

Fendez le bâton de vanille en deux dans la longueur et récupérez les graines sur la tranche d'un couteau. Intégrez-les au beurre pétri.

Ajoutez les trois jaunes d'œufs. Incorporez-les bien.

Au-dessus de la table ou d'une planche à pâtisserie, tamisez ensemble la farine, la poudre d'amande et le restant du sucre glace.

Creusez ce petit monticule et mettez au milieu le beurre pétri.

Ramenez la farine sur la boule de beurre et faites-la pénétrer en la pétrissant entre vos mains. Aplatissez, enfarinez, mettez en boules deux ou trois fois jusqu'à ce qu'elle ait absorbé toute la farine, creusez encore la boule et intégrez la cuillerée de rhum.

Cette boule de pâte « sablée » sera placée dans un torchon ou un film plastique pendant une heure (ou plus) au frigo avant de l'utiliser.

# La crème anglaise

Reconnaissons au moins ce mérite aux Anglais, dont la réputation gastronomique n'est, hélas ! pas sur le même pied d'égalité que leur humour !

Leur crème est vraiment « aux œufs », comme dit mon ami Auguste Le Breton.

Il faut pour faire une « île flottante » ou pour « parer » la charlotte ou le gâteau de riz :

*Pour 6 convives :*
**3/4 de l de lait**
**8 jaunes d'œufs**
**1 gousse de vanille**
**150 g de sucre en poudre**
**1 minuscule pincée de sel**
**et pour parfumer à votre goût, 1 cuillerée à soupe**
**de café, de caramel, moi je mets du rhum ambré**

*Préparation :*

Mettez une marmite d'eau (pas trop haute) sur le feu pour faire un bain-marie.

Fendez la gousse de vanille en deux dans le sens de la longueur.

Dans une casserole, faites bouillir le lait avec la vanille.

Quand le lait a bouilli, ôtez-le du feu et laissez infuser la vanille 8 à 10 minutes en maintenant la casserole au chaud (sur la plaque tiède par exemple).

Mettez les jaunes d'œufs avec le sucre dans un récipient qui pourra aller plus tard dans le bain-marie.

Travaillez bien ensemble œufs et sucre jusqu'à ce que le mélange devienne pâle et mousseux.

Versez le lait chaud par-dessus après avoir ôté le bâton de vanille et délayez bien à mesure avec la cuillère en bois.

Placez votre récipient dans le bain-marie, baissez le feu et remuez sans cesse jusqu'à ce que la crème prenne. Il ne faut jamais laisser BOUILLIR.

Lorsque vous sortirez la cuillère et que celle-ci restera

nappée de crème, la cuisson sera terminée (il faut compter 5 à 6 minutes environ). Versez-la alors à travers un tamis dans une grande terrine et laissez-la refroidir en continuant de remuer à la cuillère.

Si vous voulez rajouter un parfum (rhum ?), c'est le moment !

Lorsque la crème est froide, mettez-la au réfrigérateur une heure ou deux avant de l'utiliser, elle n'en sera que meilleure !

Dernier conseil :
pour que la crème anglaise soit encore plus fine et onctueuse, vous pouvez ajouter 3 jaunes d'œufs et 2 cuillerées de crème fraîche que vous intégrerez en temps voulu aux autres œufs avec le sucre.

# La charlotte
# au chocolat selon mon goût

Au risque de rendre mon épouse ombrageuse, cette délicieuse charlotte me fait passer de bons moments... Cette demoiselle, bien « moulée », est d'une saveur exquise. Sa pudeur naturelle ainsi que son élégance l'ont conduite, avant de succomber, à se vêtir d'une légère crème anglaise. Ce qui lui sied fort bien !

Amateurs de douceurs, si cette charlotte vous inspire...

*Pour 8 convives :*
**250 g de chocolat noir à cuire**
**2 douzaines de biscuits à la cuillère**
**250 g de beurre (le sortir du réfrigérateur**
**une heure à l'avance)**
**4 œufs**
**4 belles cuillerées de sucre semoule**
**1 verre de bon vieux rhum (ambré « la Mauny » par exemple)**
**1 verre 1/2 d'eau à peu près**
**1 petite pincée de sel**

*Préparation :*
Beurrez légèrement le fond et les parois d'un moule à charlotte.

Découpez un rond de papier sulfurisé (ou de papier d'aluminium) et placez-le au fond du moule.

Séparez les blancs d'œufs des jaunes.

Cassez le chocolat en morceaux dans une casserole, ajoutez-y un 1/2 verre d'eau tiède et deux cuillerées de sucre semoule.

Mettez la casserole dans un bain-marie et laissez fondre à feu doux en tournant à la cuillère en bois pour bien mélanger.

Ajoutez ensuite le beurre ramolli par petites cuillerées et tournez jusqu'à obtenir une crème lisse et plus ferme (3 à 4 minutes suffisent).

A l'aide d'un fouet de cuisine, battez bien les jaunes d'œufs dans un saladier et incorporez-les au chocolat fondu dans la casserole.

Mélangez bien au fouet jusqu'à ce que le tout soit très homogène.

Mettez la pincée de sel avec les blancs d'œufs et battez-les en neige bien ferme dans le saladier.

Incorporez les blancs au chocolat en mélangeant bien et doucement au fouet pour obtenir une mousse très lisse.

Par ailleurs, mettez un bon verre d'eau tiède, les deux cuillerées de sucre semoule restantes et le verre de rhum dans une casserole. Faites cuire sur un feu moyen et dissoudre le tout en tournant à la cuillère.

Lorsque vous avez obtenu la consistance d'un sirop, ôtez la casserole du feu. Laissez refroidir 10 minutes.

Trempez-y les biscuits les uns après les autres, humectez-les légèrement sans toutefois qu'ils se désagrègent et tapissez le fond du moule (sur le rond de papier) et les côtés jusqu'en haut. (Serrez bien les biscuits les uns contre les autres.)

Emplissez le moule de mousse au chocolat.

Ajoutez au sommet une dernière couche de biscuits, recouvrez d'une assiette de dimension légèrement inférieure à la surface du moule sur laquelle vous mettrez un poids, afin que la charlotte soit bien tassée.

Mettez-la au réfrigérateur pour la déguster le lendemain.

Cette demoiselle mérite d'être attendue !

Fringuez-la de crème anglaise et colmatez-vous la dent creuse. C'est un dessert géant !

# Tarte aux fraises des bois

C'est aussi un dessert pour lequel je craque immanquablement. Si ce n'était mon caractère doux, enjoué et compréhensif (!), je me fâcherais tout rouge lorsque mon épouse, assistant à ce spectacle de pure gourmandise, ébauche un sourire moqueur qui en dit plus long qu'un discours, un truc à vous cisailler le mental.

Mais la gourmandise est-ce vraiment un... défaut?

*Pour 6 convives d'appétit :*
**250 g de pâte sablée (voir la recette)**
**500 g de fraises des bois**
**2 à 3 cuillerées à soupe de confiture de fraises (facultatif)**
**1 cuillerée à dessert de beurre**
**1 cuillerée à dessert de farine**

*Préparation :*
Mettez le four à chauffer thermostat 6.

Sur la planche à pâtisserie, aplatissez la boule de pâte sablée et passez-la sous le rouleau jusqu'à l'abaisser à 2 ou 3 millimètres.

Il faut qu'elle soit partout de la même épaisseur et qu'elle ait une forme ronde de 25 à 30 centimètres.

Beurrez un moule à tarte (fond et côtés) et enfarinez-le légèrement partout.

Posez délicatement la pâte dans le moule sans faire de plis et rognez les bordures qui dépassent. Garnissez bien les coins du moule.

Appuyez sur le fond et les côtés du bout des doigts pour bien faire adhérer la pâte.

Mettez la pâte au réfrigérateur pendant 10 minutes.

Pendant ce temps dans un bol, écrasez bien la confiture de fraises avec une fourchette. Mettez-la dans une casserole en ajoutant 1 cuillerée à dessert d'eau si elle vous paraît trop épaisse et laissez-la chauffer doucement jusqu'au premier frémissement en la diluant le plus possible à la cuillère en bois (il faut qu'elle soit ni trop épaisse ni trop liquide).

Sortez du frigo le moule contenant la pâte, piquez le fond de 20 coups de fourchette afin d'éviter les bulles d'air et mettez-le 12 minutes dans le four à thermostat 5.
Ôtez du four et laissez refroidir complètement.

A l'aide d'un pinceau, nappez le fond de tarte refroidi de la moitié de la confiture de fraises.

Disposez les fraises des bois avec la pointe en haut sur toute la surface de la tarte.

Nappez de nouveau les fraises très légèrement au pinceau avec la confiture qui vous reste avant de servir.

# Madeleines de Camille Bernadi

Voici la recette simple et ô combien ! gourmande des madeleines de mon ami Camille Bernadi qui fut un chef très apprécié et un ami.

*Pour les réussir :*
**4 œufs frais**
**Pesez-les car leur poids sera le même que celui**
**de la farine que vous mettez à part dans un récipient**
**même poids de sucre**
**même poids de beurre**

*Préparation :*
Faites chauffer le four.

Travaillez bien, dans un saladier, le sucre mêlé aux œufs entiers à l'aide d'une fourchette.

Ajoutez ensuite la farine que vous mélangez bien puis le beurre clarifié.

Remélangez bien le tout avant de le répartir dans un moule à madeleines beurré.

Mettez au four très doux (déjà chaud) jusqu'à obtenir des madeleines si dorées et si alléchantes que même Proust n'y avait pas pensé !

# Poires au vin rouge à mon goût

Ce dessert me séduit toujours mais il n'est jamais accommodé avec les épices et les parfums que je préfère. Voici donc ces poires à ma façon.

*Pour 6 convives :*
**6 belles poires pas trop mûres**
**1 bouteille de bon vin rouge**
**(Hermitage de 3 ou 4 ans par exemple)**
**250 g de sucre en poudre**
**1 cuillerée à soupe de miel**
**1 gousse de vanille fendue en deux dans la longueur**
**1 petite pincée de noix muscade râpée**
**1 plein bol de framboises ou de mûres**

*Préparation :*
Pelez les poires entières.

Dans une grande casserole large et pas trop haute, mettez le vin avec le sucre, le miel, la vanille et la muscade.

Faites bouillir à feu vif 10 bonnes minutes.

Mettez ensuite les poires entières dans le vin chaud (il ne faut surtout pas qu'elles soient tassées dans la casserole) et laissez-les pocher à petits frémissements pendant 7 à 8 minutes au maximum.

Ôtez la casserole du feu, enlevez les poires de la casserole et mettez-les délicatement dans un saladier en verre ou en porcelaine.

Passez les framboises (ou les mûres) au mixer et, à travers une passoire, faites-les couler sur le vin afin de le lier un peu, tout en améliorant sa saveur.

Mélangez bien à la cuillère et versez le vin sur les poires dans le saladier.

Laissez refroidir puis mettez-les ainsi au frigo pendant 8 ou 10 heures avant de régaler vos hôtes.

# La crème caramel

Je louche invariablement sur la carte des restaurants pour y dénicher la crème caramel. Hélas ! ce dessert si peu sophistiqué s'y distingue souvent par son absence et me laisse sur ma gourmandise.
Alors je la fais chez moi ou, le plus souvent, c'est Jacinthe, notre cordon-bleu maison, qui la réussit de main de maître.

*Pour 4 à 6 convives aussi gourmands que moi :*
**1 l de lait**
**6 œufs entiers plus 2 jaunes supplémentaires**
**7 cuillerées à soupe de sucre en poudre**
**8 à 10 morceaux de sucre roux selon leur grosseur**
**1 bâton de vanille**
**1 verre d'eau**
**1 moule à charlotte**

## Préparation :

Coupez le bâton de vanille en 2 dans le sens de la longueur.

Mettez-le dans une casserole avec le lait : amenez à ébullition. Stoppez le feu, laissez tiédir.

Dans un saladier, battez au fouet les 6 œufs entiers plus 2 jaunes et le sucre en poudre, jusqu'à homogénéité complète.

Ôtez la vanille du lait et commencez à verser peu à peu le lait tiède dans le saladier d'œufs en battant vivement avec le fouet.

Mettez le sucre en morceaux dans une casserole sur le feu en l'imbibant juste d'eau pour faire le caramel. Laissez colorer à roux à peine foncé.

Versez le caramel dans le fond du moule. Inclinez-le pour en tapisser les 4 côtés. Puis tournez-le à l'envers afin que le caramel ne retombe pas tout au fond.

Laissez refroidir.

Ajoutez-y les œufs au lait.

Placez le moule dans un bain-marie d'eau tiède (il faut que l'eau arrive presque à hauteur du niveau du lait).

Mettez au four chaud pendant 1 heure, 1 h 1/4, vérifiez

avant de la sortir du four si elle n'est pas trop molle en y plantant une brochette ou la lame d'un petit couteau. Elle ne doit pas ressortir humide.

Retirez-la du four, laissez refroidir un peu. Démoulez.

Ne la mettez au réfrigérateur que si vous ne la dégustez pas dans les heures qui suivent.

Elle est bien meilleure 1 heure ou 2 après avoir été faite.

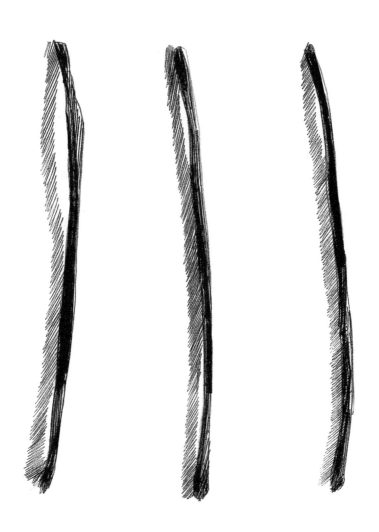

# La Millassine

Quand j'allais chez ma grand-mère, son voisin le chevrier me donnait dix sous pour chaque seau de marrons que je lui rapportais afin de nourrir ses chères biquettes. Pour me récompenser de ma vaillance, Mémé de son côté me confectionnait le dessert le plus simple et le plus savoureux qui soit. Il est demeuré l'un de mes plus vifs goûts d'enfance.

**3 œufs entiers**
**1/2 l de lait**
**130 g de sucre en poudre**
**130 g de farine**
**1 paquet de sucre vanillé**
**3 cuillerées à soupe de rhum**
**2 cuillerées à soupe de fleur d'oranger**
**1 pincée de sel**

*Préparation :*
Dans un saladier, travaillez farine, sucre, œufs et parfums. Mélangez-y doucement le lait bouillant en tournant.

Versez le tout dans un moule à tarte préalablement beurré.

Mettez-le au four chaud jusqu'à obtenir une couleur dorée, mais ôtez-la avant qu'elle ne sèche.

Testez avec la pointe d'un couteau.

Laissez refroidir avant de servir.

# La mousse au chocolat et au café

*Pour 8 convives :*
300 g de chocolat noir amer
80 g de beurre
4 œufs
1 blanc d'œuf supplémentaire
pour la rendre plus légère
50 g de sucre en poudre
1 petit sachet de sucre vanillé
1/2 tasse de café fort
1/3 de verre d'eau

*Préparation :*
Dans une casserole, mettez le chocolat en morceaux, l'eau, le café et laissez fondre sur un feu en tournant.

Ajoutez le sucre en poudre et le sucre vanillé, tournez constamment avec 1 cuillère en bois.

Ôtez la casserole du feu et mettez au fur et à mesure le beurre par petits morceaux que vous faites bien fondre en remuant.

La casserole hors du feu, ajoutez les 4 jaunes d'œufs que vous aurez séparés des blancs. Incorporez-les bien en tournant doucement.

Battez bien tous les blancs, avec la pincée de sel pour les monter en neige très ferme.

Incorporez-les au chocolat en appuyant doucement dessus avec la cuillère en bois, pour ne pas défaire la neige qui risque de devenir liquide.

Laissez refroidir 2 heures et mettez-la au réfrigérateur. Elle est meilleure si on ne la déguste que le lendemain.

On peut l'accompagner de biscuits ou de tuiles tièdes.

# Tarte aux pommes de l'ivrogne

C'est une tarte que réussit très bien mon épouse lorsqu'elle n'a pas la malchance d'être appelée au téléphone pendant la cuisson.

C'est une recette que réussit également de main de maître notre ami et voisin Henri Pescarolo. Son épouse Maddy est également un fin cordon-bleu et il n'est pas rare que nous croisions le fer (de nos fourchettes) devant nos « pianos » respectifs.

*Pour 6 à 8 convives gourmands :*
**6 à 7 pommes**
**250 g de farine**
**250 g de beurre**
**1/2 verre d'eau**
**1/2 verre de bourgogne ou de bon vin rouge**
**2 cuillerées à soupe de sucre de canne en poudre**

*Préparation :*
Mettez le four à chauffer à thermostat 7.

Sortez le beurre du réfrigérateur 1 heure avant, afin qu'il soit bien ramolli.

Gardez à part la valeur d'1 noix de beurre séparée des 250 g.

Dans une terrine, mélangez en malaxant le beurre restant coupé en cubes avec la farine et l'eau.

Lorsque la pâte paraît homogène, creusez-la en forme de bol et incorporez-y le vin rouge.

Mélangez bien le tout jusqu'à ce que la pâte ait absorbé tout le vin.

Passez-la au rouleau en la repliant 4 ou 5 fois, étalez la pâte très mince (2 millimètres environ).

Beurrez bien partout le fond et les côtés du moule à tarte, enfarinez et étalez la pâte en laissant 1 bon centimètre de jeu sur les bords. Repoussez ensuite cet excédent de pâte vers les coins intérieurs et faites-la bien adhérer sur les rebords du moule.

Ébarbez ce qui dépasse et piquez le fond de 4 à 5 coups de fourchette pour éviter les bulles d'air.

Parsemez la pâte d'une fine couche de sucre de canne en poudre.

Épluchez les pommes, ôtez le cœur et découpez-les en fines tranches que vous disposez sur toute la pâte en les faisant se chevaucher d'un tiers.

Faites fondre la noix de beurre à feu doux dans une petite casserole et badigeonnez les pommes au pinceau jusqu'à ce qu'il ne vous reste plus de beurre.

Saupoudrez enfin avec la deuxième cuillerée de sucre en poudre toute la surface de la tarte.

Surveillez la cuisson au four qui doit durer de 25 à 30 minutes. Les pommes doivent être légèrement dorées.

Ôtez la tarte du four avant qu'elle ne soit sèche. Laissez-la tiédir ou refroidir avant de la déguster.

# Petits pots de crème au chocolat

Très facile quand on dispose de trop peu de temps pour faire un dessert plus élaboré.

*Pour 8 convives :*
150 g de sucre semoule
3 jaunes d'œufs plus 3 œufs entiers
120 g de chocolat noir
3/4 de litre de lait
1 cuillerée à soupe de rhum ambré (facultatif)

*Préparation :*
Mettez le four à chauffer à thermostat 6.

Dans un saladier en verre ou une terrine, mettez le sucre en poudre avec les jaunes d'œufs.

Travaillez-les bien à la fourchette.

Ajoutez les œufs entiers. Même opération.

Râpez entièrement le chocolat par-dessus et mélangez bien le tout jusqu'à obtenir une parfaite homogénéité. Ajoutez le rhum.

Faites bouillir le lait et versez-le bouillant par-dessus le mélange. Remuez bien le tout et passez-le au chinois au-dessus des ramequins que vous remplissez en vous arrêtant à 2 centimètres du bord.

Placez-les dans un grand plat à four à rebords contenant 6 ou 7 centimètres environ d'eau.

Faites-les cuire à four doux (thermostat 5) entre 15 et 20 minutes.

Assurez-vous de la consistance de la crème avant de les ôter du four et surveillez auparavant que l'ébullition du bain-marie n'éclabousse pas la crème...

# Pâte sucrée
# pour la tarte au citron

Au lieu d'une traditionnelle pâte sablée, je fais une pâte sucrée qui ne se « travaille » pratiquement pas et que je laisse reposer au moins trois heures au frigo avant de l'utiliser.

*Voici d'abord comment faire la pâte sucrée :*
**500 g de farine**
**250 g de beurre**
**150 g de sucre semoule**
**1 cuillerée à soupe de crème double**
**1 œuf entier + 1 jaune d'œuf**
**1 cuillerée à soupe de lait**
**1 pincée de sel fin**

*Préparation :*
Tamisez la farine et mettez-la en couronne avec un puits au milieu.

Dans ce puits central, versez le sucre en forme de monticule, ajoutez-y la crème, les œufs, la pincée de sel, le lait et le beurre coupé en dés.

Mélangez délicatement ces ingrédients du bout des doigts sans y intégrer la farine.

Lorsque ce mélange est bien homogène, ajoutez peu à peu la farine jusqu'à ce que cette dernière soit bien amalgamée au reste (n'ajoutez que très peu de farine à la fois).

Faites une boule de ce mélange et mettez-la au moins 3 heures au frigo dans un linge humide ou entourée d'un papier film.

La pâte non utilisée se conserve très bien pendant quelques jours au frigo enveloppée d'un papier film.

# La tarte aux citrons

*Pour 6 à 8 convives :*
300 g de pâte sucrée
3 œufs entiers + 1 jaune d'œuf
le jus de 3 citrons
le jus de 2 oranges
125 g de sucre semoule
100 g de beurre frais

*Aucun gourmand n'y résiste !*

*Préparation :*
Préchauffez le four à thermostat 7.

Pressez le jus des citrons et des oranges à travers une passoire.

Faites fondre doucement le beurre dans 1 casserole et beurrez au pinceau le fond d'1 moule à tarte de 20 à 25 centimètres de diamètre, réservez le reste du beurre fondu.

Farinez très légèrement le fond du moule beurré.

Aplatissez la pâte sucrée au rouleau et tapissez-en le fond du moule d'une fine couche de 2 à 3 millimètres environ.

La pâte doit remonter en tapissant bien les bords (nourrissez bien les angles de pâte avec le pouce afin que celle-ci ne se craquelle pas ; ébarbez ce qui dépasse.

Avec une fourchette, faites quelques trous dans la pâte afin qu'elle ne gonfle pas en cuisant.

Recouvrez le fond d'un disque de papier d'alu ou sulfurisé à la dimension du moule, bords y compris. Le papier doit être bien appuyé sur la pâte.

Mettez dans le four chaud et laissez cuire la pâte pendant 20 minutes.

Ôtez-la du four la cuisson terminée et laissez refroidir.

Pendant ce temps, mélangez bien au fouet les jus des citrons et d'oranges, le beurre fondu, le sucre semoule et les œufs entiers plus 1 jaune, jusqu'à ce que le tout soit bien homogène.

Ôtez le papier d'alu de la surface de la pâte refroidie et

versez le mélange sur le fond de la tarte cuite. Mettez-la dans le four chaud.

Les bords d'un moule à tarte n'étant jamais très hauts, ne mettez que la moitié du mélange dans le moule que vous placez dans le four et ajoutez le reste jusqu'à ras-bord à l'aide d'une petite louche car vous risqueriez de renverser la préparation dans le four.

Laissez cuire à four bien chaud les 10 premières minutes puis baissez le four (entrouvrez la porte légèrement) et laissez 20 à 25 minutes de cuisson.

Ôtez-la du four lorsque l'intérieur de la tarte ne tremblote plus (agitez légèrement le moule pour vous en rendre compte) et avant qu'elle ne soit trop cuite.

Laissez refroidir 1 heure avant de démouler.

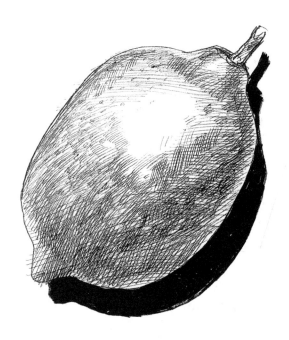

# Gâteau de riz

Voici une recette (très détaillée) que Maman a conservée de réfugiés italiens qui étaient nos locataires. J'adorais la « Polenta » de Mme Cavalli et elle m'offrait souvent des grosses parts de gâteau de riz que sa grand-mère lui avait appris à faire. Nous faisons toujours le même qui est un vrai délice.

*Présentation du riz :*

Choisissez d'abord un bon riz avec de beaux grains.

Lavez-le deux ou trois fois à l'eau fraîche jusqu'à ce que celle-ci ne soit plus trouble.

Égouttez-le, jetez-le dans une casserole d'eau. Ébouillantez-le 2 minutes.

Remettez-le dans un égouttoir et rincez-le encore à l'eau tiède. Réservez-le.

**Pour 6 convives :**
**125 g de riz**
**75 g de sucre en poudre**
**1/2 l de lait environ**
**4 jaunes d'œufs**
**25 g de beurre**
**1 infime pincée de sel**
**1 zeste de citron**
**1 gousse de vanille fendue en 2 dans la longueur**
**1 cuillerée à soupe de crème fleurette**

*Préparation :*

Mettez le riz ébouillanté et rincé dans une casserole sur le feu et versez la valeur d'un verre de lait par-dessus, ainsi que la vanille et le zeste de citron.

Ajoutez la pincée de sel et une noix de beurre et amenez à douce ébullition.

Lorsque le riz a absorbé le lait, rajoutez-en autant au riz et renouvelez ainsi l'opération jusqu'à ce que tout le lait soit bu par le riz.

Remuez doucement à chaque fois avec une fourchette et n'ajoutez le sucre au lait qu'à la fin.

Dans un bol, faites diluer les jaunes d'œufs avec la crème et le beurre divisé en petites noisettes.

Lorsque le mélange est très homogène, intégrez-le au riz avec une fourchette sans écraser les grains.

Si vous aimez cela, incorporez également au riz une poignée de raisins de Corinthe après avoir ôté les pédoncules et les avoir bien nettoyés. Répartissez-les bien partout.

Pour caraméliser :
Il n'est pas difficile de réussir un caramel encore faut-il savoir :

Dans une casserole en inox, mettez 5 à 6 morceaux de sucre. Imbibez-les avec très peu d'eau. Il ne faut absolument pas que le sucre « nage » dans l'eau.

Mettez la casserole sur le feu moyen.

Inclinez-la de tous les côtés afin que le feu soit bien réparti (ne le tournez pas avec 1 cuillère).

Au bout de quelques minutes et avant qu'il ne devienne trop foncé (vous jugerez de sa consistance), versez le tout chaud dans le moule à charlotte qui vous servira pour le gâteau de riz.

Inclinez les bords pour bien répartir le caramel sur tous les côtés et retournez le moule sur la table afin que le caramel ne « re-dégouline » pas dans le fond.

Lorsque le caramel est pris, mettez le riz dans le moule (pas trop plein !), faites-le cuire au four pendant 45 minutes à chaleur moyenne (thermostat 6).

Avant de le mettre au four, couvrez-le avec un papier sulfurisé beurré ou un papier d'alu afin qu'il ne sèche pas trop sur le dessus.

Retirez votre beau (et succulent !) gâteau de riz du four. Laissez-le reposer 1/4 d'heure et démoulez sur un plat rond de couleur si vous en avez. C'est plus joli avec une crème anglaise autour !

Je n'en ai jamais mangé de meilleur !

# Les « merveilles » de mon pays

Tout en me déhanchant sur mon vélo trop grand pour moi, je rentrais de l'école, les terribles jours de janvier ou février, transi de froid dans mes culottes courtes, le nez et les mains rougis par la bise hivernale, je pédalais tout de même vaillamment. Chaque coup de pédale me rapprochait de notre maison.

Sur la cuisinière à charbon astiquée si frénétiquement deux fois par jour, c'est là que Maman faisait des « beignets », des « crêpes », des « pets de nonnes », des « merveilles ».

« Maman, je veux faire le mien ! »
Et Maman me laissait découper un « bonhomme », une « fleur », un « chien » dans la pâte qu'elle livrait à l'huile bouillante. Je voyais alors mon chef-d'œuvre gonfler, se transformer jusqu'à devenir une grosse bulle informe et distordue qui n'avait plus grand-chose à voir avec ma « sculpture » initiale.

Moi qui suis toujours resté perplexe sur l'existence de Dieu, je me demande si, finalement, il ne se cachait pas dans ces fameuses « merveilles », dont le souvenir me donne l'eau à la bouche.

*Pour 8 convives :*
**500 g de farine**
**5 œufs**
**100 g de beurre ou d'huile d'arachide**
**ou de saindoux, ou 50 g de chaque en mélangeant**
**par exemple huile et saindoux ou beurre et huile**
**1/2 paquet de levure suffit**
**1 zeste de citron ou 1 cuillerée**
**à soupe de rhum, ou les 2**
**1 pincée de sel**
**du sucre glace**
**de l'huile à friture**
**(d'arachide au moins 2 ou 3 l)**

*Préparation :*
Mélangez tous vos ingrédients dans un saladier jusqu'à obtenir une pâte bien lisse et homogène.

Vous la travaillez 4 ou 5 minutes, la « tapez » bien sur la

table (n'oubliez pas d'y inclure la levure avant de l'écraser une dernière fois au rouleau jusqu'à ce qu'elle ne soit épaisse que de 1/2 centimètre).

Pendant cette opération, vous aurez fait chauffer l'huile d'arachide.

Découpez votre pâte en forme de fleur, de lézard, ou tout simplement en rond avec un verre ou en bandes de 3 à 4 centimètres de largeur que vous entrelacez avant de les jeter dans l'huile bouillante.

Lorsqu'elles sont bien blondes, bien dorées, ôtez-les de la friture avec une écumoire et égouttez-les sur un torchon ou sur un papier absorbant.

Saupoudrez-les de sucre glace.

En les croquant, fermez les yeux et vous retrouverez sûrement votre enfance !

# Beignets aux pommes caramélisés

*Pour 4 à 6 convives :*
**6 belles pommes**

*Faites une pâte à beignets avec :*
**4 cuillerées à soupe de farine**
**1 cuillerée à café de fécule**
**2 cuillerées à soupe d'huile**
**1/2 verre d'eau**
**1 pincée de sel**
**1 œuf**
**1/2 cuillerée à café de levure**
**1 cuillerée à café de grains de sésame**

Pelez, évidez et découpez les pommes en six gros morceaux, recouvrez-les de pâte, jetez-les dans la friture comme pour des frites, sortez-les dorées.

Par ailleurs, préparez un caramel légèrement liquide en y ajoutant une cuillerée à café de grains de sésame.

Sortez les beignets dorés de leur bain d'huile et jetez-les dans la casserole de caramel chaud. Retirez-les enduits de caramel à l'aide d'une pince et plongez-les aussitôt dans un saladier d'eau glacée.

Servez-les sur des assiettes légèrement huilées afin que le caramel ne colle pas.

Les enfants (dont je fais partie !) adorent !

# Notes

# La tortore des aminches

Depuis plus de trente ans, j'ai sillonné en tous sens les chemins de notre jolie France. J'ai pu constater sans effort particulier que, contrairement aux paysages qui s'enlaidissaient grâce aux efforts conjugués de nos architectes imaginatifs, la cuisine, elle, s'« améliorait » considérablement.

Les Chapel, les Troisgros, les Senderens, les Delaveyne, Girardet, Blanc Manière et quelques autres ont nettement développé et enrichi « notre patrimoine » gastronomique.
« Cocorico ! » comme dit Bocuse sur ses photos de « Président de la République » ! Fermez le ban !

Ils ont, semble-t-il, compris la nécessité de « secouer les farines », d'alléger les crèmes (bien que certains soient encore des « crémiers » forcenés !), de ne plus faire bouillir ou braiser indéfiniment.

Ils ont « appris » avec les Chinois la cuisson croquante des légumes par le truchement de la vapeur qu'ils maîtrisent à présent totalement.
Ils ont appris à décorer un plat différemment et sans doute plus « artistiquement » (Carème et Curnonsky me pardonnent) que leurs anciens « maîtres ».

Ils ont donc un petit peu « emprunté » les cuissons, l'esprit de décoration aux Asiatiques, les épices aux Indiens et surtout aux Marocains.

Ils ont, en sophistiquant leur cuisine, créé ce que l'on appela, voici une quinzaine d'années déjà, la « cuisine nouvelle », vilipendée par d'aucuns qui, après en avoir « vendu » des guides et des journaux entiers, ne sont pas gênés une seconde de « cracher » maintenant dans « la soupe » qu'ils adoraient hier.

Ce n'est pas simple, messieurs les critiques diplômés et appointés ! Bien sûr, certains de nos valeureux « petits génies » inventifs nous ont infligé de douloureuses « passades gastronomiques » avec royalement vingt grammes de nourriture au fond d'un plat (géant !) dont dix de kiwis

émincés joliment autour de trois queues de langoustines « en buisson ». Bien sûr, nous avons supporté, ingurgité une pléthore de plats plus agréables à l'œil qu'au palais, plus profitables au tiroir-caisse de notre amphitryon qu'à notre pauvre estomac frustré !
Mais tout de même... !

Les « grands » (dans l'ensemble !) ont été et sont les plus « sérieux ». Point de traitement de ce genre chez Chapel, chez Loiseau, Meneau, Troisgros, Lameloise ou Robuchon !... Fort heureusement, la « sélection naturelle » (à l'image des animaux !) s'est également manifestée chez les « chefs » ou prétendus tels !

Il m'apparaît aujourd'hui que, non pas « seuls les " bons " demeurent » (ce serait trop beau !), mais que les « bons » élèves de tous nos « grands » qui se distinguent d'une ou de deux étoiles Michelin le méritent en général amplement.

Bien sûr, tout ce qui est mode se démode et notre « cuisine nouvelle » n'a pas échappé à la règle. N'empêche que les grandes inventions de nos « génies » de la tortore demeurent, se perpétuent et leur émulation, quoi qu'en disent nos cassandres, m'apparaît encore comme la seule arme pouvant lutter contre les glorieux fast-food qui ornent la rue de la République à Lyon (mais oui !) ; nos majestueux Champs-Élysées sont, hélas ! eux aussi gangrenés par l'invasion de ces négociants de viande pour chats !

Merci donc, les gars, à vous qui vous bagarrez pour maintenir haut la barre de la qualité. Moi, je suis et je demeure client, « votre » client, car j'ai passé et je passerai encore, je l'espère ! des moments rares de bonheur, attablé devant des merveilles de senteurs, de saveurs, de fumets de combinaisons subtiles, avec vos modestes explications à la clé, avec la jubilation discrète qui se lit dans vos yeux lorsque votre hôte est ravi, étonné ou transporté de gourmandes exaltations en goûtant vos plats subtils.

Voici une poignée de recettes qui sont autant de coups de foudre dus à quelques-uns de ces chefs (plus ou moins étoilés) qui se « pressent le citron » quotidiennement dans le seul but de séduire les papilles des gourmets, des gourmands ou des critiques blasés (y en a plein !). Ces derniers ne poussent souvent la porte des restaurants qu'avec l'intention sadique de leur « faire la fête » dans leur prochain guide ! Mon ami Jean Delaveyne ne me contredira hélas pas !

Eh bien, merci à vous les aminches de m'avoir « prêté » chacun la recette d'un plat qui m'a (une fois de plus !) étonné et séduit dans vos accueillantes maisons, grâces vous soient rendues ! Vous m'avez permis d'offrir et de faire partager ici à mes amis gourmands tous ces « savoureux moments de bonheur » dont vous savez si bien auréoler les tables fleuries des prestigieux Relais Gourmands (Bravo Daguin, merci Jo Olivereau).

# Les œufs au plat de Mme Point (cuits dans une poêle !)

Nous fûmes pendant des années, mon épouse et ma pomme, assidus et inconditionnels de la maison Point à Vienne. Tout comme dans la chanson de Bruant « Nini-peau de chien », elle était si douce et si gentille cette Mme Point !
Nous avons fait aussi en tournée un déjeuner avec l'ami Charles Aznavour que nous ne sommes pas prêts d'oublier, mais j'en parlerai dans un autre bouquin un jour ou l'autre...

Tout cela pour dire que Mme Point, épouse du grand Fernand (qui fut sans doute le plus grand de sa génération!), expliqua avec son doux sourire à Rebecca, mon épouse, que « même les œufs au plat, on pouvait les rendre sublimes »! Et lui donna en détail la façon originale et merveilleuse de trousser en deux-coups-les-gros des œufs au plat (paradoxalement cuits dans une poêle) qui ne ressemblent à aucun autre.

***Il nous faut impérativement :***
**une poêle antiadhésive**
**du beurre mou**
**(sorti au moins 1 h avant du frigo)**
**pas plus de 6 œufs car la cuisson ne vous**
**permettra pas davantage (à moins que vous ne cassiez**
**les œufs à deux chacun d'un côté de la poêle !)**

*Je vous explique :* la préparation doit être ultra-rapide. Mettez sur le feu vif une poêle antiadhésive et laissez-la chauffer très fort sans matière grasse.

Ôtez-la du feu et mettez-y 5 ou 6 noisettes de beurre préparées à l'avance.

Cassez immédiatement les œufs par-dessus (cela ira plus vite en vous faisant aider).

Mettez une noisette de beurre sur chaque œuf.

Salez et poivrez. Servez dans des assiettes très chaudes.

Toute l'opération doit se passer hors du feu et ne doit pas dépasser 3 à 4 minutes (1 minute 1/2 pour chauffer la poêle et le reste du temps pour permettre au beurre de fondre et aux œufs de cuire).

Ce sont les meilleurs œufs au plat que nous ayons dégustés !

*Merci Philippe Valin.*
*D'être talentueux, inventif, curieux et enthousiaste tel que tu l'es pour*
*ton métier. Ta salade de choux au foie frais ou ton ragoût de clams*
*sont de belles trouvailles goûteuses. Elles font à coup sûr oublier à*
*Maurice et Dany Cartier (les tauliers du magnifique Dodin-Bouffant)*
*les sonores imprécations qui voltigent parfois pendant les coups de*
*feu au-dessus de ton piano. C'est, dit-on, l'apanage des grands*
*chefs...*

# Ragoût de clams
# aux pointes vertes

Comptez 5 clams par personne.

Décoquillez à cru et passez le jus au chinois fin.

Les asperges vertes sont cuites al dente.

Dans une sauteuse, faites étuver une échalote ciselée avec Noilly Prat, jus des clams. Réduisez des 9/10, ajoutez une lichette de crème et un trait de velouté de poisson. Goûtez l'assaisonnement et rectifiez. Attention au sel.

Mettez les tronçons d'asperges (2 cm) et laissez cuire quelques minutes. Ajoutez les clams, retournez-les délicatement et liez le tout d'un peu de beurre blanc.

Dressez dans une assiette creuse et saupoudrez de ciboulette.

# Salade de chou vert frisé et foie gras d'oie à la vapeur

*Pour 6 personnes :*
1 beau chou vert frisé bien ferme, débarrassé de ses larges feuilles, coupé en six et lavé.

Salez et poivrez, cuire à la vapeur 20 minutes.

Prenez un foie de 500 g, salez et poivrez largement, mettez à la vapeur sur les choux 10 minutes avant la fin de cuisson de ces derniers.

*Vinaigrette :*
1 cuillerée à soupe d'échalotes hachées
sel fin, poivre du moulin
3 cuillerées à soupe de vinaigre rouge de Xérès, macérer
1 heure.

*Ajoutez :*
1/2 cuillerée à soupe de moutarde forte et montez au fouet avec :
3 cuillerées à soupe d'huile d'arachide et 5 cuillerées à soupe d'huile de noix.
Passez au tamis fin.

Pour la finition, 1 cuillerée à soupe de ciboulettes hachées.

Après 20 minutes de cuisson, on sort le tout de la vapeur.

Supprimez le trognon du chou.

Émincez en trois coups de couteau chaque quartier et étalez sur les assiettes chaudes.

Disposez sur le chou 2 belles escalopes de foie gras, salez et poivrez au moulin.

Arrosez de vinaigrette et saupoudrez de ciboulette.

**Dodin-Bouffant, Paris.**

Cher Jean Delaveyne,
*Tu es considéré (hormis par quelques « pisse-froid » prétentiards qui ne connaissent rien à la tortore) comme le plus capable et le plus amoureux de ton métier, le plus bavard sans doute, le plus haut en couleurs, mais aussi le plus sincère, le plus authentique et le plus imaginatif des créateurs gastronomiques.*

*Tu as eu la gentillesse (car elle t'est naturelle) de m'offrir cette recette inédite dont je peux, à mon tour, faire cadeau à tous les amoureux de la cuisine de goût.*

*Rebecca et ma pomme, on est fiers d'être tes amis.*

# La galette de cèpes à l'envers

*Pour 4 ou 5 personnes :*
2 ou 3 pommes de terre de moyenne taille,
genre bintje
6 à 8 têtes de cèpes bien fermes
2 tranches de poitrine fumée de 5 mm d'épaisseur
1 gros oignon
1 échalote
1 cuillerée de civette ou ciboulette ciselée
300 g de pâte feuilletée ou pâte à foncer
beurre, graisse d'oie, huile, sel, poivre.

*Préparation :*

Lavez les pommes de terre ; mettez-les à cuire à l'eau froide salée.

A l'ébullition, comptez 5 minutes d'horloge. Égouttez de suite et rafraîchissez. Réservez.

Les pommes sont à moitié cuites et l'on peut s'y prendre à l'avance.

Découennez et coupez la poitrine en menus lardons.

Blanchissez-les rapidement et égouttez-les.

Épluchez et émincez finement l'oignon. Mettez une cuillerée de graisse d'oie dans la poêle, à défaut un peu d'huile, et faites cuire les oignons à couvert 7 à 8 minutes à très petit feu. Ajoutez alors les lardons, laissez rissoler légèrement et débarrassez. L'oignon doit être à peine blond.

Nettoyez les cèpes et essuyez-les. Coupez les pieds et escalopez les têtes en tranches de 2 à 3 mm d'épaisseur.

Salez-les et poivrez au goût.

Dans la poêle en question et sur un bon feu vif, ajoutez une cuillerée de graisse d'oie ou d'huile. Ajoutez les cèpes et sautez-les vivement. Ajoutez avant la fin l'échalote hachée sans la brûler.

Épluchez les pommes de terre. Râpez-les dans un saladier ou ustensile adéquat. Ajoutez une bonne cuillerée de beurre fondu, la civette ciselée, sel, poivre et mélangez le tout à la fourchette.

fin de la recette page suivante

Étalez une abaisse de pâte, feuilletée de préférence, à 3 mm d'épaisseur environ. Découpez un disque plus grand de 2 à 3 cm que le diamètre de la poêle.

Dans la poêle, mettez un peu de beurre à fondre. Étalez les pommes râpées en une couche uniforme. Répartissez en rosace les tranches de cèpes et par-dessus l'oignon fondu avec les lardons.

Couvrez avec l'abaisse préparée.

Mettez à four chaud (thermostat 6) à cuire une quinzaine de minutes. La pâte doit être croustillante et blonde.

Sortez la galette avec précaution et remettez l'ustensile sur un feu vif 2 minutes, en opérant des mouvements de rotation avec la queue de la poêle afin de décoller la couche de pommes tout en la colorant légèrement. Avec précaution pour éviter les brûlures, mettez un couvercle sur la pâte et retournez l'ensemble.

Pour dresser ce plat rustique l'on peut très bien remettre à l'endroit cette tourte dans sa poêle et la servir ainsi ou bien la glisser sur un plat de service.

J'ai créé cette fantaisie succulente en fin décembre 1976 pour deux amis venus d'ailleurs un peu tard dîner, et pour les « bluffer » suivant la coutume des cuisiniers qui se mettent en quatre pour innover pour les potes. Ce soir-là je remplaçai les cèpes par des truffes fraîches à gogo, intercalées avec quelques copeaux de foie gras. C'est un peu plus cher mais dans ce truc-là quand c'est bon ça ne peut pas être meilleur : les deux amis en question étaient Michel Guérard et Claude Jolly.

**Le Camélia, Bougival.**

# Notes

*Cher Joël, ton plat te ressemble. Il est généreux et modeste. Il réjouira tous ceux (et ils sont nombreux !) qui adorent ta cuisine d'innovation. Grand merci à toi en attendant l'heureux moment où nous irons nous régaler, accueillis par le sourire de Janine, dans votre « temple » de la sublime tortore.*

# Marinière de coquillages

*Pour 4 personnes :*
500 g de moules
600 g de coques
2 gros champignons de Paris
4 petits poireaux
1/4 de litre de vin blanc
150 g de beurre
sel, poivre
700 g de palourdes
8 vernis
1 petit bulbe de fenouil
1 citron
5 échalotes
persil plat, thym
safran

Taillez les poireaux en brunoise très petite : pour cela, taillez d'abord en julienne de 2 millimètres, puis taillez cette julienne en petits dés. Faites de même pour les champignons et le fenouil. Hachez les échalotes.

Ouvrez les vernis avec un petit couteau en commençant par le talon avec le « tranchant » de la lame. Sortez le corail (la partie rouge).

Taillez-le en petits dés. (Le reste du vernis ne présente pas beaucoup d'intérêt.) Faites cuire séparément les moules et les palourdes à la marinière, avec le vin blanc, du beurre et des échalotes hachées. Faites cuire les coques dans une casserole avec un peu de beurre.

Éventuellement, ébardez les coques, c'est-à-dire, avec des petits ciseaux, retirez la poche grisâtre qui contient souvent du sable.

Faites réduire d'un tiers le jus de cuisson des coquillages après avoir ajouté le jus d'un quart de citron.

Dans une sauteuse ou une casserole, mettez le beurre cru, le fenouil, les poireaux et les échalotes. Puis faites cuire, sans coloration, pendant 2 minutes. Ajoutez les champignons et continuez la cuisson pendant 2 à 3 minutes.

Préparez une casserole d'eau bouillante salée. Quand l'eau bout, jetez-y les algues pour les verdir. Laissez-les 30 secondes et sortez-les avec une écumoire. Égouttez-les.

Dans la sauteuse contenant les légumes, versez le jus de cuisson réduit. Portez à ébullition, puis ajoutez une très petite pincée de safran. Poivrez bien. Ajoutez le corail des vernis, faites-le chauffer quelques instants puis mettez cinq à six noix de beurre.

Ajoutez enfin les coquillages pour les faire réchauffer quelques instants. Dans cette préparation, ajoutez du persil haché puis du thym.

Disposez les algues dans le fond des assiettes. Posez dessus trois demi-coquilles de vernis par assiette. Avec une cuillère mettez la préparation dans les coquilles. Décorez avec quelques pluches de persil haché.

**Jamin, Paris.**

*Chez Michel Chabran, c'est à Pont-d'Isère, à l'endroit même où son grand-père avait déjà un restaurant.*
*Michel Chabran fait partie de cette école de jeunes loups imaginatifs tels les Jean-Pierre  Vigato , Bernard Loiseau, Claude Darroze et quelques autres.*

*Ce sont les magiciens des jus, des sauces légères, de l'authenticité des goûts. Michel, lui, nous proposera rougets ou pigeonneaux imprégnés de saveurs que lui seul maîtrise de main de maître.*

*Ces divines aiguillettes nous feront redécouvrir le filet de bœuf.*
*Merci Michel !*

# Les aiguillettes de bœuf au vieil Hermitage

**1,200 kg de filet de bœuf**
**(6 fois 200 g)**
**5 cl d'huile**
**100 g de beurre**
**40 cl de vin rouge « Hermitage » (pour le fond de sauce)**
**10 cl d'Hermitage (pour déglacer)**
**50 g de julienne de foie frais**
**pour déglacer sur les aiguillettes**
**une julienne de truffes**

Poêlez les tournedos.

Retirez-les. Dégraissez

Déglacez avec l'Hermitage + le fond de sauce.

Montez au beurre.

Vérifiez l'assaisonnement.

Taillez les tournedos en 6 ou 7 belles aiguillettes.

Nappez légèrement avec la sauce, parsemez dessus la julienne de foie frais + la julienne de truffes.

**Chez Michel Chabran, Pont-d'Isère.**

*Cette recette, que j'ai trouvée si originale pour sa délicate saveur d'avoine grillée, m'a gentiment été offerte par Solange et Jacques Thorel.*

*Ce dernier artisan talentueux de la cuisine qu'il propose à ses clients invente avec un réel bonheur quantité de plats subtils.*

*Vous trouverez toutes ces merveilles dans son accueillante « Auberge Bretonne » de La Roche-Bernard.*

# Crème d'avoine

**1 l 1/2 de lait**
**100 g d'avoine**
**4 œufs + 4 jaunes**
**100 g de sucre**

Faites chauffer le four.

Faites griller l'avoine, ensuite mettez le lait à bouillir et versez-le sur l'avoine grillée.

Laissez le tout reposer environ 1 heure.

Égouttez ensuite l'avoine.

Mélangez le sucre, les œufs, les jaunes, et ajoutez-y le lait avoiné (sans les grains d'avoine) à travers un tamis.

Mettez le tout à cuire 1/2 heure au four thermostat 6, dans des petits plats en porcelaine. L'épaisseur de la crème ne doit pas dépasser 1 cm 1/2 dans chaque plat.

Surveillez bien la cuisson car, en fonction de la chaleur du four préalablement chauffé, vous pouvez avoir des surprises, comme cela m'est arrivé.

Lorsque la crème vous semble prise, ôtez-la du four. Il faut qu'elle soit légèrement « tremblotante ».

**Auberge Bretonne, La Roche-Bernard.**

*Je puis vous assurer que si tous les « tord-boyaux » du pays offraient des recettes comme celle-ci, ils refuseraient des clients. Pierre Troisgros et son fils Michel en refusent d'ailleurs car leur maison recèle l'une des plus grandes tables de France. Merci, les aminches !*

# Coquilles Saint-Jacques en tord-boyaux

*Ingrédients pour 4 personnes :*
**4 kg de coquilles Saint-Jacques vivantes**
**150 g de beurre frais**
**400 g de feuilletage**
**2 échalotes**
**10 cl de vinaigre de vin (moitié de vinaigre de vin rouge, moitié de vinaigre de Xérès)**
**1 œuf (dorure)**
**5 cl de vin blanc sec**
**5 cl de vermouth (Noilly Prat)**
**ciboulette, algues**

*Mise en place :*
On peut faire préparer les coquilles par son poissonnier, mais il est préférable de les ouvrir soi-même au dernier instant de la manière suivante :

Introduisez la lame d'un couteau sous le couvercle et coupez le muscle qui le retient avec une cuillère, détachez délicatement la chair fixée à la partie concave.

Séparez des diverses membranes, la partie blanche « la noix » ainsi que la partie rouge « le corail ».

Nettoyez-les dans plusieurs eaux pour éliminer toute trace de sable, égouttez-les et fendez les noix par la moitié sur l'épaisseur.

Assaisonnez les coquilles de sel, poivre, vin blanc, vermouth et échalotes hachées, répartissez-les dans les coquilles préalablement nettoyées, gardez au frais.

Abaissez le feuilletage en un rectangle de 40 × 40 et

détaillez à l'emporte-pièce 8 ronds de 8 cm de diamètre, dorez-les largement de dorure de jaune d'œuf passé au pinceau. Recouvrez chaque coquille garnie de cette abaisse, laissez une ouverture au talon du coquillage et pincez les bords.

*Cuisson :*
Placez les 8 pièces sur une plaque à rôtir et cuisez environ 15 minutes à 220°. Au terme de la cuisson, récupérez le jus en inclinant la Saint-Jacques.

*Sauce :*
Faites une réduction avec ce jus de cuisson et le vinaigre puis montez au beurre. Assaisonnez.

*Finition :*
Réchauffez les algues dans une eau bouillante et répartissez-les sur les 4 assiettes. Placez les Saint-Jacques dessus et glissez la sauce par l'orifice.

**Troisgros, Roanne.**

*Voici deux recettes originales de la famille Bissonet.*

# Onglet

Prenez une vieille poêle (car c'est dans les vieux pots qu'on fait la meilleure cuisine) et faites-la chauffer à feu très vif.

Mettez dans la poêle l'onglet taillé épais (environ 180-200 g). Prévoyez 1 mn 15 de cuisson de chaque côté, salez, poivrez et, en fin de cuisson, arrosez la viande avec quelques gouttes de vieux vinaigre fait maison. Attention aux flammes.

Prenez une grande assiette creuse et recouvrez la poêle pendant 20 secondes, puis retournez l'assiette et servez l'onglet dans celle-ci.

Recette également valable pour la bavette et la hampe qui sont aussi deux morceaux de viande longue.

Important : Coupez la viande dans le sens des fibres et non à l'envers.

*Note de Pierre Perret :*
Je me permets de suggérer une « sauce à l'ivrogne » pour accompagner l'onglet, faite à partir d'échalotes blondies doucement en casserole auxquelles on ajoute 1/2 bouteille de bon ***Côtes-du-Rhône rouge.***

Laissez mijoter à feu très doux pendant une bonne heure après avoir salé et poivré.

C'est ainsi que nous la dégustions chez l'ami Bernard Gaillard à l' « Enclos de Ninon » et nous en gardons un souvenir ému !

# L'épigramme d'agneau
# encore appelé poitrine d'agneau

C'est un palet excellent et savoureux qui a le mérite d'être bon marché.

Choisissez une poitrine d'agneau (500 à 600 g) bien maigre sur un petit agneau.

Faites-la cuire au court-bouillon.

Désossez-la, panez-la, et ensuite repassez-la au four bien chauffé au préalable pendant 12 à 15 minutes.

Cet épigramme pourra être servi avec une bonne purée ou des pommes sarladaises.

**Boucheries nivernaises, faubourg Saint-Honoré.**

*Recette de l'ami Bernard Loiseau. Créateur infatigable.*
*Bernard est un défenseur acharné des jus naturels de viandes,*
*volailles et légumes, et leur finesse n'a d'égale que leur légèreté.*
*Merci mon pote, t'es un grand !*

# Les escargots aux orties

*Pour 4 personnes :*
**50 g d'orties**
**100 g de beurre**
**5 g de sel**
**5 tours de moulin à poivre**
**4 douzaines d'escargots (sous leurs coquilles)**

*Préparation :*
Faites blanchir les orties à l'eau bouillante salée pendant 3 minutes. Égouttez-les, mixez-les et incorporez-les aux 100 g de beurre. Laissez tourner 3 minutes. Salez et poivrez.

Faites chauffer les escargots dans un court-bouillon. Égouttez-les et incorporez le beurre d'orties. Rectifiez l'assaisonnement s'il y a lieu et servez bien chaud.

*Conseil :*
Ramassez vous-même les orties. Faites-les blanchir impérativement 3 minutes afin de supprimer le piquant trop fort de l'ortie.

**La Côte-d'Or, Saulieu.**

*Voici le gâteau basque tel qu'on le fait depuis des millénaires (ou presque !) à l'hôtel Bidegain à Mauléon-Soule. Mon ami José Bidegain, Basque authentique qui défend les couleurs gastronomiques de la famille, m'en a confié la recette comme un secret, ne la divulguez donc pas trop si vous ne voulez pas m'attirer des ennuis. Nos potes Bernard et Monique, Jean-Claude et Bouclette ont aussi aimé et magnifié ce superbe gâteau peu connu des gourmands trop éloignés du Pays basque.*

# Gâteau basque

*Composition :*
**3 œufs entiers**
**300 g de sucre**
**300 g de farine**
**200 g de beurre**
**1/2 sachet de levure Alsa**
**zeste d'une orange râpée**
**le jus de l'orange**

*Préparation :*
Cassez les œufs entiers dans une terrine. Battez-les.
Mélangez le sucre.

Ajoutez la farine et la levure ainsi que le beurre fondu.

Mettez le jus de l'orange et les râpures.

Beurrez et farinez un moule à tarte de 8 personnes. Tapissez le fond des 2/3 de la pâte.

Au-dessus étalez une couche de crème pâtissière, puis terminez par le reste de la pâte.

Chauffez bien le four au préalable, puis laissez-le cuire à four moyen 45 minutes environ.

Saupoudrez de sucre glace.

*Jacques Lozad est un chef, un vrai, il cherche lui aussi toujours de nouvelles combinaisons qui étonnent et séduisent ses hôtes. Il officie dans le restaurant d'un hôtel de rêve à l'Île Maurice, le Royal-Palm. C'est Jean-Pierre Chaumard qui veille à la bonne tenue de ce somptueux endroit. Il chouchoute ses clients étonnés qu'il puisse exister un lieu magique où tout le monde est naturellement gentil. La crème brûlée de Jacques est un petit chef-d'œuvre. Je vous l'offre de sa part.*

Merci à vous
à bientôt
les aminches

# Crême vanille brûlée à la Cassonade

*Pour 6 convives :*
6 plats à œufs en fonte émaillée ou en porcelaine
10 jaune d'œufs
3/4 de litre de crème fleurette
1/4 de litre de lait
150 g de sucre en poudre
50 g de sucre roux
3 gousses de vanille

Faites chauffer la crème avec le lait. Ajoutez les trois gousses de vanille que vous aurez coupées en deux dans la longueur afin de libérer la pulpe. Laissez refroidir.

Dans une terrine, cassez les œufs en séparant les jaunes des blancs. Versez en pluie le sucre sur les jaunes, mélangez sans trop travailler. Ajoutez le lait, mélangez à l'aide d'un fouet sans émultionner, ce qui aurait pour effet de faire mousser votre préparation. Passez au chinois fin dans une autre terrine.

Versez cette préparation dans six plats à œufs.

Cuisson à four doux thermostat 2 à 3 (70°), environ vingt minutes.

La crème doit rester tremblotante. A l'aide d'une passoire fine, saupoudrez le dessus de vos crèmes avec le sucre roux. Passez à la salamandre une minute.

Servir tel quel.

**Royal-Palm (Ile Maurice)**

# Index

## A

## B

## C

# Q

# R

# U. V.

# Table des matières

Achevé d'imprimer en Novembre 1999
par Maury-Eurolivres 45300 Manchecourt
No d'éditeur : 18135
No d'imprimeur : 99/11/75116
Dépôt légal : Novembre 1999